JOVELLANOS

CLÁSICOS CASTELLANOS

JOVELLANOS

OBRAS ESCOGIDAS

III

EDICIÓN, INTRODUCCIÓN Y NOTAS
DE ÁNGEL DEL RÍO

ESPASA-CALPE, S. A.
MADRID

S
868
Jovellanos
V. 3

Talleres tipográficos de la Editorial ESPASA-CALPE, S. A.

NOTAS COMPLEMENTARIAS

Estudiadas la personalidad y la obra de Jovellanos en la *Introducción* que aparece en el primer volumen, nos limitaremos aquí a dar algunas notas breves sobre los escritos incluídos en éste. Se inicia con la *Descripción del castillo de Bellver*, obra importante, escrita en 1805, y, como casi todos los trabajos de Jovellanos sobre monumentos mallorquines, redactada en forma epistolar y dirigida a Ceán Bermúdez. Aunque hemos excluído de nuestra selección todo cuanto se refiere a las Bellas Artes, consideramos que el valor de esta obra es fundamentalmente literario. En ningún otro instante se dejó penetrar el alma de Jovellanos de sentimiento más hondo ni alcanzó su expresión un vibrar de vida tan intenso como cuando recrea en su imaginación las fiestas caballerescas y poéticas que en los salones del castillo, ahora solitarios, debieron celebrarse en sus días de esplendor, o cuando, atalayando desde sus ventanas las campiñas mallorquinas, el encanto dulcemente

melancólico de la naturaleza se adueña de su sensibilidad. Evocación medieval, un sentido moderno del paisaje, balbuciente todavía, pero con todos
los caracteres ya de la visión romántica; tono agu-
damente subjetivo, acentuado por la nota personal de la soledad y del cautiverio: he aquí toda la
gama de un nuevo concepto literario, que aparece
en la literatura española por primera vez. Han
de pasar muchos años, casi un siglo, incluyendo
todo el romanticismo propiamente dicho, para volver a encontrar en la prosa castellana una emoción
parecida. A ello obedecen, sin duda, los elogios que
han dedicado a estas páginas Menéndez y Pelayo,
Milá, Rubió, Azorín, Merimée (1) y cuantos críticos se han ocupado de nuestro autor.

Siguen tres discursos: *El elogio de Carlos III*,
*Oración sobre el estudio de la literatura y las cien-
cias* y *Oración sobre las ciencias naturales*. El primero fué pronunciado en la Sociedad Económica
de Madrid el 8 de noviembre de 1788, e impreso

---

(1) "... tout s'anime, tout prend une forme vivante; les
ruines retrouvent leur jeunesse et se peuplent de cheva-
liers, de pages, de nobles dames, comme au moyen âge:
c'est le cadre qui a inspiré le tableau. Jovellanos, chez qui
l'idée pure trouvait rarement une forme véritablement poé-
tique, a été poète cette fois, c'est-a-dire créateur. De là à
en faire un précurseur du romantisme, il y a loin, je l'avoue
[creemos que Merimée se equivoca en este juicio]; mais
enfin, toute proportion gardée, l'antique forteresse féodale
a été pour lui ce que quarante ans plus tard Notre-Dame
de Paris devait être pour Víctor Hugo". MERIMÉE: *Jovellanos, Rev. Hispanique*, 1894, I, 67. Pueden verse otros
juicios en la *Introducción*, vol. I, pág. 102.

por primera vez al año siguiente, en casa de la Viuda de Ibarra. Su interés mayor reside en ser la pieza más explícita de enjuiciamiento histórico de la decadencia de España que escribió Jovellanos y en presentar claramente las ideas y preocupaciones de los reformadores que en la época de Carlos III intentaron dar nuevo rumbo a la sociedad española. Los otros dos discursos fueron pronunciados en el Instituto Asturiano en abril de 1797 y de 1799, respectivamente. El primero es notable por su doctrina estética. De su alegato en favor de la imitación de la naturaleza como fuente de toda creación artística, eco de las ideas de Young, de Fontenelle y, en general, de todos los que en Francia e Inglaterra sostuvieron en el siglo XVIII la causa de los autores modernos frente a la imitación de los antiguos en la famosa "querella", dijo Menéndez y Pelayo que era "el pasaje estético más notable con que tropezamos en los escritos de Jovellanos" (1). En el que trata de las ciencias naturales se ve expuesta con claridad la orientación del pensamiento filosófico, si así puede decirse, de Jovellanos. Ambos tienen valor como exposición de sus ideas pedagógicas, y sobre todo como modelos de elocuencia académica, aunque en ciertos pasajes pequen en demasía de retóricos y de excesiva servidumbre al estilo cicero-

---

(1)   *Ideas estéticas*. Madrid, 1933, vol. VI, pág. 99.

niano, hasta llegar a deficiencias sintácticas, que hacen el sentido oscuro en algunos párrafos.

Las diez *Cartas a don Antonio Ponz* fueron escritas a petición de éste, en 1872, cuando Jovellanos se trasladó primero a León y luego a Asturias con diferentes comisiones (1). No debió, sin embargo, de darles forma final, al menos a las siete últimas, hasta después de 1790, según se desprende de las noticias que da Ceán en sus *Memorias* (páginas 328 y siguientes), del cotejo con las descripciones que de sus viajes por Asturias posteriores a esta fecha hace el mismo Jovellanos en sus *Diarios* y de lo que él dice en el prólogo, donde afirma que era la intención de Ponz "aprovechar las noticias sembradas en mis cartas..., y formar con ellas uno o dos volúmenes en continuación de su viaje" (2), y que su muerte, acaecida en 1792, impidió que así lo hiciera. En efecto, Ponz utilizó tan sólo la descripción de San Marcos de León de la carta segunda, que incluyó en el tomo XI de su obra (3). Permanecieron inéditas hasta que la Sociedad Económica de La Habana publicó las nueve que hoy se conservan (la quinta se ha perdido) en sus *Memorias*, el año 1848 (4), y no el 1847, como

---

(1) Véase la *Introducción*, vol. I, págs. 38-40.
(2) RIVAD.: L, pág. 271.
(3) Véase *Viaje de España...* Madrid, Ibarra, 1787, tomo XI, págs. 243-257.
(4) *Cartas del Señor D. Gaspar de Jovellanos sobre el principado de Asturias dirijidas a Don Antonio Ponz, inéditas hasta el día y remitidas a la redacción de las Memorias*

afirman Ceán *(loc. cit.)* y Somoza en su *Inventario de un jovellanista* (pág. 63) (1). Años después, Nocedal las incluyó en su edición de la Biblioteca de Autores Españoles, sin que hayan vuelto a reimprimirse (2). En nuestra opinión, son estas cartas de lo más valioso literariamente que salió de la pluma de Jovellanos, tanto por lo espontáneo del estilo, que en nada perjudica a su corrección y belleza, como por la frescura en la observación de paisajes, costumbres, incidentes de viaje y monumentos artísticos. El predominio de la impresión directa, la simpatía hacia la vida local y popular, reflejan, lo mismo que la *Descripción de Bellver,* una sensibilidad muy moderna para su época.

La carta dirigida a Alejandro Hardins, que figu-

---

de la Sociedad Económica de la Habana por D. Domingo del Monte. Habana, Imp. del Faro Industrial, 1848.

(1) Hay que rectificar también la noticia que da Somoza en esta obra (pág. 193) de que en el tomo II de la *Histoire des races maudites de la France et de l'Espagne,* de Francisque-Michel, impresa en París en 1847, "se publicó por primera vez en francés la novena carta". Lo que contiene dicha obra (t. II, págs. 324-26) es la "Petición del vaquero Juan del Nío", documento que Jovellanos pone al final de su carta. Las noticias que sobre los "vaqueiros" se dan en la misma obra (t. II, cap. VI, págs. 41-42), aunque coinciden con las de Jovellanos, no las toma de él, sino, como dice Acevedo, de la *Apología por los Agotes de Navarra... con una breve digresión a los vaqueiros de Asturias,* de Miguel de Lardizábal y Uribe, a quien cita expresamente.

(2) Menéndez Pidal publica parte de la carta octava sobre "Romerías de Asturias" en su *Antología de prosistas españoles.*

ra en la edición de Nocedal (Rivad., L, págs. 366-
67) con el título *A desconocida persona*, ha sido
objeto de polémicas apasionadas, y hasta alguien
pretendió ver en ella un documento misterioso de
conspiración política. Somoza, en el *Preliminar* a
su libro *Nuevos datos* (págs. XXII-XXIII), puso
en claro a quién iba destinada, y refuta con fortuna las exageradas imputaciones que basándose
en ella hizo don Miguel Sánchez (1). No sólo la
persona, sino la fecha exacta, queda también establecida con toda evidencia en el *Diario* de Jovellanos: "Martes 3 de junio de 1794. Carta a Jardins para el correo de mañana: que nada bueno
se puede esperar de las revoluciones en el gobierno, y todo de la mejora en las ideas; que, por consiguiente, deben proceder de la opinión general
dos consecuencias: primera, contra Mably, que defiende la justicia de la guerra civil; segunda, contra el mismo Jardins, que mira el espíritu de revolución como distintivo del mérito..." (2).

Del resto de la extensa correspondencia particular de Jovellanos, casi toda ella interesantísima,
nos hemos decidido por la carta a Cabarrús rompiendo con él después de la invasión francesa, pieza magnífica de sentimiento patriótico, y por algunas cartas a lord Holland, importantes para conocer las ideas y sentimientos de nuestro autor en
los últimos años de su vida. En la primera, escri-

---

(1)   Véase nuestra *Introducción*, vol. I, págs. 67-68.
(2)   *Diarios*, Madrid, 1915, pág. 149.

ta en el verano de 1808 en medio de la tremenda agitación producida por la invasión napoleónica, contesta a una de su antiguo amigo incitándole a unirse a la causa francesa y a colaborar con el gobierno nombrado por José I (1). La correspondencia con Holland, publicada casi íntegra por Somoza, fué comentada en la *Introducción*. A pesar de que en todas estas cartas el estilo de Jovellanos adolece con frecuencia de graves descuidos y abunda en galicismos de vocabulario y hasta de sintaxis, la intensidad del sentimiento o de la pasión le hace elevarse a veces a un tono fervoroso, que contrasta con la frialdad académica característica de muchos de sus escritos, y en general de casi toda la prosa de su tiempo.

El *Juicio crítico de un nuevo Quijote,* muy poco conocido, va casi exclusivamente a título de curiosidad literaria. Es de 1793, y ha sido publicado por primera y única vez en 1885, en la obra *Nuevos datos,* de don Julio Somoza.

De mucho mayor interés es el fragmento de *La Naturaleza y el Arte,* que entresacamos de una larga carta escrita desde Mallorca a Ceán Bermúdez, el 5 de mayo de 1805, con el título *Carta de Philo Ultramarino sobre la arquitectura inglesa y la llamada gótica,* publicada también por el benemérito jovellanista asturiano, tantas veces citado,

(1) Puede verse la carta de Cabarrús en el libro de Somoza, *Amarguras de Jovellanos,* apéndice XVIII.

en 1891 (1). Se trata, según Ceán (*Memorias*, página 321), de un resumen y comentario del libro de Ferry de Saint-Constant, *Londres et les anglais*, aparecido en París el año 1804. No nos ha sido posible consultar un ejemplar de esta obra, y, por tanto, no podemos decir con exactitud hasta dónde llega la originalidad de Jovellanos. Nos inclinamos a pensar que, si bien en la primera parte de la carta —omitida aquí—, dedicada a hacer un bosquejo de la historia de la arquitectura inglesa, se basa en las noticias del libro, en el fragmento que publicamos Jovellanos habla y teoriza por su cuenta. De ser así, constituiría por el análisis de lo *pintoresco*, por la explicación de las diferencias entre naturalismo e idealismo, un avance audaz de crítica estética, y desde luego un texto importantísimo para los precedentes de las teorías románticas en España.

*

Salvo en el caso de los escritos publicados por Somoza, el texto de los restantes está tomado de la edición de Nocedal en la Biblioteca de Autores Españoles, y debemos hacer sobre él las mismas reservas que hicimos para los dos primeros volúmenes. En la *Descripción del castillo de Bellver*

---

(1) *Escritos inéditos de Jovellanos*. Dispuestos para la impresión por Julio Somoza de Mont Soriu, Barcelona, Artes y Letras, 1891.

omitimos la carta que la precede, firmada, como
la descripción misma, con el nombre de su secretario, Manuel Martínez Marina, y las extensas
notas de Jovellanos que la acompañan. La mayoría
de ellas tienen solamente un interés erudito o in-
formativo como ampliación de las noticias que se
dan en el texto; aquellas que añaden algo van in-
corporadas a las nuestras, haciendo constar su
origen en cada caso. Quien desee consultar las restantes, puede verlas en la edición citada. De las
cartas a Ponz se omiten la segunda, cuarta y déci-
ma, que tratan de temas artísticos; la quinta,
como ya se ha dicho, se ha perdido. En todos los
casos hemos modernizado la ortografía, excepto
algún nombre propio, título o palabra especial, y
hemos corregido las citas, que en su gran mayoría, sea por descuido de Jovellanos o por el editor,
aparecían llenas de errores.

JOVEL

OBRAS E

MEMORIA DEL CASTILLO DE BELLVER

DESCRIPCIÓN HISTÓRICO-ARTÍSTICA

> *Le moyen de ne pas méditer sur
> ce que l'on voit tous les jours!*
>
> MAD. DE SEVIGNÉ.

5

A cosa de media legua, y al oste sudoeste de la
ciudad de Palma, se ve descollar el castillo de
Bellver, al cual nuestras desgracias pudieron dar
alguna triste celebridad. Situado a medio tiro de
cañón del mar, al norte de su orilla y a muchos 10
pies de altura sobre su nivel, señorea y adorna
todo el país circunyacente. Su forma es circular,
y su cortina o muro exterior la marca exactamente; sólo es interrumpida por tres albaracas o torreones, mochos y redondos, que desde el sólido 15
del muro se avanzan, mirando al este, al sur y al
oeste, y le sirven como de traveses. Entre ellos hay
cuatro garitones, circulares también, y arrojados
del parapeto superior, los tres abiertos, y al raso
de su altura otro cubierto y elevado sobre ella. 20

Iguales en diámetro y altura hasta el nivel de la plataforma, empiezan allí a disminuir y formar un cono truncado y apoyado sobre cuatro columnas colosales, que, resaltadas del muro, los reciben en su collarín, y bajan después a sumirse en el ancho vientre del talús. Escóndese éste en el foso, y sube a toda su altura, formando con el muro del castillo un ángulo de cuarenta y cinco grados, y girando en torno de él y de sus torres. El foso, que lo abraza todo, es ancho y profundísimo, y sigue también la línea circular, salvo donde los cubos o albaracas le obligan a desviarse y tomar la de su proyectura. En lo alto, y por fuera del foso, corre la explanada, con débiles parapetos, ancha y espaciosa, pero sin declives, y siguiendo siempre la forma y líneas que el foso le prescribe.

A la parte que mira al oeste, sale y se avanza del centro de la explanada un antiguo y débil baluarte, desde el cual hasta el puente levadizo se ve reforzado el muro exterior con una fuerte batería de nueve cañones, levantada en él en el siglo anterior, a la moderna, para oponer a los fuegos que pudieran colocarse en las alturas vecinas. En torno del mismo muro corre por defuera un estrecho contrafoso, de forma y fondo irregular, y a todo rodea una buena estacada, con su camino cubierto y glasis, añadidos también a la moderna.

Éntrase de la estacada al castillo por una puerta que mira al norte. Pásase luego por el puente levadizo, echado sobre el contrafoso, a otra que mira

al norte nordeste, y comunica con la explanada,
desde la cual, por otro puente, antes levadizo y
hoy firme, con sus ladroneras en lo alto y dobles
puertas, a la antigua, abajo, se pasa sobre el foso
por frente del oeste noroeste al interior de la for- 5
taleza, única entrada, pues que otro puente que
había a la parte del sur no existe ya.

Mirando al norte, y entre los dos puentes, se
levanta desde el fondo del foso, y aislada por él,
la gran torre del homenaje, que, venciendo la altu- 10
ra del castillo, descuella orgullosa más de cuarenta y cinco pies sobre su plataforma. Es también
circular, y su cima se ve ceñida en torno de treinta
y ocho grandes modillones almohadillados, que na-
ciendo del muro con tres pies de alto y dos y me- 15
dio de proyectura superior, se avanzan en forma
de tornapuntas a recibir el antepecho, volado en
la cumbre, y la coronan majestuosamente, mientras que los claros entre unos y otros sirven de
ladroneras y dejan espacio suficiente para los usos 20
de la defensa. Este edificio aislado comunicaba en
lo antiguo con la explanada por un puente levadizo, ya demolido; hoy sólo comunica con la plataforma por medio de otro puentecillo, firme ya,
pero que fué y puede volver a ser levadizo, echa- 25
do desde ella sobre dos altísimos arcos punteados,
que nacen y tienen su apoyo del uno al otro muro.

El interior de la fortaleza se compone de un
muro medianero, y fuera de él una galería, circulares y concéntricos al muro exterior. Entre los 30

dos muros están las habitaciones; entre el medianero y la arcada alta, el corredor o galería abierta
que da paso a ellas. En el centro, y rodeado por
la arcada inferior, el patio, circular y espacioso.
5 Este patio cubre el aljibe, y sirve a su uso por
medio de un gran brocal cuadrado y bien labrado, que está cerca de su centro. La belleza del todo
es grande y digna de ser más conocida.

Lo primero que admira en su interior es la osa-
10 día de las bóvedas que cubren las habitaciones.
Volteadas en torno entre muros circulares y concéntricos, y sostenidas en grandes, pero estrechas
y muy resaltadas fajas octágonas, que representan arcos encontrados y cruzados en lo alto, es
15 visto de cuán gracioso y extraño efecto serán. Lo
más notable de ellas es el arte con que el arquitecto escondió su verdadera solidez, porque de una
parte representó estas bóvedas sólo apoyadas en
débiles fajas, y por otra no dió más apoyo a és-
20 tas que el de unas impostitas en forma de repisas
o peanas, voladas al aire de trecho en trecho como
a un tercio de altura de la pared interior. A estas
peanas viene a morir, y al mismo tiempo de ellas
nace y arranca aquella muchedumbre de arcos,
25 porque agrupados de tres en tres, y confundidos
en uno, se van poco a poco levantando desde su
raíz y abriéndose y desplegándose de un lado al
otro hasta cruzarse en el cenit de las bóvedas, para
caer después, cerrando y reuniéndose hasta iden-
30 tificarlo sobre las repisas fronteras. Así es como

el artista quiso representar estas bóvedas péndulas en el aire, y es fácil concebir cuán extraña y
graciosa será su apariencia, y cuánto gusto y pericia supone la simétrica degradación de estos arcos, que, enlazándose por todas partes y en todos 5
sentidos entre tan desiguales muros, producen la
más elegante y caprichosa forma.

Las bóvedas de la galería alta siguen la misma
degradación en proporciones más reducidas, pero
más notables aún; porque el arquitecto, constan- 10
te siempre en su idea, en vez de apoyar sus fajas
trinitarias, como pudo, sobre las columnas, ha-
ciéndolas morir en el frente que les presentaban
sus capiteles, las dejó también péndulas sobre impostitas o peanas arrojadas al vano desde la es- 15
palda de las segundas dovelas de los arcos, a igual
altura del muro medianero, y de este modo com-
pletó el caprichoso designio de agradar con la hermosura y sorprender con la osadía y aparente
ligereza de su obra. 20

Esta galería se compone de veinte y un grandes
arcos punteados, o más bien de cuarenta y dos
pies, que cada uno de los principales contiene dos
embebidos en su luz. Otras tantas, por consiguiente, son sus columnas, todas ellas octágonas; y así 25
las bases que las reciben como los capiteles que
las coronan, y aun las plumas de los adornos de
éstos, que ofrecen algún vislumbre del tiempo co-
rintíaco, y en fin, hasta las dovelas de los arcos
siguen exactamente los cortes de sus ángulos y 30

presentan las mismas faces. Esta igualdad simétrica, que es de muy gracioso efecto a la vista, la
roban las pequeñas pero esenciales diferencias
que hay en los módulos de unas y otras columnas
5 y en las formas de sus miembros. La más visible
de ellas está en los plintos, que en las intermedias son octágonos y en las principales cuadrados, pero cubiertos de un cojín o almohadilla, cuyas puntas caen en uña y cortan graciosamente
10 sus ángulos. Cada tres columnas sostienen un arco
doble, o sean los dos embebidos en él, y colocadas
todas a iguales distancias, vienen a serlo también
las luces de unos y otros arcos. Y como todos se
vayan enlazando entre sí, y las enjutas de los arcos
15 pequeños estén perforadas con sencillo y gracioso
dibujo arabesco, y el todo diligentemente labrado
y escodado en la buena piedra de Santañí, que
es de bello color y finísimo grano, visto es cuán
magnífica y armoniosa será esta galería, que casi
20 se halla en su primera integridad.

La arcada descansa sobre un firme antepecho
corrido en torno, y le sirve de embasamento, al
mismo tiempo que corona al cuerpo inferior en

---

17 Santañí es una de las villas de esta isla, señalada
por sus canteras de un asperón finísimo, que se emplea
en las obras de mayor consideración, y del cual se han
construído la Catedral, la Lonja y otros nobles edificios de
esta ciudad. He leído también que don Alonso V de Aragón la hizo llevar a Nápoles, y la empleó en la magnífica
fortaleza de Castelnovo, que construyó en aquel reino.
(Nota del autor.)

que se apoya, y sobre el cual arroja una graciosa cornisita arquitrabada. Este cuerpo es otra galería de arcos redondos, cuya luz corresponde a la de los grandes o dobles de lo alto, y son por lo mismo veinte y uno. Fuertes columnas o pilastrones cuadrados, aunque cortados los vivos de sus ángulos, los sostienen, y cierran en derredor el patio por do se entra de ella a las cuadras, en que la tropa se aloja. El techo de éstas y de la galería es plano y de madera, única tacha de obra tan laudable y magnífica.

Desde el patio a la galería alta se subía por tres cómodas escaleras que descansan en las puertas de la capilla, de la principal de las habitaciones y de la cocina, y esta última, condenadas las otras, sirve solamente en el día. De aquí se sube a la plataforma por dos caracoles circulares y una escalera en escuadra, que desembocan en ella. Un antepecho corrido la defiende al exterior, y otros dos más bajos, el uno su orilla interior y el otro divide en dos partes su plano. Este embaldosado, en imperceptible declivio hacia el centro, y bien embetunado, sirve para recoger y abastecer de agua-lluvia la gran cisterna que, como dijimos, se esconde en el vientre del patio, y que la traga por conductos que penetran el sólido del muro medianero. Y como los terrados de las albacaras vierten también por canalones a la misma plataforma, y el del homenaje por su particular conducto, de tal manera se aumenta esta provisión, que por mu-

chos que se supongan los defensores del castillo y
largo el plazo de su asedio, jamás, si bien cuidado, faltará agua en este aljibe.

A la torre del homenaje se pasa desde la plata-
5 forma por el ya mencionado puentecillo, y ya dentro de ella, se sube y baja por otro caracol, que
va dando entrada a sus cámaras. Son éstas cinco,
y todas circulares; dos sobre el plano del puentecillo, y tres que bajan hasta el del foso. Nada apa-
10 rece en ellas que no indique haberse dispuesto más
bien para cárcel que para habitación. Muros ro-
bustísimos, puertas barreadas con fuertes tranco-
nes y cerrojos, ventanas altas, estrechas y guar-
necidas de gruesas rejas de hierro, y otras defen-
15 sas, que la codicia arrancó ya, pero cuyas huellas
no pudo borrar, acreditan aquel triste destino.
Pero descúbrese aún más de lleno en la cámara
inferior, llamada la Hoya, y no sin mucha propiedad, pues que más propia parece para fuesa de
20 muertos que para custodia de vivos. Ocupa en ancho el espacio interior de la torre, y en alto la
parte más honda de la cava, que está rodeada por
el talús, sin otra luz que la que puede darle una
estrechísima saetera al través de aquellos hondos,
25 dobles y espesísimos muros. Tampoco tiene otra
entrada que una tronera redonda, abierta en lo
alto de la bóveda, y cubierta de una gruesa tapa-
dora, que según indicios, era también de fierro,
con sus barras y candados. Por esta negra boca
30 debía entrar, o más bien caer, desde la cámara

superior, en tan horrenda mazmorra el infeliz destinado a respirar su fétido ambiente, si ya no es
que le descolgaban pendiente de las mismas cadenas que empezaban a oprimir sus miembros.

El ánimo se horroriza al aspecto de esta tumba 5
de vivos, y si de una parte reconoce que no hay
crimen a que no pueda llegar en su heroísmo la
perversidad de algunos hombres, de otra no puede
menos de admirar que sean muchos más los que
han aspirado a la excelencia en el arte horrible de 10
atormentar a sus semejantes.

Algo distrae de tan tristes reflexiones la idea de
otros objetos que tuvo en algún tiempo este castillo, pues se dice haberse destinado para palacio de
los reyes de Mallorca, y aun se añade que en él 15
vivió y murió no sé qué persona real. Esto último
parece una patraña, desmentida por la historia;
pero la elegancia interior de la obra, y la distribución de sus magníficas habitaciones, que no des-
dicen de aquel noble destino, confirman lo prime- 20
ro. Puede probarlo también la grande y hermosa
capilla, dedicada a San Marcos, su patrono, y otras
tantas oficinas del interior, y en fin, el que entre
tantas obras grandes como se emprendieron en
Palma después de la conquista, no se halla otra que 25
parezca destinada a la morada de sus reyes.

¿Quién, pues, se detendrá un poco a contemplarla en aquellos antiguos destinos, que transpor-
tado en espíritu a tan remota época, y recordando
el carácter y costumbres que la distinguían, no se 30

halle sorprendido por las ideas y sentimientos que
su misma forma presenta al hombre pensador?
Porque figúrese usted este castillo cercado de un
ejército enemigo, embarazado con armas y má-
5 quinas, y lleno de caballeros, escuderos y peones
ocupados en su defensa. ¿Qué, no tropezará usted
con ellos en todas partes, subiendo, bajando, corriendo y haciendo resonar en torno de estas hue-
cas bóvedas la estrepitosa vocería del combate? ¿Y
10 no le parecerá que ve a unos jugando desde los
muros y torres sus armas o máquinas, o asestan-
do sus tiros al abrigo de las troneras y saeteras,
y otros en la barrera exterior, presentando sus pechos al enemigo, mientras los más distinguidos
15 defienden el pendón real que sobre el alto homenaje tremola al viento los blasones de Mallorca?
Pues y los sitiadores, ¿cómo no figurárselos arre-
molinados por la cima del cerro, lanzando desde
sus tornos, algarradas y manganillas un diluvio
20 de dardos y piedras sobre los sitiados, o bien api-
ñados en derredor de los muros y barreras, lidiando y pugnando por vencerlos? Y con tal conflicto,
¿quién no se horrorizará al contemplar la saña con
que unos y otros harían subir hasta el cielo su ra-
25 bioso alarido, y con que, llenos de sudor y fatiga
y cubiertos de polvo y sangre, se obstinaban todavía en el horrendo ministerio de recibir o dar
la muerte?

Pero en otro tiempo y situación, ¡cuán diferen-
30 tes escenas no presentarían estos salones, hoy des-

mantelados, solitarios y silenciosos! ¡Cuál sería
de ver a los próceres mallorquines cuando, después de haber lidiado en el campo de batalla o
en liza del torneo a los ojos de su príncipe, venían
a recibir de su boca y de sus brazos la recompen- 5
sa de su valor! Y si la presencia de las damas re-
alzaba el precio de esta recompensa, ¡qué nuevo entusiasmo no les inspiraría, y cuánto al mismo tiempo no hincharía el corazón de los escuderos y donceles, preparándolos para estas nobles fatigas, bien 10
premiadas entonces con sólo una sonrisa de la belleza! Y ¡qué si los consideramos cuando en medio
de sus príncipes y sus damas, cubiertos, no ya del
morrión y coraza, sino de galas y plumas, se abandonaban enteramente al regocijo y al descanso, y 15
pasaban en festines y banquetes, juegos y saraos
las rápidas y ociosas horas! El espíritu no puede
representarse sin admiración aquellas asambleas,
menos brillantes acaso, pero más interesantes y
nobles que nuestros modernos bailes y fiestas, pues 20
que allí, en medio de la mayor alegría, reinaban
el orden, la unión y el honesto decoro; la discreta
cortesanía templaba siempre el orgullo del poder,
y la fiereza del valor era amansada por la tierna y
circunspecta galantería.   25

Tales idea, o si usted quiere, ilusiones, se ofrecen frecuentemente a mi imaginación, y la hieren
con tanta más viveza cuanto se refieren a objetos
que no sólo pudieron verse, sino que probablemente se vieron en este castillo; porque ha de saber 30

usted que a fines del siglo XIV le habitaron Don
Juan I y Doña Violante de Aragón, aquellos príncipes tan agriamente censurados por su afición a
la danza, la caza y la poesía, y por la brillante ga-
5 lantería que introdujeron en su corte. Mallorca los
recibió con extraordinaria generosidad, y no hubo
demostración, fiesta o regocijo que no hiciese para
lisonjear sus aficiones; pero Bellver, donde fijaron

---

2 Una peste, que cundía por Cataluña y Valencia en
1394, trajo a Mallorca la corte de Aragón. El Rey, la
Reina, las infantas, con gran número de damas, barones y
caballeros, se embarcaron en Barcelona para preservarse de
aquel azote. Una recia tormenta dispersó las galeras; pudo
arribar a Sóller la del Rey; desembarcó, vínose a Buñola,
y pasando luego al palacio de Valldemusa, envió a inquirir
la suerte de las restantes naos. Sabido que hubo que la
galera de la Reina estaba en la bahía de Palma, se vino al
castillo de Bellver y llamó a él toda su corte. La salubridad
y hermosura de la situación, la abundancia de caza y la
comodidad del edificio determinaron sin duda esta elección.
Pasaron aquí ocho días, esto es, desde el 21 al 28 de julio,
en alegrías y diversiones. Bajaron luego, e hicieron su entrada solemne en Palma, donde fueron recibidos con la
mayor ostentación. Hubo para cortejarlos torneos, justas,
saraos y todas las alegrías propias de aquel tiempo y con-
formes al gusto de los reyes. Pero la conducta insolente
de la gente menuda que seguía la corte produjo tanto disgusto en la ciudad, que hubieron de volverse a Bellver,
do prolongaron su residencia y pasatiempos, hasta que en
28 de noviembre volvieron a embarcarse en Portopí, dejando a Mallorca con el dolor de que tantas demostraciones
y gastos como hiciera en obsequio de aquellos soberanos
no bastasen a templar su desagrado, ni a evitar otras consecuencias que no son de este lugar y de que acaso se dirá
algo en el apéndice. Mut, lib. VII, cap. 5, da la noticia de este
suceso; pero consta más pormenor en algunos diarios de
aquel tiempo, de que tal vez se hablará en el apéndice.
(Nota del autor.)

su residencia, fué el principal teatro de estos pasatiempos. ¿Quién, pues, recordando aquella época, en medio de estos salones, cuya gallarda arquitectura armoniza tan admirablemente con tales destinos, no se detendrá a meditar sobre lo que
en otro tiempo pasaba en ellos? De mí sé decir que
a veces me representan tan al vivo aquellas fiestas, que creo hallarme en ellas; y siguiendo la voz
y los pasos de sus concurrentes, admiro la enorme
diferencia que el curso de pocos siglos puso entre
las ideas y costumbres de aquel tiempo y del nuestro. Ya me figuro a una parte a los ancianos caballeros, tan venerables por sus canas como por
las cicatrices ganadas en la guerra, hablando de
las batallas arrancadas y peligrosos fechos de armas de un buen tiempo pasado, mientras que ahora los vigorosos paladines tratan sólo de justas y
torneos, encuentros y botes de lanza, desprecian-
do en el seno mismo de la paz la fatiga y la muerte. A veces creo ver a unos y otros mezclados con
los donceles y caballeros noveles que en la mañana
de su vida adornaban ya las gracias de su edad
con el respeto a los mayores; y entonces así admiro la reverente atención con que estos mozos sa-
bían oír y callar, como el celo con que los viejos
desenvolvían ante ellos cuanto una larga experiencia les enseñara en los duros ejercicios de la guerra y la caza. Si se trataba de la primera, marchas,
correrías, peleas, cercos, asaltos de plazas eran
materia de sus conversaciones; si de la segunda,

alanos y sabuesos, osos y jabalíes, garzas y geri-
faltes la llenaban. Duros encuentros en la guerra,
estrechos lances de montería y cetrería era su delicia en la paz, sin que por eso se desdeñasen de
5 hablarles alguna vez de armas y caballos, lorigas
y cimeras, adornos y paramentos militares, para
temporizar con su edad y aficionarlos más y más
a estos ejercicios. Tales eran sus conversaciones,
tales los gustos de una nobleza que formaba la pri-
10 mera milicia y era el más robusto apoyo del Estado; y yo no puedo recordarlos sin admirar una
época en que hasta las diversiones y pasatiempos
la instruían y preparaban para llenar los altos
fines de su institución.

15 Y ¿cuál no sería en ella el influjo del amor en
las costumbres públicas, cuando la hermosura le
desdeñaba si las marciales gracias del valor no le
ennoblecían? Figúrese usted por un rato el coro
de la juventud militar, reunido al de las graves
20 matronas y modestas damiselas, sólo accesibles al
trato en semejantes concurrencias.

No crea usted, no, que su conversación versaba
sobre brocados y cintas, airones y tocados, o adornos mujeriles, sino sobre los varoniles ejercicios
25 de la liza y la caza; y si alguna vez se desviaba
hacia la parte más agradable de ellos, era para fijar con sus decisiones el gusto de las sobre-vistas
y plumajes, y la agudeza de las divisas y empresas amorosas de los caballeros. Jueces de la gallar-
30 día y del gusto, jamás negaban su aprecio al va-

lor discreto, y en sus danzas y banquetes, en sus cacerías y deportes privados, para él reservaban el agrado y la dulce sonrisa, mientras su ceño y desvíos arredraban al necio orgullo y a la flaca cobardía, y los escarmentaban.

Así es como a vista de estas paredes nacen una de otra mil agradables ilusiones, que fuera molesto referir; pero no quiero callar una, que en cierto modo pertenece a la historia del castillo, y que tampoco desagradará a usted, para quien sólo escribo. Por otra parte, ¿no sería muy árida y enojosa su descripción, si detenido yo en las formas de sus piedras, desechase las reflexiones que despiertan, privando a usted y privándome a mí del placer con que se recuerdan tan respetables memorias?

Es bien sabido que en la época de que hablamos, la judicatura del ingenio estaba reservada a las damas, como la del valor, y que la literatura de entonces se reducía casi a la poesía provenzal, especialmente en la corte de Aragón, en cuyo molde fué vaciada la de Mallorca. Esta poesía, que había nacido en Cataluña, y pasado de allí al país cuyo nombre tomó, era toda erótica, y toda consagrada al bello sexo, cuyos amores y celos, favores y desdenes, constancia y perfidias, daban materia a todos sus poemas. Y ¿quién ignora que las leyes del ingenio se tenían entonces en los consistorios o cortes de amor, donde las damas presidían y juzgaban, ni que a esta diversión fueron

sobremanera aficionados los soberanos que residieron aquí en 1394? ¿Será, pues, creíble que en un país do esta poesía era de tan antiguo cultivada, y en una temporada que se dió toda a fiestas
5 y alegrías, no se hubiese celebrado un consistorio para poner a prueba los ingenios de Aragón y Mallorca? ¡Oh, y cuán brillante y discreta asamblea no presentarían bajo de estas bóvedas, el Rey cercado de sus grandes y barones, la Reina presi-
10 diendo en medio de las damas aragonesas y palmesanas, y los nobles trovadores de Aragón, Cataluña y Mallorca, recitando o cantando entre ellas a competencia sus tensones y serventesias, trovos y decires, para obtener de su mano la violeta de
15 oro, premio del vencedor! Y aun acabado tan solemne acto, ¿qué sería oírlos cantar al son del arpa o del laúd sus lais y viroláis, para deporte de las

---

13 *tensones.* En Rivad. y en todas las demás ediciones dice "terzones", pero se trata seguramente de una errata o mala lectura del manuscrito, ya que tal nombre no existe, que sepamos, como tipo de composición poética. Aquí se refiere a las "tensiones" o controversias poéticas, tan comunes entre los trovadores.

14-15 La *violeta de oro* era el premio que se daba a la mejor poesía en las reuniones de la Academia de Tolosa, origen de los modernos Juegos Florales. El primero en recibirla fué Arnaldo Vidal de Castelnoudary en 1324. Jovellanos da varias noticias sobre estas reuniones en la nota número 6, que es una larga digresión histórica sobre la lengua y la literatura provenzales.

17 *virolay,* tipo de composición poética provenzal destinada al canto. "Tambe's troban los noms de Virolay"; "Lo conegut virolay de Nostra Dona de Monserrat. MILÁ: *Obras,* t. III, pág. 650.

mismas damas, o bien hacerlos tañer y cantar por
sus juglares y menestriles, mientras que las acompañaban en las danzas y zarabandas de sus saraos,
esperando siempre de sus labios la recompensa de
su ingenio? Y pensando en esto, ¿será posible no   5
sentir alguna parte del entusiasmo que tales asambleas inspiraban?

Bien sé que al compararlas con las nuestras, el
gusto melindroso y liviano que reina en ellas las
tachará de groseras y bárbaras; pero ¿será con   10
razón? Es innegable que los progresos hechos en
las ciencias y en el gusto, y su aplicación a la milicia, las artes y el trato civil, han mejorado la
táctica, la literatura, la industria, y aun dado a
la moderna galantería un carácter tanto menos   15
fiero cuanto más pulido; pero compárense los
tiempos a las costumbres, y búsquese a esta luz
el influjo moral y político de unas y otras fiestas. El paralelo no será ventajoso para nosotros.
Aquellos usos, de que hoy nos mofamos, hacían   20
de los caballeros discretos poetas, de los poetas
esforzados paladines, y de las damas jueces capaces de calificar el valor y el ingenio de unos
y otros. ¿No se educaron en ellos los Moncadas

---

24 *Moncadas.* Probablemente no se alude a ningún Moncada determinado, sino a la familia de ese nombre, una de
las más importantes en la historia de Aragón y Cataluña,
cuya genealogía puede verse en los *Anales* de Zurita, parte I, lib. III, cap. IV. Jovellanos, en la nota núm. 6, cita
a Ramón Moncada, que acompañó al Rey Don Jaime en
la conquista de Mallorca: "Nos consta además que entre

y Torrellas, gloria de Aragón; los Rocaforts y
Montaneres, terror del Oriente, y los Vidales y Mataplanas, delicia de Europa? ¿No se educaron las

---

los ilustres caballeros que le acompañaron en la conquista venía el célebre poeta Hugo de Matallana, que murió
gloriosamente al lado del valeroso don Ramón Moncada
y de otros profesores de su mesnada y familia en el encuentro de la Porrasa." RIVAD., XLVI, 406. Noticia que se
halla también en los *Anales* de Zurita: "... fueron muertos
el vizconde y don Ramón de Moncada y con ellos otro rico
hombre muy principal de Cataluña que se dezia Vgo de
Mataplana." *De la passada del Rey con su armada a la
isla de Mallorca...,* ed. de Zaragoza, 1610, t. I, fol. 128.

1 *Torrellas.* Tampoco está clara la alusión aquí. El personaje más famoso de este nombre, Mosén Pedro Torrellas
o Pere Torroella, poeta castellanocatalán del siglo XV, es
posterior a la época a que se refiere Jovellanos. Aparte de
otros personajes del mismo nombre en Aragón y Mallorca, hay otro poeta del siglo XIV, Guillem Torroella, autor
de una *Faula* que se encuentra en el *Cançoner dels Comtes
d'Urgell,* publicado por la Societat Catalana de Biblio-
fils, ed. de Gabriel Llabrés, Barcelona, 1906.

1-2 *Rocaforts y Montanares.* Alude a Berenguer Roca-
fort, segundo con Berenguer de Entenza de la famosa expe-
dición de catalanes y aragoneses a Oriente en 1302, narrada
por Ramón Montaner (1265-1336) en su conocida *Crónica.*
En el capítulo CCLXXI de ésta hay un *sermó* provenzal
por el que puede considerarse a Muntaner como poeta:
Sermó per lo pasatge de Cerdenya.

2-3 *Vidales y Mataplanas.* Abunda el nombre de Vidal
entre los trovadores. Jovellanos debe de aludir aquí especialmente al catalán Ramón Vidal de Besalú (1150-1213?),
que fué protegido de Hugo de Mataplana, caballero de
quien ya se ha hablado en una nota anterior y trovador
él mismo que tenía una famosa corte de amor en su castillo
de Mataplana, cerca de Nuestra Señora de Montgrony, en
las montañas de Ripol. Ramón Vidal escribió una "nova"
sobre la solución de una contienda amorosa entre dos damas, a la que se ha dado después el título de *El fallo de
Mataplana.* Véase MILÁ: *De los trov. en España,* Barcelona, 1889, págs. 322-354. Jovellanos cita en la nota nú-

Beatrices y Fanetas, musas de Aragón y Provenza, que al mismo tiempo que animaban las danzas y endulzaban las liras de su próceres, formaban el co-

---

mero 6 a otros dos Vidales: Pedro Vidal de Tolosa (1175-1255?), traído a su corte por Alfonso II de Aragón, y Arnaldo Vidal, de quien ya se ha hecho mención en una nota anterior.

1 *Beatrices*. Es muy común el nombre de Beatriz entre las damas relacionadas con la historia de los trovadores. BERGET (*Die von den Trobadors gennanten oder gefeierten Damen*, Halle, 1913) y ANGLADE (*Onomastique des Troubadours*, Montpellier, 1916) citan a más de diez. Jovellanos habla en la nota 6 de Beatriz de Provenza, hija del Conde de Provenza, Ramón Berenguer (m. 1245), y de Beatriz de Saboya. La hija casó con Carlos de Anjou y llegó a ser reina de Nápoles. Véase lo que dice Jovellanos:

"Y por último, ¿quién hizo volar esta musa hasta el hermoso país de Italia, sino la discreta Beatriz, último retoño de los Berengueles de Provenza, que impaciente, según la frase de Garibay, de no ser reina, como sus hermanas, después de dar a la casa de Anjou el estado de sus mayores, elevó a Carlos, su marido, a coronarse en Roma y ocupar el trono de Nápoles, y que allí, en medio de los poetas que siempre la seguían, dió el grito de vela, que despertó los felices ingenios de aquel clima, a quienes tanta gloria llevó después la poesía vulgar?"

1 *Fanetas*. Forma castellanizada del diminutivo Phanette o Estephanette, y de lo que dice Jovellanos en su nota número 7 se deduce que alude a Estefanía de Gantelmes o Gantelmi, dama de Romaní, que presidía una corte de amor en el castillo de este nombre cerca de St. Remy: "Entre las cortes de amor del siglo XIV fué muy célebre la que tenía en su palacio Taneta (error de imprenta, por Faneta) Gantelmi, señora de Romaní, así porque asistían a ella las más distinguidas y discretas señoras de la Provenza como porque esto mismo la hacía más frecuentada de los nobles trovadores de aquel tiempo. Pero nada la hizo tan famosa como la presencia de Laura, sobrina de Taneta, que, educada a su lado, ocupó después un lugar distinguido en aquel famoso coro. Instruída esta ilustre doncella en las buenas letras, y discreta en la poesía, real-

razón y el espíritu de sus damiselas? Y ¿a qué
otra escuela se debieron los encantos de la bella
Laura, la Safo de su edad, y aquel su amor puro y
celestial, que sacó de la lira de Petrarca los su-
5 blimes suspiros que todavía respiran en las almas
sensibles?

Y ¿podremos atribuir algo de semejante a
nuestras tertulias, a nuestras fiestas de sociedad,
y (si queda alguna cosa a que cuadre este nombre)

---

zó admirablemente con las dotes de su ingenio las gracias
soberanas que debió a la naturaleza, y así se formó aquel
modelo de hermosura, discreción y honestidad que inspiró
al corazón de Petrarca tan puros y tiernos sentimientos,
y a su musa conceptos tan delicados y sublimes." RIVADE-
NEYRA, XLVI, 407. Jovellanos toma estas noticias de *Las
vidas de los trovadores* de Nostradamus, a quien cita en
la nota anterior (núm. 6), sobre la poesía provenzal.
Comp. "De Laurette et Phanette" en JEHAN DE NOSTRE-
DAME: *Les vies des plus célèbres et anciens poètes proven-
çaux*, ed. Anglade, París, Champión, 1913, págs. 129-134.
Ahora bien; la identificación que hizo Nostredame de la
Laura del Petrarca fué rectificada después por l'Abbé de
Sade en sus *Mémoires pour la vie de François Pétrarque*,
Amsterdam, 1764-1767. Según l'Abbé de Sade, Laura de
Noves (1307-1348), hija de Audibert de Noves y esposa de
Hugo de Sade, que parece haber sido la inspiradora del
Petrarca, no tendría nada que ver con la Laurette de Sade,
"femme docte", de que habla Nostredame, pues lejos de ser
docta y poetisa recibió muy escasa educación y fué una
perfecta mujer de su hogar. Respecto a su parentesco con
Phanette de Sade y la identificación de ésta con Estefanía
de Gantelmi, l'Abbé de Sade tampoco está muy seguro:
"Il ne m'a pas été possible de trouver cette Panette dans
les titres de la maison de Sade". Véase "Sur le sonnet
CLXXXVIII: *Dodeci donne* et les Cours d'amours", obra
citada, t. II, págs. 44 y sigs. Es, por tanto, erróneo lo que
dice Jovellanos sobre Laura en la nota citada y en las
líneas siguientes del texto (27-31).

a nuestra moderna galantería? ¿Citaremos algún
despechado y tenebroso desafío, alguna llorona
elegía, alguna muelle y torpe cantinela? Respon-
dan por mí los intrépidos militares y los insignes
poetas, que por nuestra dicha no se acabaron, y 5
digan si tienen que agradecer alguna parte de su
valor o de su estro al trato público o privado
de nuestras damas.

Pero el tiempo, que disipó aquellos objetos, va
consumiendo ahora con diente roedor hasta las 10
duras piedras de este edificio, cuya decadencia
ofrece al observador otras reflexiones de muy diferente naturaleza. Una de ellas, poco atendida,
por más que otros edificios la presenten, es que
mirado por la parte del norte, no sólo aparece 15
en su primera integridad, sino que sus muros, en-
durecidos por los vientos fríos y secos que soplan
desde el nordeste al noroeste, se ven entapizados
de una costra de musgo tenacísimo, cuyas esca-
mas blanquecinas, jaldes, grises y negras anun- 20
cian, como las hiedras en los viejos robles, su
venerable, pero fresca y robusta ancianidad. Por
el contrario, a la parte opuesta los vientos y lluvias australes, que frecuentemente le azotan, ata-
cando el gluten y desuniendo el grano de la piedra, 25
abren paso a los ardientes rayos del sol, que mientras corre de oriente a poniente, penetran hasta
las entrañas de sus sillares, y los corroen y des-
hacen, y graban en ellos la marca de su flaca
decrepitud. Pero ¿acaso la naturaleza, confiando 30

al observador el secreto de sus operaciones, no
le avisa también para que se instruya y oponga
a sus estragos? ¿Y por qué no se aprovechará de
esta lección la arquitectura? ¿No podría, ayuda-
da de la mineralogía, hallar materias o prepara-
ciones que resistiesen al influjo de los flúidos devastadores que vienen de aquella plaga? Y si lograse vencerla, ¿la duración de sus bellezas no iría
a la par con el deseo de los artistas y de los poderosos, que trabajan para la eternidad?

Con todo, la verdadera flaqueza de esta obra
no se esconde a la observación de su interior. Él
dice que los muros van poco a poco perdiendo su
aplomo, pues se los ve acá y allá desprendidos, y
aun separados del labio de las bóvedas, sin duda,
a lo que yo juzgo, a efecto del empuje de los
garitones, que volados en lo más alto del muro,
luchan continuamente contra su nivel, a pesar del
robusto, pero mal entendido apoyo que les fué
dado. Y si a esto se añade el lento estrago que
van haciendo en las bóvedas las aguas trascoladas
desde la plataforma, que ya gotean en abundancia sobre las habitaciones y galerías, y las filtra-
das del aljibe, que atacan sus cimientos, fácil es
de inferir que el hado de ruina y mortalidad viene con paso acelerado sobre esta fortaleza.

Por otros medios menos perceptibles concurre
también la naturaleza al mismo fin. El gran número de gorriones, vencejos, pinzones, trigueros
y otros pajarillos, que antes subían del bosque a

revolotear o pasearse en las torres y antepechos,
socavan continuamente sus grietas, para abrir en
ellas sus nidos y hacer sus crías. Hoy, a la verdad,
van a menos por la causa que diré después; pero
probablemente no le abandonarán las aves de ra-   5
piña y mal agüero, que también anidan y moran
en los hondos mechinales y anchas aberturas de
las torres, que cada día ahondan y aumentan;
entre ellas se distinguen el buho y la lechuza, cuyos tristes ecos hacen en esta soledad más medroso   10
el silencio de la noche. Cría también aquí una especie de pequeño azor, llamado en el país *churri-*
guer, de tan extraña condición, que así persigue
a las aves inocentes y pacíficas, como a las malig-
nas y guerreras de su raza, y tan valiente, que   15
ataca a vencer en la lucha a los más poderosos
gavilanes. Pero el interior del castillo es todavía
más fecundo, especialmente en aquellos insectos
y sabandijas a cuya multiplicación concurre la
vejez de las obras, a una con su desaliño y aban-   20
dono. Mientras que los ratones y ratas de enorme
tamaño y las comadrejas y garduñas, sus perse-
guidoras, que crían en los fosos y conductos, le
minan continuamente por los cimientos, una especie de lagartija muy numerosa, que se abriga   25
en sus muros, trepa por ellos a todas horas, deshace el mortero que fija los sillares, y se intro-

---

12-13 *churriguer,* "cerníealo" (LABERNIA: *Dicc. de la*
llengua catalana).

duce por las habitaciones; es más corta, más ancha y menos vivaracha que las que conocemos por allá; pero no menos inocente, aunque distinguida en esta isla con el horrible nombre de *dragó*. No sé si puedo aplicar este dictado al escorpión; pero sí que no es raro hallarle en el interior de los cuartos más aseados, sin que yo sepa que hasta ahora haya ofendido a ninguno de sus moradores.

Pero si usted cuenta que en esta fortaleza, fuera de algunas piezas, aseadas por los que hoy las ocupan, nada se repara, se cuida, se barre ni se limpia, no extrañará que sea mucho mayor en ella la abundancia de aquellos insectos que acompañan la inmundicia y la castigan, sobre todo en las cuadras de la pobre tropa. Por grande que sea la afición de usted a la historia natural, bien me disimulará que pase en silencio la larga nomenclatura de esta parte asquerosa del reino animal bellvérico; pero al mismo tiempo gustará de tener noticia de dos insectos que hay aquí, y que no he visto en otra parte: el uno es una especie de escarabajo, harto hermoso; tiene la forma y tamaño de un grillo, aunque un poquito más largo, y es muy notable por el brillante color de sus alas, barnizadas de oro y carmín. Críase, a lo que creo, en el foso; pero se ve alguna vez en las habitaciones altas, y aunque he procurado conservar dos,

---

4 *dragó*, "allcántara" (LABERNIA: *Dicc. de la llengua catalana*).

no lo pude lograr por ignorar el método. El otro
es una mosca, o más bien mariposa fosfórica, que
se ve por las noches de verano; tendrá como media pulgada de largo, sobre dos líneas de ancho,
en la cabeza una escama o conchita blanca, que 5
la cubre toda a manera de toca; por bajo de ella
salen dos alas tan largas, que plegadas una sobre
otra, cubren casi el resto de su cuerpo, y son espesas y de color pardo; de forma que cuando está
en reposo, y mirada por las alas, presenta la for- 10
ma de una monja. Bajo de éstas tiene otras dos
alitas blanquecinas, muy delgadas y transparen-
tes, que sólo desenvuelve un rato antes de elevarse; su vuelo es corto, circular, siempre de abajo
arriba, y volviendo casi al punto de donde partió. 15
El cuerpo tiene la figura de un gusano, y de la
parte inferior y extrema de él lanza una luz ama-
rillenta, pero tan viva, que se percibe aunque no
sea en plena oscuridad, y que pues aparece y des-
aparece por intervalos, y especialmente si la to- 20
can, es de creer que usa de ella a su arbitrio. Esta
mosca ama mucho la luz, como las demás mari-
posas nocturnas, pero con harta más cordura, pues
que la galantea sin morirse por ella. Con esto, si
usted quiere bautizarla, con tan buena razón la 25
podrá dar el nombre de monjita como el de co-
queta.

El reino vegetal que produce el castillo, si no
más fecundo, es más vario y notable, y concurre
así a acelerar su decadencia, como a hacer más 30

agradable y pintoresca su vista. Sin contar las
varias especies de liquen o musgo que cubren sus
paredes, ni las yerbas y plantas que nacen libremente en su explanada y fosos, las torres, los mu-
5 ros, la plataforma y hasta las bóvedas interiores
producen otras muchas. La bella y pomposa alca-
parra, llamada aquí *tápara*, con sus grandes flores
blancas y sus estambres violados, de entre los
cuales se levanta erguido el verde pie de su fruto;
10 la parietaria, el hinojo marino, y los alhelíes, blanco y carmesí, son los más comunes, asoman en
todas partes por las hendiduras de los sillares del
muro y le entapizan; pero además se ve gran número de otras plantas, ya coronando los antepe-
15 chos, y ya brotando en la plataforma. En sólo el
plano de ésta he distinguido yo el llantero, la *stella
maris*, la melera, la granza o rubia, una especie
de gamon juncoso, el euforbio, la pimpinela, el
geranio, la verbena, el talasparviense, el erisimón,
20 la bursa pastoris, la saxífraga y hasta el venenoso hyoscíamo, sin otros, que no cuento por muy
comunes o por ignorar sus nombres.

---

16 *llantero*. No se encuentra en ningún diccionario ni
obra de botánica; debe de ser forma popular por "llan-
tén".—*Stella Maris* no es nombre técnico, sino la forma
latinizada del vulgar "estrella del mar", cuya designación
científica es la de *Plantago coronopus*.

19 *talasparviense*, palabra formada con el nombre culto
de esta planta de la familia de las crucíferas: *Thlaspi ar-
vense*, conocida vulgarmente con el de "Telaspios".

20 *bursa pastoris*, latinización también del nombre vulgar "bolsa de pastor".

¿Y qué juzgará usted si le digo que fuera de las parietarias y cerrajas (aquí *lletsons*), que nacen por las paredes interiores de la galería alta, su bóveda misma presenta el rarísimo fenómeno de dos higueras inversas, una pequeña y otra grande, que escondiendo su raíz entre las claves, crecen perpendicularmente hacia abajo? La mayor de ellas extiende sus ramas hasta tres y más varas de largo, formando una gran copa, y las de entrambas se cubren a su tiempo de muy grandes y lozanas hojas, aunque sin dar fruto. ¿No diría usted que el supremo Autor de la naturaleza se complació en alterar aquí el influjo de sus leyes ordinarias, para ofrecer en producción tan extraña, materia de curiosa y entretenida contemplación a los infelices que por sus altos decretos hubiesen de morar algún día en esta triste soledad? El temor de que semejantes plantas dañasen a la bóveda ha hecho cortar más de una vez estas higueras; pero ellas renacen luego, y de nuevo brotan con mayor fuerza; y tanto es el poder vegetal de su raíz, que viva siempre y firmemente agarrada al corazón de los sillares, parece que se obstina en acelerar su ruina para su libertad y sobrevivir a ella.

Considerado este castillo en su primera época, y cuando no conocida aún la moderna tormentaria, sólo podía ser combatido con arietes y catapultas, su fuerza era de las más respetables de aquel tiempo, así por su áspera y eminente situación, como por la solidez de sus muros y defensas, altura y robustez de sus torres, y anchura y profundidad de sus cavas. Hoy mal apenas pudiera resistir media hora a una batería de veinticuatro, 5 obrando de los cerros que la dominan al oeste noroeste. Contra este inconveniente se ejecutaron las obras modernas, de que ya di a usted razón. Si las merecía o no, otros lo juzgarán; bástame a mí reflexionar, con respecto a mi objeto, que 10 pues existe aún este precioso monumento, será lástima que una mano diestra no extienda por medio del dibujo y el grabado su noticia, preservándole de la ruina que amenaza, no sólo a sus piedras, sino también a su memoria. Yo lo he procurado, 15 haciendo formar un bosquejo de su planta y alzada, que aunque imperfecto, servirá para dar a usted y conservar alguna idea de sus ya afeadas bellezas.

Quisiera también, para completar la parte histórica 20 de esta descripción, dar a usted noticia del año en que empezó a construirse el castillo y del arquitecto que le construyó; pero las más exquisitas diligencias no han bastado para descubrirlos. El vulgo le cree obra de moros, como a todas las 25 que se alejan un poco de su limitado conocimiento. Los historiadores de Mallorca lo atribuyen a su rey don Jaime el Segundo, y dicen que le destinó también para habitación de sus sucesores; pero sin otro apoyo que el de la tradición. Acerca de esto voy yo recogiendo algunas noticias y reuniendo varias conjeturas, que a usted no serán desagradables. Mas como no sea fácil exponerlas sin entrar en discusiones tal vez prolijas, las reservo para las notas, que la necesidad de ilustrar otros puntos hace necesarias. Entre tanto puede 5 usted contar de seguro que el año de 1309 estaba concluído este castillo, y que por lo menos tiene ya cinco siglos de edad.

Pero ¿qué son cinco siglos en comparación de los que recuerda al espíritu este venerable monu- 10 mento? Construído todo, salvo el exterior de la galería alta, de una especie de asperón llamado aquí *marés*, sus sillares se ven rellenos de pedrezuelas rodadas de diferentes tamaños y colores, ya confusamente agrupadas, ya sembradas y 15 sueltas por su masa arenosa. Ahora bien, estas pedrezuelas fueron en algún tiempo desprendidas de las altas montañas de la isla, o bien de algún continente más distante, pues que su pasta y colores son harto varios; fueron después rodadas y 20 arrastradas por las aguas, privadas de sus ángulos y asperidades y depositadas en este cerro cuando era todavía arenal o playa de arena suelta. Esta arena al fin, endurecida y petrificada por la acción de algún gluten o flúido, se hubo de convertir en 25 asperón, envolviéndola en su seno; conjetura que es tanto más probable, cuanto así los sillares como la matriz de la cantera en que fueron cortados, envuelven también algunas conchas y mariscos, indicios de haber estado cubiertos del mar. Añada 30

usted que estas conchas se hallan en lechos no muy
espesos, pero muy extendidos en la misma cima
del cerro, que se ven algunas por sus laderas, y
que se descubren incrustadas en la roca y en las
5 alturas y lugares adyacentes hasta un cuarto de
legua de distancia. Añada también que son de las
que llaman bivalvas y longitudinales, tan grandes,
que tienen desde una tercia hasta media vara de
largo, y por último, que de ellas, según me han
10 informado, no se halla hoy ninguna viva ni muer-
ta en la vecina playa. Y he aquí cómo el espíritu,
a vista de semejante fenómeno, no puede menos
de transportarse hasta los tiempos del diluvio por
lo menos; esto es, a más de cuarenta siglos antes
15 que se levantara este hoy anciano y decrépito castillo. ¡Así es como la naturaleza, obediente a las
leyes que le dictó su divino Hacedor, volviendo y
revolviendo, cambiando y desfigurando la faz de
nuestro pequeño planeta, le renueva y conserva;
20 mientras que las deleznables generaciones de los
hombres, arrastradas en la impetuosa corriente
del tiempo, se van sucediendo atropelladamente, y
desaparecen y caen con todos sus monumentos en
el abismo insondable de la eternidad!

25 Pero ya es tiempo de salir de este castillo para
recorrer sus contornos y dar a usted más cabal
idea de su situación, la cual es por todas partes
áspera, fragosa y de difícil acceso, salvo hacia el
oeste, donde presenta un poco de terreno algo llano
30 y tratable. Su altura es tal, que apenas hay punto

ni rincón en toda la escena que domina, por bajo
y distante que sea, que no le descubra, y como su
forma sea tan antigua y extraña, no se puede
mirar de parte alguna sin que hiera fuertemente
la imaginación y despierte en ella las ideas más 5
caprichosas. Alguna vez, al volver de mis paseos
solitarios, mirándole, a la dudosa luz del crepúsculo, cortar el altísimo horizonte, se me figura ver
un castillo encantado, salido de repente de las entrañas de la tierra, tal como aquellos que la vehe- 10
mente imaginación de Ariosto hacía salir de un
soplo del seno de los montes para prisión de algún
malhadado caballero. Lleno de esta ilusión, casi
espero oír el son del cuerno tocado de lo alto de
sus albacaras, o asomar algún gigante para guar- 15
dar el puente, y aparecer algún otro caballero, que
ayudado de su nigromante, venga a desencantar
aquel desventurado. Lo más singular es, que esta
ilusión tiene aquí su poco de verosimilitud, pues
sin contar otras aplicaciones, el castillo ha salido 20
todo de las entrañas del cerro que ocupa.

   A poca distancia de sus muros, y a la parte de
oeste, se ve la tenebrosa caverna de donde se sa-
caron todos sus sillares, y cuya negra boca, que
respira al mediodía, pone grima a cualquiera que 25
se le acerca. Yo he reconocido gran parte de ella;
está minada en diferentes galerías, más o menos
espaciosas, y de mucha, pero no conocida extensión, por más que el vulgo crea comunica de una
parte al mar y de otra a la ciudad. Por estas ga- 30

lerías se puede dar la descripción de lo más interior del cerro hasta una cierta profundidad. Compónese por la mayor parte de grandes y espesas tongadas de marés o asperón, echadas horizontalmente a diferentes alturas, alternadas y cortadas por otras capas de piedras rodadas, sueltas en arena o marga, ya roja, ya blanquecina, con mezcla de greda, arena o tierra caliza, pero unas y otras de menos espesor. Sobre todas ellas, y sobre la boca misma de la gruta, se ve la tongada de grandes conchas, de que ya hablé a usted, y sobre esta capa superior del cerro, que es una piedra compuesta de varias materias, en que predomina la arena, con no poca apariencia de lava, y no sin indicios de haber estado en fusión. En algunas partes esta piedra aparece en forma escoriosa; en otras, no sólo agujereada por insectos marinos, sino también llena de concreciones, con que se descubren algunos petrificados o impresos univalvos, y que creo ser de los que llaman *barrenas*. Las cortaduras de las laderas del bosque descubren tongadas de las materias primero dichas, y en lo hondo de sus cañadas aparecen a trechos capas de piedras angulosas de diferentes materias y tamaños, que parecen venidas aderrumbadas de lo alto.

Lo que llaman aquí *marés* es una piedra areniza o asperón de grano grueso, y no sin mezcla de materias y cuerpos extraños. Es blanda en su lecho, y tan blanda, que recién sacada se asierra

cual si fuese un leño, y labra con instrumentos
fáciles. De ella se construyen casi todas las obras
del país llano de la isla, y de ella se construyó
el castillo; y las galerías de la cantera de do salió,
algunas de las cuales corren por bajo de sus ci- 5
mientos, indican a un mismo tiempo la dirección
de sus tongadas y el lugar que ocuparon los sillares. Otros indicios confirman que todo el núcleo
del cerro es de las materias ya dichas, pues que
las capas de conchas, pudines, margas, etc., apa- 10
recen a la misma altura en las laderas de los
cerros vecinos, y hasta las rocas de asperón que
se descubren a las orillas del mar indican que esta
materia continúa aquí hasta su nivel. Yo no sabré
combinar estas varias observaciones con ninguno 15
de los sistemas geológicos que han pretendido establecer Buffon, Lametherie, Lamarche y Patrin;
por eso me he contentado con indicar los hechos,
dejando a otros delirar, si quieren, sobre sus consecuencias.   20

La superficie del bosque ofrece observaciones
menos aventuradas. Es de una tierra mixta, cuya

---

17   Jean Claude de Lamétherie (1743-1817), naturalista
y físico francés, autor de *Théorie de la terre*, París, 1795,
3 vols., y *Leçons de géologie*, París, 1812, 3 vols.—*Lamarche*. El célebre naturalista Jean Baptiste Lamarck (1744-
1829).—*Patrin*. En todas las ediciones dice Petriu, pero
no se encuentra este nombre en ningún repertorio científico. Se trata, sin duda, del mineralogista francés Eugène
Louis Patrin (1742-1815), autor de *Histoire naturelle des
minéraux*, París, 1801, 5 vols., y creador de varias teorías
sobre la formación de las montañas, minerales, etc.

pequeña capa se compone de granos arenosos, con
mezcla de marga y greda y de moléculas vegetales, resultantes aquéllos del detrimento de la roca
superior, y éstas de la recomposición periódica de
tantas plantas como ha producido. Mas la tierra
primitiva, que aparece a trechos en las hendiduras de la misma roca, es de color rojo subido, y
cual si en algún tiempo hubiese sufrido la acción
del fuego, toda su apariencia es de tierra de mon-
10 taña u óxido rojo de hierro, pero yo no sé si efec-
tivamente lo fué.

La extensión del término del castillo, regulada
por el ruedo que ocupa, será como de tres cuartos
de legua de circunferencia. Por el mediodía to-
15 caba en otro tiempo en el mar; hoy, ocupada su
orilla por el nuevo lazareto y otros edificios más
modernos, linda en el camino que pasa ante ellos,
y como éste corre a este oeste desde la ciudad a
Portopí, castillo de San Carlos, Calamayor y villa
20 de Andraitx, y sirve además de paseo, se ve de
continuo transitado. Las cañadas que recogen las
aguas de la altura coronada por el castillo limitan
su término por lo restante del sur y por todo el
norte, y las cercas de algunas heredades particu-
25 lares por el este y oeste.

Por toda esta gran superficie el espinazo de asperón asoma acá y allá a la estrecha capa, o más
bien costra de tierra que la cubre, y, sin embargo,
está en incesante producción de vegetales. No ha
30 mucho tiempo que la adornaba un bosque espesí-

simo de pinaretes que en la mayor parte ha des-
aparecido a mi vista por las causas que apuntaré
después. Vense aún en ella no pocos algarrobos,
y sus frondosas ramas, de un verde fresco y brillante, campean entre las capas amarillentas de 5
los pocos pinaretes que han quedado, cuyos troncos, deformes y torcidos por la desigualdad y escaso fondo del suelo en que nacen, por el ímpetu
de los vientos que los azotan de continuo, por el
descuido con que se los deja crecer y la torpeza 10
con que se los poda, y en fin, por los frecuentes
insultos de hombres y bestias, aparecen pobres y
desnudos, y más que a la hermosura, concurren
ya a la fealdad y tristeza del bosque.

Pero las grandes causas de su despoblación son 15
de muy otra naturaleza. Desde luego, contándose
los despojos de su poda entre los derechos del gobernador del castillo, mientras la moderación de
alguno respetó los árboles como propiedad pública fiada a su cuidado, la codicia de otro sólo trató 20
de despojarlos, hasta reducir la copa de los pinaretes a un pequeño hopo en la cima. Agrégase a
esto los insultos de los extraños, que en un país
escaso de leñas, en un bosque situado entre una
comarca pobre y una ciudad populosa, no podían 25
ser ni pequeños ni raros. Con todo, su antigua espesura era tal, que daba, como suele decirse, para
todo y para todos; esto es, para el uso legítimo
y para el abuso. Para acabar con ella fué menester que éste llegase a su término, y así sucedió. 30

Dios ha querido reservarme para ser testigo de
esta desolación. Ya en la penúltima guerra con Inglaterra y Rusia, la necesidad de renovar las estacadas de la plaza y sus castillos había obligado a
5 hacer aquí una corta considerable; y como a la
sombra de estos objetos de bien público suele esconderse algún interés privado, y éste es tan ansioso de aumentar sus usurpaciones como diestro
en cohonestarlas, la corta, según dicen, pasó mu-
10 cho más allá de la exigencia. Pero ya fuese por
la grande espesura del arbolado, ya por el tino y
precaución de la entresaca, el exceso se hizo menos
visible. Mas después acá, perdido ya el miedo a
las consecuencias, el abuso continuó sin miramien-
15 to ni medida. Va para cuatro años que oigo todos
los días y casi a todas horas los golpes de hacha
desoladora resonar por las alturas, laderas y hon-
donadas del bosque. Nuevas y grandes estacadas
añadidas recientemente a las obras de la plaza,
20 exigiendo nuevas y grandes cortas, dieron pretexto a muchos y más escandalosos excesos. Las cortas continuaron aún después de satisfecho su objeto principal; poco a poco se van viniendo al suelo
los pinaretes que por pequeños se habían reserva-
25 do, y el bosque, aclarado por todas partes, se abrió
por fin a los rayos del sol, que no pudieron pene-
trarle en tantos siglos.

Por fortuna su suelo no producía sólo pinaretes; además de los algarrobos, nacen espontánea-
30 mente por las faldas del cerro, y singularmente

en toda la parte que mira al oeste, un increíble
número de acebuches, que crecen con gran fuerza,
pero de los cuales hasta ahora no se ha defendido,
limpiado, trasplantado ni injertado uno solo, para
que diesen, como pudieran, muchas y excelentes 5
olivas. Y aún son pocos los algarrobos que recibieron aquí este beneficio, con ser tantos los que
nacen por todas partes y su fruto tan precioso.

Pero si se trata de otras plantas y yerbas, por
lo que dejo dicho de las que lleva el castillo, ya 10
inferirá usted cuánta será la fecundidad de su
término. Domina entre todas el lentisco, que en
grandes y frondosas matas, por cuyo solo nombre
es aquí conocido, brota a la par de los árboles
indígenas, y da mucha y excelente leña para ho- 15
gares y chimeneas, así como la dan para el consumo de los hornos las tres estepas, una especie
de genista, llamada *bosch*, que es una retama fina,
y otras matas, a todas las cuales distinguen con
el nombre genérico de *garriga.* Abunda aquí so- 20
bremanera el gamón, que coronado al febrero de
una hermosa piña de blancas flores, cubre todo
el bosque y le adorna, hasta que al otoño sus altos
y erguidos vástagos se cortan para hacer pajuelas,

18 Según los diccionarios de Labernia y Aguiló, *bosch*
y *garriga*, más que como nombre de planta, se usan para
designar el terreno inculto cubierto de arbustos y broza:
"six quarterades de terra de guarrigua". *Docs. de Mallorca
(Diccionari Aguiló).* A este pasaje acompaña una extensa
nota (núm. 10) en la cual Jovellanos da muchas noticias
sobre la geología de la isla.

las únicas que se usan en el país con nombre
de *lluquets*. Abundan también varias plantas olo-
rosas, como tomillo y romero, hacia las faldas del
cerro, y cantueso por todas partes. Éste se conoce
5 por el nombre de *garlanda*, y su violada y fra-
gante flor por el de flor de San Marcos, sin duda
porque en la fiesta de este santo, titular del castillo, es cogida con ansia por los que vienen a ella
de la ciudad. El número y variedad de otras plan-
10 tas parece increíble, si se atiende a la pobreza
de un suelo tan peñascoso. Crece con fuerza en las
faldas del cerro y en los altos y orillas de las
sendas la sanguinaria con sus hermosos copitos de
terciopelo blanco. Hay tres o cuatro variedades
15 de la centaura, otras tantas del geranio, y entre
ellas el moscatum; son comunes las anagalis, los
dos sedos, mayor y menor, las dos achicorias, aquí
camarrotges, dulce y amarga, el espárrago espi-
noso y la digital purpúrea, la buglosa con su flor
20 celeste, y la cinoglosa, que la tiene rosada. Crece
también por las cercas la doradilla, en los huecos
de las peñas la rara y saludable polígala, y en
la cañada del mediodía el más raro aún hipericón,
que Linneo llama ballarico, con sus flores jaldes y
25 sus hojitas horadadas. En fin, tal es la muchedumbre y tantas las variedades de estas y otras
plantas, que si algún sabio botánico se diese a
describirlas, pudiera formar una flora bellvérica

---

2 *lluquets*, esp. "luquete".

harto rica y digna de la atención de los amantes de esta ciencia encantadora.

Ahora bien, aunque usted considere tales productos sin otro respecto que el adorno que añaden al ruedo del castillo en medio de su extrañeza y rusticidad, ¿dejará de formar una muy favorable idea de su hermosura, cuanto más si reflexiona que la benignidad del clima hace que muchas de las plantas nombradas sean perpetuas, y que otras, como el cantueso, tomillo, euforbio, etcétera, aunque algo marchitas al fin del estío, conserven toda su hoja y a las primeras aguas del otoño reverdezcan y cobren su antigua lozanía, mientras que las pocas que perecen del todo, apenas sienten la primera humedad del rocío, cuando brotan de nuevo, sin dejar jamás a este suelo en aquella larga pausa de vegetación que hace en otros tan hórrido el invierno?

Ni necesita esperar la primavera para verse lleno de flores. Desde los principios de octubre asoma a cubrirle la llamada flor de invierno, muy parecida a la del azafrán, que sin tallo, rama ni hoja, despliega a flor de tierra sobre un tierno pedúnculo sus seis pétalos de hermoso color de lila. Acompáñanla gran número de pequeños lirios blancos, muy parecidos al jazmín y de su tamaño, y también las flores de la jabonera, de un morado tirante a azul, que son tan tempranas como de corta vida. Siguen las del cantueso, de violado claro, para durar casi todo el año; las del talespi.

formadas de pequeñísimos flósculos blancos, y las
amarillas y celestes de las achicorias. Viene luego
el gallardo gladiolo, aquí *clavell de moro*, de muy
ardiente color carmesí, y luego un bellísimo orchis,
5 que yo llamaría especular, porque la abejita que
nace sobre su flor tiene la espalda de un gracioso
color de acero tan brillante, que refleja la luz con
su marco de finísima pelusa de terciopelo musgo;
hasta que al fin, desvolviéndose toda la gala de
10 la primavera, se ve la verde alfombra que cubre
el cerro, matizada con tanta y tan rica variedad
de colores y formas, que no se puede pisar sin
el delicioso sentimiento que la bella y exuberante
naturaleza excita, ni contemplarla sin levantar el
15 espíritu hacia la inagotable bondad de su divino
Autor.

De lo dicho inferirá usted fácilmente que este
término no será menos rico en pastos, y con efecto, entre tanta muchedumbre de hermosas plan-
20 tas, crece y amorchigua con el mayor vigor la
numerosa plebe de las gramíneas, trifolios y demás yerbas pratenses, que nunca faltan en las cañadas, y sólo se agostan en los altos en la fuerza
del estío. Esta abundancia se debe a la de los
25 rocíos que proporciona la vecindad del mar, la
cual además hace estas yerbas muy sabrosas y

---

20 *amorchiguar*. Los *Diccs. Ac.* y *Aut.* traen *amuchiguar*
y *amuchigarse*, pero no la forma usada por Jovellanos. Es
un arcaísmo de la lengua medieval que significa "acrecen-
tarse, aumentarse y agrandarse alguna cosa" *(Dicc. Aut.).*

preciadas por los pastores vecinos. Pero si uno
o dos rebaños de ovejas, abonando el suelo, las
aumenta tanto como las disfruta, tres o cuatro de
voraces cabras asuelan con su diente venenoso
hasta las plantas que las protegen. Los tiernos
pinaretes, acebuches, algarrobos y lentiscos son
devorados al nacer por este animal destructor, tan
enemigo del arbolado como del cultivo; y viniendo
alguna vez en pos de él los puercos con su hocico
minador, todo lo talan y apuran, hasta la esperanza de su reproducción. Así es como mientras
el celo duerme, la codicia vela y se apresura a
consumar la total ruina de un bosque que, bien
cuidado y defendido, pudiera recobrar todavía su
antigua riqueza y hermosura.

Desde la primavera era en otro tiempo muy fre-
cuentado en los días festivos, en que el pueblo pal-
mesano venía a gozar en él las dulzuras de la estación y a solazarse y merendar entre sus árboles. Extremadamente aficionado a esta inocente
diversión, a que da el nombre de *pan-caritat*, se le

21 *Pan caritat.* Como este nombre es tan ajeno de su
significado, puso alerta mi curiosidad, siempre propensa a
subir por el origen de las palabras al conocimiento de las
cosas. Meditando, pues, sobre él, sospeché que la costumbre a que se refiere podía ser un resto de aquellos convites religiosos que los antiguos cristianos, para estrechar
su mutua caridad, celebraban con el nombre de *ágapes*
después de recibido el pan eucarístico, pareciéndome muy
verosímil que en esta ocasión se ejercitase más particularmente la caridad distribuyendo pan a los amigos o me-
nesterosos.

Pero habiendo oído después que el caballero Fournas, ca-

veía llenar y hermosear el cerro, esparcido acá y allá en diferentes grupos, en que familias numerosas, con sus amigos y allegados, trincando, corriendo, riendo y gritando, pasaban alegremente
5 la tarde y a veces todo el día. Y como la juventud haga siempre el primer papel en estos inocentes

---

pitán del regimiento infantería de Borbón, opinaba que esta costumbre podía venir de las charistías de que habla Valerio Máximo (lib. II, cap. 1), examiné con mayor cuidado la materia y me persuadí de que la opinión de este erudito era más acertada y digna de adoptarse por las siguientes razones:

1.ª El texto de Valerio dice: "Instituyeron también los antiguos un convite solemne, con nombre de charistía, al cual sólo asistían los parientes y allegados, para que si entre ellos se hubiesen suscitado algunos resentimientos, se concordasen en medio de las piadosas ceremonias de la mesa y con la mediación de tan buenos conciliadores." Hasta aquí va conforme con la romana la costumbre mallorquina, pues que el *pan caritat* es un convite de familia, a que no asisten sino los que pertenecen a ella por parentesco o por muy estrecha amistad.

2.ª Pero un pasaje de Ovidio (lib. II de los *Fastos*) confirma también esta idea. Dice así:

Proxima cognati dixere charistia cari,
Et venit ad socias turba propiqua dapes.

Se ve por él que el nombre de *charistia* o *caristia* (pues de uno y otro modo se halla escrito en antiguos manuscritos) significaba caridad sólo en el sentido de afición o cariño, y aun la palabra griega *charistos*, de donde se derivó, significa obsequio, agasajo, generosidad, nacidos del mismo principio; y éste es precisamente el sentido que tiene esta palabra en *pan caritat*, esto es, pan o convite de cariño.

3.ª Estos convites se celebraban el 8 de las kalendas de marzo (o 25 de abril), según el calendario de Constantino, que por lo mismo llama a este día *dies epularum*. Y aunque los de Mallorca no convienen en el día, convienen a lo menos en la estación, pues se celebran por Pascua de Resurrección. Y el no tener día señalado paréceme a mí

desahogos, allí es donde se la veía bullir y derra-
marse por toda la espesura, llenándola de movimiento y alegre algazara, para abandonarla después a su ordinaria y taciturna soledad. ¡Cuántas
veces he gozado yo de tan agradable espectáculo, 5

---

que nace de la interposición de la Cuaresma, que es tiempo poco a propósito para tales fiestas.

4.ª Paréceme también que se puede aplicar al *pan caritat* una reflexión de Ovidio sobre las caristías, y es, que
las hacía más agradables en Roma la circunstancia de suceder a ciertas ceremonias funerales:

Scilicet à tumulis, et qui periere propinquis,
Protinus ad vivos ora referre juvat.

¿No se podrá decir también que el salir de un tiempo
de tristeza y penitencia, cual es la Cuaresma, realza considerablemente la alegría del *pan caritat* en Mallorca? El
hecho responde.

5.ª Es preciso ocurrir al reparo que alguno tendrá en
que esta costumbre venga de tan alto origen, y que desde
la dominación romana haya podido pasar hasta nosotros
por medio de la de los godos y árabes, y a pesar de tanta
diferencia de genios, usos y ritos. A esto diré que ya se
suponga el Cristianismo introducido en Mallorca bajo la
dominación romana, como es muy probable, o que le intro-
dujesen los godos, no repugna que esta costumbre, así
como otras muchas, modificada, y por decirlo así, cristia-
nizada, se hubiese conservado aquí. Y diré también que de
ningún modo repugna que la adoptasen los árabes, porque
la historia acredita que todo pueblo vencedor, establecido
en sus conquistas, adopta fácilmente las costumbres del
pueblo vencido cuando no son contrarias a su carácter. Y
por ventura ¿hay carácter a quien repugnen las fiestas en
que sólo se trata de comer, beber y divertirse?

Los que opinen que el estudio de la etimología es muy
importante para averiguar los orígenes de los usos y aun
de las opiniones de los pueblos, no me culparán de que
me haya detenido en describir el de *pan caritat. (Nota del
autor.)*

mirándole complacido desde mi alta atalaya! Pero
estos inocentes y fáciles placeres, tan ardiente-
mente apetecidos como sencillamente gozados por
todo un pueblo alegre y laborosioso, le fueron al
5 fin robados, y desaparecieron con los árboles a
cuya sombra los buscaba.

Yo no sé si alguna particular providencia quiso
agravar mi infortunio, contemplando a mis ojos el
horror de esta soledad; sé, sí, que al paso que
10 caían los árboles y huían las sombras del bosque,
le iban abandonando poco a poco sus inocentes y
antiguos moradores. No ha mucho tiempo que se
criaba en él toda especie de caza menor, que como
contada entre los derechos del Gobierno, y por lo
15 mismo poco perseguida, crecía en libertad, y además se aumentaba con la que acosada en los montes vecinos, buscaba aquí un asilo. Abundaban sobre todo los conejos, cuya colonia, domiciliada
aquí por don Jaime el Segundo, se había aumen-
20 tado a par de su natural fecundidad. Solíalos yo
ver con frecuencia al caer de la tarde salir de sus
hondas madrigueras, saltar entre las matas y pa-
cer seguros en la fresca yerba a la dudosa luz del
crepúsculo. Criábanse también muchas liebres, y
25 alguna, al atravesar yo por la espesura, pasó como
una flecha ante mis pies, huyendo medrosa de su
misma sombra. El ronco cacareo de la perdiz se
oía aquí a todas horas, y ¡cuántas veces su violento
y repentino vuelo no me anunció que escondía sus
30 polluelos al abrigo de los lentiscos! Desde que la

aurora rayaba, una muchedumbre de calandrias,
jilgueros, verderones y otros pajarillos salía a llenar, el bosque de movimiento y armonía, bullendo
por todas partes, picoteando en insectos y flores,
cantando, saltando de rama en rama, volando a las
distantes aguas y volviendo a buscar su abrigo so
las copas de los árboles, y tal vez esconder en ellas
el fruto de su ternura; y mientras la bandada de
zancudos chorlitos, rodeando velozmente la falda
y laderas del cerro, los asustaba con sus trému-
los silbidos, el tímido ruiseñor, que esperaba la
escasa luz para cantar sus amores, rompía con dulces gorjeos el silencio y las sombras de la noche,
y enviaba desde la hondonada el eco de sus tiernos suspiros a resonar en torno de estos torreones
solitarios. Usted comprenderá sin que yo se lo
diga, cuánto consolarían este desierto tan agradables e inocentes objetos; pero todos le van ya des-
amparando poco a poco, todos desaparecen, y sintiendo conmigo su desolación, todos emigran a los
bosques vecinos, y abandonan una patria infeliz,
que ya no les puede dar abrigo ni alimento, mientras que yo, desterrado también de la mía, quedo
aquí solo para sentir su ausencia y destino, y veo
desplomarse sobre el mío todo el horror y tristeza de esta soledad.

¡Qué mucho, pues, que la abandonen los hombres! No echaré yo menos, por cierto, aquellos
que, duros e insensibles, alguna vez subían a este
cerro para turbar la paz y la dicha de estos seres

bien inocentes, y que hallando un bárbaro placer
en la muerte y la destrucción, ya los sobresaltaban
con el súbito ladrido de sus perros, ya los hacían
caer sin vida al tiro de sus armas insidiosas, o
5 ya más crueles, aprisionándolos en sus redes, los
privaban de la compañía y libertad, que les eran
más caras que la vida. Pero ¿cómo no echaré menos el espectáculo de un pueblo laborioso y pacífico, que de cuando en cuando subía a reposar aquí
10 de sus fatigas, y a gozar a la sombra de los árboles y entre tan sencillos objetos un placer puro y
sin remordimiento?

¡Ah! ¡con cuánta pena no observo ya desde esta
atalaya, que si alguna vez la costumbre trae una
15 que otra familia a estos antes amados lugares, se
la ve volver triste y atónita, hallando yermas y
desnudas las escenas que antes hermoseaba la naturaleza con sus galas y encantaba el amor con
sus ilusiones! Su maldición cae entonces sobre sus
20 bárbaros devastadores, y acudiendo a la estéril
venganza de los débiles, los condena al ceño de
sus contemporáneos y a la execración de la posteridad. A sus quejas responde mi alma afligida,
y jamás oye resonar la segur sobre estos árboles,
25 que no exclame, con el tierno cantor de los jar-
dines:

---

25 JACQUES MONTANIER DELILLE: *Les Jardins*, Chant. II.
Aparte algunas erratas que hay en Rivad. y que he-

......Un ingrat possesseur
Sans besoin, sans remords, les livre à la cognée.
Ils meurent: de ces lieux s'exilent pour toujours
La douce rêverie et les discrets amours!

Al norte, y a tiro de fusil del castillo, está el almacén de pólvora de la plaza; es un edificio de ciento cincuenta pies de largo sobre cincuenta de ancho, bien cerrado y defendido con un buen pararrayo, con su cuerpo de guardia para un oficial y doce o quince hombres, todo bien construído, pero a mi juicio mal situado el almacén por la cercanía del castillo, que sin duda perecerá en una explosión casual, y el cuerpo de guardia por la del almacén, de que apenas dista diez varas, teniendo además la puerta, ventana y dos chimeneas hacia él. Y he aquí los únicos edificios del recinto, si ya no se cuenta por tal la casa yerma de la *Joana*, que está al lado de su límite meridional.

Dase este nombre a una cueva excavada en la peña, pero cerrada de pared, con su puerta y ventana y pozo al exterior, su habitación alta y baja, su horno, su cocina y otras piezas dentro; todo ruinoso, abandonado y aun detestado. La tradición vulgar dice que moró en ella no ha mucho tiempo la *Joana*, grande hechicera, que en vida solía convertirse en gato y tomar otras formas a su placer, y que ahora su sombra se complace de visitarla de tanto en tanto. Esto se dice; dos hi-

mos corregido, falta el siguiente verso entre el segundo y tercero: "Renversés sur le sein de la terre indignée". Véase *Oeuvres*, París, 1924, vol. VII, pág. 97.

gueras, que yo he visto plantadas o casualmente
nacidas cerca de su puerta, pueden haber confirmado esta vulgaridad, pues su fruto, aunque de
buena apariencia, se avanece y pudre sin llegar a
5 sazonar, sin duda por hallarse estas plantas en
una umbría y estar del todo descuidadas. No obstante, los simples pastores y cabreros del bosque
cuentan y creen que cierto canónigo antojadizo
murió de haberlos comido; y he aquí la ridícula
10 historia forjada sobre el abandono de esta casi-
lla, que probablemente no tuvo otra causa que la
esterilidad y fragosidad del terreno inmediato,
destinado antes al cultivo, de que aun hay indicios. Sea lo que fuere, la fuerza de la superstición
15 la hace mirar con horror, y aleja de ella pastores
y ganados, por más que ofrezca algún pasto y un
abrigo seguro contra la inclemencia. ¡Notable
prueba de su poder, cuando no le vencen el interés ni la necesidad!

20 　　Sirven también al adorno del sitio de Bellver
diferentes alquerías y casas de campo situadas
en sus confines, las cuales, bien plantadas y cultivadas, completan la escena, y hacen agradable
contraste con el agreste desaliño del cerro. A la
25 parte del este se halla el predio de *son Armadans*,
cuyas cercas forman por el oeste el lindero oriental de Bellver, mientras por el norte y sur confi-

---

4　*avanecerse.* "ponerse una cosa fofa" *(Dicc. Ac.).*

nan con dos caminos que bajan a la ciudad. A la del norte se ven los de *son Dureta* y *sa Taulera,* cuyos vastos términos corta por la espalda el torrente, que corriendo oeste este por una frondo-

---

2 *Sa, Son, Can.* Este modo de intitular los predios o quintas de Mallorca debe parecer a usted tan extraño como a mí, y por lo mismo le comunicaré las conjeturas que he formado acerca de él.

Tres palabras preceden a estos títulos: primero, *sa,* a los que se toman del lugar en que está situado el predio, siendo de género femenino, como *sa Taulera, sa Cova;* segundo, *son,* y tercero, *can,* a los que se tomaron del apellido de sus primeros o antiguos dueños, como *son Dureta, son Armadans,* o como *can Virella, can Deyá.*

En cuanto al primero no cabe duda en que es un artículo femenino, equivalente al *la* castellano, y que *sa taulera, sa cova,* vale tanto como *la tejera, la cueva.* Tampoco hay duda en que es de origen latino, y que así como el artículo *la* viene del pronombre *illa,* el mallorquín *sa* se formó del pronombre *ipsa,* corrompiéndose la pronunciación de uno y otro, al mismo tiempo que se convertían de pronombres demostrativos que eran, en simples artículos. La prueba de esto es que para indicar títulos de género masculino se emplea en vez del *el* castellano, el artículo *es* mallorquín, diciendo *es terren, es paredó,* por *el terreno, el paredón,* así como se dice en el dialecto de la isla *sa ma, sa cama,* por *la mano, la pierna,* y *es bras, es peu,* por *el brazo, el pie.*

De aquí he colegido yo que *son* es también un artículo de la misma significación y origen, con la diferencia de haberse formado sobre la terminación neutra *ipsum;* y esta diferencia pudo venir de que el título a que precede es un apellido, a la que le dió la terminación neutra, como propia de los adjetivos sustantivos. Pudo venir también de la misma terminación en acusativo, en el que es común al masculino y al neutro, y que lo que hoy se dice *son Dureta, son veri,* antes se dijese *ad ipsum Dureta, ad ipsum veri* o *verinum.*

No se puede atribuir igual origen a la partícula *can,* aunque derivada también del latín; pues que a mi ver no es otra cosa que un síncope de la palabra *casam.* He ob-

sísima cañada, lleva las aguas recogidas de diversas y distantes alturas al puente de *San Maxí*, do desemboca en el mar. Al oeste el término de la *Taulera* toca y se mezcla con los hermosos valles de *son Berga*, que recogiendo otra gran copia de aguas de los altos montes, que vierten al áspero camino de *Bendinat*, las introducen en las cañadas de Bellver, formando su límite por sudoeste norte sur, y saliendo después a cortar el de Portopí y caer al mar entre los pequeños predios litorales de Carbomari y el *Terren*. En las laderas y altura del otro lado de esta cañada se ven los graciosos predios del *Retiro*, *son Vich*, *son Gual* y *sa Cova*, cuyos términos son mejor conocidos por el general y más digno nombre de la *Bonanova*. Detenerme a describir tantos objetos, o extenderme a otros que se descubren en sus cercanías, fuera salir demasiado de mi propósito. Bástame decir que se ven tan graciosamente distribuídos en torno de Bellver, tan felizmente situado cada uno,

---

servado que esta partícula precede más bien al título de pequeños que de grandes predios, e inferido que en lo antiguo se aplicó sola a una pequeña casa rústica. Puede probar esto el que en algunos no se dice *can*, sino *cas*, como *cas gayans*, *cas canonge*, y en el plural se usa frecuentemente de la palabra latina entera, como *sas casas de Génova*, *sas casas de can Trau*. Ni se extrañe la terminación de acusativo *casam*, porque en el latín de la media edad era muy frecuente decir *ad casam*, *vel ad casas de N*.

Como quiera que sea, en el día, así ésta como las otras partículas se usan ya en calidad de simples artículos. *(Nota del autor.)*

y formando todos un conjunto tan vario y tan
bien poblado, plantado y cultivado, que, por más
que se observe, jamás la vista apura sus gracias
ni se cansa de verlas.

Pero sobre todo (y con esto voy a concluir), nin- 5
guna vecindad honra más, ninguna recomienda ni
alegra tanto los términos de Bellver como el santuario de la Bonanova, que da su nombre al confín de que hablé últimamente. Situado al oeste de
Palma, y a medio tiro de cañón del castillo y del 10
mar, y dedicado a la Virgen María, es, por decirlo así, el Begoña o el Contrueces de los mareantes
mallorquines. Apenas éstos han emprendido o acabado alguna de sus pequeñas expediciones, cuando la familia del patrón o de los marineros viene 15
en romería a Bonanova, donde, a vueltas de la
devoción, pasa allí alegremente un día entero o
una tarde. Ni esta devoción inflama sólo a los na-
vegantes, sino que se extiende a todo el pueblo
de Palma y sus contornos, cuyas familias acos- 20
tumbran asimismo visitar la ermita en algunos
días del año; mas cuando llega el del santo y dulcísimo Nombre de María, bien puedo decir que
he gozado ya tres veces, aunque de lejos, del más

---

12 *Begoña*, municipio en las afueras de Bilbao, en cuya
iglesia está la imagen de la Virgen, muy venerada en Vizcaya, especialmente por los marineros, y en donde se celebra una romería el 15 de agosto.—*Contrueces*, lugar, en
el término municipal de Gijón, donde está la ermita de
Nuestra Señora de Contrueces, a la que también acuden
en romería los asturianos del contorno.

tierno espectáculo; porque entonces se despuebla
la ciudad y los campos vecinos para venir a cele-
brarle en su pequeño y gracioso templo. Lumbradas y bailes al son de la gaita y tamboril anuncian
5 desde la noche anterior la solemnidad preparada,
y el primer rayo del siguiente día halla ya cubiertos los senderos del bosque y las demás avenidas
de la ermita de un inmenso gentío que viene a la
fiesta, y a gozar de camino de la diversión que
10 ofrece su concurrencia. Porque ésta aquí, como
sucede en muchas partes, es una de las solemnes
ocasiones en que la devoción se hermana admirablemente con el regocijo de los pueblos, y santifi-
ca, si se me permite esta expresión, el placer y
15 alegría de los corazones sencillos e inocentes. Los
concurrentes, después de hacer sus preces y satisfacer su primera curiosidad, se derraman por
todo el recinto del santuario a ver, a ser vistos y
a saludarse y tratarse entre sí; pero al acercarse
20 el mediodía se dividen en grupos, y cada uno se
separa y toma la situación que desea o que puede
para comer y sestear. No hay algarrobo por allí,
no hay olivo ni almendro que no abrigue una familia contra los rayos del sol equinoccial, ni fami-
25 lia, por pobre que sea, que no pueda a su sombra
cantar alegre, con el Horacio español:

> A mí una pobrecilla
> mesa de amable paz bien abastada
> me basta, y la vajilla
> 30 de fino oro labrada
> sea de quien la mar no teme airada.

Entrar y salir en la ermita, charlar, correr, bailar o ver los bailes, llevan el resto de la tarde; el más señalado de ellos se tiene en el porche de la cercana casa de *son Gual*, bellísima quinta de la excelentísima señora marquesa viuda de Solleric, que la edificó, así como la nueva ermita, y que en este día admite y regala con generosidad a las personas de la nobleza que vienen a la fiesta, y acoge además en sus umbrales al pueblo que acude a solazarse ante ellos.

En toda la tarde y por todas partes reina el más vivo y al mismo tiempo el más pacífico y honesto regocijo. Que también en esto es señalado y laudable el buen pueblo mallorquín, pues que manifestando en sus diversiones la alegría más exaltada y bulliciosa, nunca o rarísima vez da en ellas aquellos ejemplos de desacato, disolución y discordia, que por desgracia turban y hacen amargas las de algunos otros países. A la de este día convida también, y en gran manera la realza, la hermosura del sitio, porque es frondoso, elevado y pintoresco, con la magnífica vista de la bahía a una parte, y a otra la de la rica y hermosa campiña, sobre la cual descuella el castillo de Bellver, haciendo en ella muy distinguido papel. Algún día, si quiere Dios, subiendo a su alto homenaje, describiré yo a usted esta grande escena tal cual desde allí se descubre. Por hoy basta lo dicho para que usted forme idea de uno de sus principales objetos, que por muchas circunstancias es tan dig-

no de la atención de los que saben pensar, como
está olvidado de las almas corvas y vulgares.—
Marina.

---

3 *Marina.* Manuel Martínez Marina, nombre del secretario de Jovellanos que éste tomaba frecuentemente en su
correspondencia durante los años del cautiverio en Bellver, para burlar la severa incomunicación a que le habían
condenado las autoridades.

DISCURSOS

ELOGIO DE CARLOS III

LEÍDO EN LA REAL SOCIEDAD ECONÓMICA DE MADRID EL DÍA 8 DE NOVIEMBRE DE 1788

> E aun deben (los reyes) honrar e
> amar a los maestros de los grandes
> saberes... por cuyo consejo se mantie-
> nen e se enderezan muchas vegadas
> los reinos.
>
> (R. D. ALF. EL SABIO, en la ley 3.ª,
> título x de la partida II.)

ADVERTENCIA DEL AUTOR

Como el primer fin de este elogio fuese mani-
festar cuanto se había hecho en tiempo del buen
rey Carlos III, que ya descansa en paz, para promover en España los estudios útiles, fué necesario referir con mucha brevedad los hechos, y re- 5
ducir estrechamente las reflexiones que presentaba tan vasto plan. La naturaleza misma del escrito pedía también esta concisión; y de aquí es
que algunos juzgasen muy conveniente ilustrar

con varias notas los puntos que en él se tocan más
rápidamente.

No distaba mucho el autor de este modo de pensar, pero cree, sin embargo, que ni puede ni debe
5 seguirle en esta ocasión, por dos razones para él
muy poderosas. Una, que los lectores en cuyo obsequio prefirió éste a otros muchos objetos de alabanza, que podían dar amplia materia al elogio
de Carlos III, no habrán menester comentarios
10 para entenderle; y otra, que habiendo merecido
que la Real Sociedad de Madrid, a quien se diri-
gió, prohijase, por decirlo así, y distinguiese tan
generosamente su trabajo, ya no debía mirarle
como propio, ni añadirle cosa sobre que no hubie-
15 se recaído tan honrosa aprobación. Sale, pues, a
luz este elogio tal cual se presentó y leyó a aquel
ilustre cuerpo el sábado 8 de noviembre del año
pasado; condescendiendo, en obsequio suyo, el autor no sólo a la publicación de un escrito incapaz
20 de llenar el grande objeto que se propuso, sino
también a no alterarle, y renunciar al mejoramiento que tal vez pudiera adquirir por medio de
una corrección meditada y severa.

Mas si el público, que suele prescindir del mé-
25 rito accidental cuando juzga las obras dirigidas
a su utilidad, acogiese ésta benignamente, el autor se reserva el derecho de mejorarla y de publi-
carla de nuevo. Entonces procurará ilustrar con
algunas notas los puntos relativos a la historia
30 literaria de la economía civil entre nosotros, que

son, a su juicio, los que más pueden necesitar de ellas, y aun merecerlas.

*

Señores: El elogio de Carlos III, pronunciado en esta morada del patriotismo, no debe ser una ofrenda de la adulación, sino un tributo del reconocimiento. Si la tímida antigüedad inventó los panegíricos de los soberanos, no para celebrar a los que profesaban la virtud, sino para acallar a los que la perseguían, nosotros hemos mejorado esta institución, convirtiéndola a la alabanza de aquellos buenos príncipes cuyas virtudes han tenido por objeto el bien de los hombres que gobernaron. Así es que mientras la elocuencia, instigada por el temor, se desentona en otras partes para divinizar a los opresores de los pueblos, aquí, libre y desinteresada, se consagrará perpetuamente a la recomendación de las benéficas virtudes en que su alivio y su felicidad están cifrados.

Tal es, señores, la obligación que nos impone nuestro instituto; y mi lengua, consagrada tanto tiempo ha a un ministerio de verdad y justicia, no tendrá que profanarle por la primera vez para decir las alabanzas de Carlos III. Considerándole como padre de sus vasallos, sólo ensalzaré aquellas

---

2   Según Nocedal, Jovellanos extendió las notas algunos años después, pero se han perdido.

providencias suyas que le han dado un derecho
más cierto a tan glorioso título; y entonces este
elogio, modesto como su virtud y sencillo como su
carácter, sonará en vuestro oído a la manera de
5 aquellos himnos con que la inocencia de los antiguos pueblos ofrecía sus loores a la Divinidad,
tanto más agradables cuanto eran más sinceros, y
cantados sin otro entusiasmo que el de la gratitud.

¡Ah! cuando los soberanos no han sentido en su
10 pecho el placer de la beneficencia; cuando no han
oído en la boca de sus pueblos las bendiciones del
reconocimiento, ¿de qué les servirá esta gloria
vana y estéril que buscan con tanto afán para sa-
ciar su ambición y contentar el orgullo de las na-
15 ciones? También España pudiera sacar de sus anales los títulos pomposos en que se cifra este funesto esplendor. Pudiera presentar sus banderas
llevadas a las últimas regiones del ocaso, para medir con la del mundo la extensión de su imperio;
20 sus naves cruzando desde el Mediterráneo al mar
Pacífico, y rodeando las primeras la tierra para
circunscribir todos los límites de la ambición humana; sus doctores defendiendo la Iglesia, sus leyes ilustrando la Europa, y sus artistas compi-
25 tiendo con los más célebres de la antigüedad. Pudiera, en fin, amontonar ejemplos de heroicidad y
patriotismo, de valor y constancia, de prudencia y
sabiduría. Pero con tantos y tan gloriosos tim-
bres, ¿qué bienes puede presentar, añadidos a la
30 suma de su felicidad?

Si los hombres se han asociado, si han reconocido una soberanía, si le han sacrificado sus derechos más preciosos, lo han hecho, sin duda, para asegurar aquellos bienes a cuya posesión los arrastraba el voto general de la naturaleza. ¡Oh príncipes! Vosotros fuisteis colocados por el Omnipotente en medio de las naciones para atraer a ellas la abundancia y la prosperidad. Ved aquí vuestra primera obligación. Guardaos de atender a los que os distraen de su cumplimiento; cerrad cuidadosamente el oído a las sugestiones de la lisonja y a los encantos de vuestra propia vanidad, y no os dejéis deslumbrar del esplendor que continuamente os rodea ni del aparato del poder depositado en vuestras manos. Mientras los pueblos afligidos levantan a vosotros sus brazos, la posteridad os mira desde lejos, observa vuestra conducta, escribe en sus memoriales vuestras acciones y reserva vuestros nombres para la alabanza, el olvido o la execración de los siglos venideros.

Parece que este precepto de la filosofía resonaba en el corazón de Carlos III cuando venía de Nápoles a Madrid, traído por la Providencia a ocupar el trono de sus padres. Un largo ensayo en el arte de reinar le enseñara que la mayor gloria de un soberano es la que se apoya sobre el amor de sus súbditos, y que nunca este amor es más sincero, más durable, más glorioso que cuando es inspirado por el reconocimiento. Esta lección, tantas veces repetida en la administración de un rei-

no que había conquistado por sí mismo, no podía
serlo menos en el que venía a poseer como una
dádiva del cielo.

La enumeración de aquellas providencias y establecimientos con que este benéfico soberano ganó
nuestro amor y gratitud ha sido ya objeto de otros
más elocuentes discursos. Mi plan me permite apenas recordarlas. La erección de nuevas colonias
agrícolas, el repartimiento de las tierras comu-
nales, la reducción de los privilegios de la ganadería, la abolición de la tasa y la libre circulación
de los granos, con que mejoró la agricultura; la
propagación de la enseñanza fabril, la reforma de
la policía gremial, la multiplicación de los establecimientos industriales, y la generosa profusión
de gracias y franquicias sobre las artes en beneficio de la industria; la rotura de las antiguas cadenas del tráfico nacional, la abertura de nuevos
puntos al consumo exterior, la paz del Mediterráneo, la periódica correspondencia y la libre comunicación con nuestras colonias ultramarinas en
obsequio del comercio; restablecidas la representación del pueblo para perfeccionar el gobierno
municipal, y la sagrada potestad de los padres
para mejorar el doméstico; los objetos de beneficencia pública distinguidos en odio de la volun-
taria ociosidad, y abiertos en mil partes los senos
de la caridad en gracia de la aplicación indigen-
te; y sobre todo, levantados en medio de los pueblos estos cuerpos patrióticos, dechado de insti-

tuciones políticas, y sometidos a la especulación
de su celo todos los objetos del provecho común,
¡qué materia tan amplia y tan gloriosa para elo-
giar a Carlos III y asegurarle el título de padre
de sus vasallos! 5

Pero no nos engañemos: la senda de las reformas, demasiado trillada, sólo hubiera conducido
a Carlos III a una gloria muy pasajera, si su desvelo no hubiese buscado los medios de perpetuar
en sus estados el bien a que aspiraba. No se ocul- 10
taba a su sabiduría que las leyes más bien medi-
tadas no bastan de ordinario para traer la prosperidad a una nación, y mucho menos para fijar-
la en ella. Sabía que los mejores, los más sabios
establecimientos, después de haber producido una 15
utilidad efímera y dudosa, suelen recompensar a
sus autores con un triste y tardío desengaño. Expuestos desde luego al torrente de las contradic-
ciones, que jamás pueden evitar las reformas, imperfectos al principio por su misma novedad, di- 20
fíciles de perfeccionar poco a poco, por el desaliento que causa la lentitud de esta operación, pero
mucho más difíciles todavía de reducir a unidad
y de combinar con la muchedumbre de circunstancias coetáneas, que deciden siempre de su buen o 25
mal efecto, Carlos previó que nada podría hacer
en favor de su nación si antes no la preparaba a
recibir estas reformas, si no le infundía aquel espíritu, de quien enteramente penden su perfección y estabilidad. 30

Vosotros, señores, vosotros, que cooperáis con
tanto celo al logro de sus paternales designios, no
desconoceréis cuál era este espíritu que faltaba a
la nación. Ciencias útiles, principios económicos,
5 espíritu general de ilustración: ved aquí lo que
España deberá al reinado de Carlos III.

Si dudáis que en estos medios se cifra la felicidad de un estado, volved los ojos a aquellas tristes épocas en que España vivió entregada a la
10 superstición y a la ignorancia. ¡Qué espectáculo
de horror y de lástima! La religión, enviada desde el cielo a ilustrar y consolar al hombre, pero
forzada por el interés a entristecerle y eludirle;
la anarquía establecida en lugar del orden; el jefe
15 del estado, tirano o víctima de la nobleza; los pueblos, como otros tantos rebaños, entregados a la
codicia de sus señores; la inteligencia agobiada
con las cargas públicas; la opulencia libre enteramente de ellas, y autorizada a agravar su peso;
20 abiertamente resistidas, o insolentemente atrope-
lladas, las leyes; menospreciada la justicia, roto
el freno de las costumbres, y abismados en la confusión y el desorden todos los objetos del bien y
el orden público, ¿dónde, dónde residía entonces
25 aquel espíritu a quien debieron después las naciones su prosperidad?

España tardó algunos siglos en salir de este
abismo, pero cuando rayó el XVI, la soberanía había recobrado ya su autoridad, la nobleza sufrido
30 la reducción de sus prerrogativas, el pueblo asegu-

rado su representación, los tribunales hacían respetar la voz de las leyes y la acción de la justicia, y la agricultura, la industria, el comercio prosperaban a impulso de la protección y el orden. ¿Qué humano poder hubiera sido capaz de derrocar a España del ápice de grandeza a que entonces subió, si el espíritu de verdadera ilustración la hubiese enseñado a conservar lo que tan rápidamente había adquirido?

No desdeñó España las letras, no; antes aspiró también por este rumbo a la celebridad. Pero, ¡ah!, ¿cuáles son las útiles verdades que recogió por fruto de las vigilias de sus sabios? ¿De qué la sirvieron los estudios escolásticos, después que la sutileza escolástica le robó toda la atención que debía a la moral y al dogma? ¿De qué la jurisprudencia, obstinada por una parte en multiplicar las leyes, y por otra en someter su sentido al arbitrio de la interpretación? ¿De qué las ciencias naturales, sólo conocidas por el ridículo abuso que hicieron de ellas la astrología y la química? ¿De qué, por fin, las matemáticas, cultivadas sólo especulativamente, y nunca convertidas ni aplicadas al beneficio de los hombres? Y si la utilidad es la mejor medida del aprecio, ¿cuál se deberá a tantos nombres como se nos citan a cada paso para lisonjear nuestra pereza y nuestro orgullo?

Entre tantos estudios no tuvo entonces lugar la economía civil, ciencia que enseña a gobernar, cuyos principios no ha corrompido todavía el inte-

rés, como los de la política, y cuyos progresos
se deben enteramente a la filosofía de la presente
edad. Las miserias públicas debían despertar alguna vez el patriotismo y conducirle a la indaga-
5 ción de la causa y al remedio de tantos males, pero
esta época se hallaba todavía muy distante. Entre
tanto que el abandono de los campos, la ruina de
las fábricas y el desaliento del comercio sobresal-
taba los corazones, las guerras extranjeras, el
10 fausto de la corte, la codicia del ministerio y la
hidropesía del erario abortaban enjambres de miserables arbitristas, que reduciendo a sistema el
arte de estrujar los pueblos, hicieron consumir en
dos reinados la sustancia de dos generaciones.

15 Entonces fué cuando el aspecto de la miseria,
volando sobre los campos incultos, sobre los talleres desiertos y sobre los pueblos desamparados,
difundió por todas partes el horror y la lástima;
entonces fué cuando el patriotismo inflamó el celo
20 de algunos generosos españoles, que tanto medi-
taron sobre los males públicos y tan vigorosamente clamaron por su reforma; entonces cuando se
pensó por la primera vez que había una ciencia
que enseñaba a gobernar los hombres y hacerlos
25 felices; entonces, finalmente, cuando del seno mismo de la ignorancia y el desorden nació el estudio
de la economía civil.

Pero ¿cuál era la suma de verdades y conocimientos que contenía entonces nuestra ciencia eco-
30 nómica? ¿Por ventura podremos honrarla con este

apreciable nombre? Vacilante en sus principios, absurda en sus consecuencias, equivocada en sus cálculos, y tan deslumbrada en el conocimiento de los males como en la elección de los remedios, apenas nos ofrece una máxima constante de buen gobierno. Cada economista formaba un sistema peculiar, cada uno le derivaba de diferente origen, y sin convenir jamás en los elementos, cada uno caminaba a su objeto por distinta senda. Deza, amante de la agricultura, sólo pedía enseñanza, auxilios y exenciones para los labradores; Leruela, declarado por la ganadería, pensaba aun en extender los enormes privilegios de la Mesta; Criales descubre la triste influencia de los mayorazgos, y grita por la circulación de las tierras y sus productos; Pérez de Herrera divisa por todas par-

---

9 Lope de Deza (1564-1628), autor de *Gobierno político de agricultura.* Madrid, viuda de Alonso Martín de Balboa, 1618.

11 Miguel Caxa de Leruela, economista del siglo XVII y fiscal de la regia y general visita del reino de Nápoles; autor de *Restauración de la antigua abundancia de España, o prestantísimo, único y fácil reparo de su carestía presente.* Nápoles, Lázaro Scorigio, 1631.

13 Gaspar Criales y Arce (m. 1658), eclesiástico del siglo XVII y arzobispo de Reggio en Nápoles; autor de *Carta que escribió a S. M. el arzobispo de Ríjoles.* Ríjoles, 1646.

16 Cristóbal Pérez de Herrera (n. 1558), médico de Felipe II; escribió numerosas obras sobre Medicina y trató de cuestiones sociales y económicas en *Discurso del amparo de los legítimos pobres y reducción de los fingidos,* Madrid, 1595, y en *Discurso en razón de muchas cosas tocantes al buen gobierno y riqueza de estos reinos; Reme-*

tes vagos y pobres baldíos, y quiere llenar los mares de forzados, y de albergues las provincias;
Navarrete, deslumbrado por la autoridad del Consejo, ve huir de España la felicidad en pos de las
5 familias expulsas o expatriadas que la desampa-
ran, y Moncada ve venir la miseria con los extranjeros que la inundan. Cevallos atribuye el mal
a la introducción de las manufacturas extrañas,
y Olivares, a la ruina de las fábricas propias;

dios para el bien de la salud del cuerpo de la República;
*Discurso de la forma y traza como se pudieran remediar
algunos pecados y desórdenes.* Madrid, Luis Sánchez, 1598.

3 Pedro Fernández de Navarrete, eclesiástico del siglo XVII, canónigo de Santiago; autor de *Conservación de
monarquías y discursos políticos sobre la gran consulta
que el Consejo hizo al Señor Rey Don Felipe III.* Madrid,
Imp. Real, 1626. Esta obra ha sido reimpresa muchas ve-
ses; la última en el tomo XXV de la B. A. E. de Rivad. Se
halla un largo extracto en Sempere, *Bib. española econó-
mico-política,* t. II, págs. 269-394.

6 Sancho de Moncada, eclesiástico del siglo XVII, catedrático de Sagrada Escritura en la Universidad de Toledo; autor de *Riqueza firme y estable de España,* Madrid,
1619, reimpresa más tarde con el título de *Restauración
política de España... en ocho discursos.* Madrid, 1746; hay
un extracto en Sempere, *Bib.,* t. II, págs. 185-268.

7 Jerónimo de Cevallos, regidor de Toledo; autor de
*Arte real para el buen gobierno de los príncipes y reyes
y de sus vasallos.* Toledo, Diego Rodríguez, 1623, extractado en Sempere, *Bib.,* t. III, págs. 1-55. Escribió, además,
un *Discurso sobre el remedio de la monarquía de España*
(B. N., ms. 5791), del que dan noticia GALLARDO, *Ensayo,*
y SÁNCHEZ ALONSO, *Fuentes.*

9 Damián de Olivares, economista del siglo XVII; escribió en la época de Felipe IV un *Memorial sobre las fábricas de Toledo,* del que dan noticia MARTÍNEZ DE LA MATA
en su *Epítome* (*Apéndice a la Educación popular,* de CAM-
POMANES, parte I, pág. 472), y GRACIÁN SERRANO en su
Exhortación a los aragoneses, Zaragoza, 1648, pág. 4.

Osorio, a los metales venidos de América, y Mata, a la salida de ellos del continente. No hay mal, no hay vicio, no hay abuso que no tenga su particular declamador. La riqueza del estado eclesiástico, la pobreza y excesiva multiplicación del religioso, 5 los asientos, las sisas, los juros, la licencia en los trajes, todo se examina, se calcula, se reprende, mas nada se remedia. Se equivocan los efectos con las causas; nadie atina con el origen del mal, nadie trata de llevar el remedio a su raíz; y mientras 10 Alemania, Flandes, Italia sepultan los hombres, tragan los tesoros y consumen la sustancia y los recursos del Estado, la nación agoniza en brazos de los empíricos que se habían encargado de su remedio. 15

A tan triste y horroroso estado habían los ma-

---

1   Miguel Álvarez Osorio y Redín, economista del siglo XVII; autor de *Memoriales*, 1686, sin lugar de impresión. Son seis memoriales: Campomanes reimprimió el 2.°, *Extensión política y económica;* el 5.°, *Discurso universal de las causas que ofenden a esta monarquía,* y el 6.°, *Zelador general para el bien común,* en el tomo I de su *Apéndice a la Educación popular;* Sempere (*Bib.,* t. IV, páginas 45-104) da un resumen de estos *Memoriales* y dice que fueron presentados a Carlos II por conducto de su ministro don Manuel de Lira.

1   Francisco Martínez de la Mata, economista del siglo XVII; autor de *Memoriales o discursos en razón del remedio de la despoblación, pobreza y esterilidad de España y el medio como se ha de desempeñar la Real Hacienda y la de los vasallos* [1636?], reimpresos por Campomanes en *ob. cit.,* parte I, págs. 443 y ss., y parte IV, páginas 1 y ss.; extractados en Sempere, *Bib.,* t. III, páginas 158-291).

los estudios reducido a nuestra patria, cuando
acababa con el siglo XVII la dinastía austríaca. El
cielo tenía reservada a la de los Borbones la restauración de su esplendor y sus fuerzas. A la en-
5 trada del siglo XVIII el primero de ellos pasa los
Pirineos, y entre los horrores de una guerra tan
justa como encarnizada, vuelve de cuando en cuando los ojos al pueblo, que luchaba generosamente
por defender sus derechos. Felipe, conociendo que
10 no puede hacerle feliz si no le instruye, funda academias, erige seminarios, establece bibliotecas,
protege las letras y los literatos, y en un reinado
de casi medio siglo le enseña a conocer lo que vale
la ilustración.

15 Fernando, en un período más breve, pero más
floreciente y pacífico, sigue las huellas de su padre; cría la marina, fomenta la industria, favo-
rece la circulación interior, domicilia y recompensa las bellas artes, protege los talentos, y para
20 aumentar más rápidamente la suma de los conocimientos útiles, al mismo tiempo que envía por
Europa muchos sobresalientes jóvenes en busca
de tan preciosa mercancía, acoge favorablemente
en España los artistas y sabios extranjeros, y
25 compra sus luces con premios y pensiones. De este
modo se prepararon las sendas que tan gloriosamente corrió después Carlos III.

Determinado este piadoso soberano a dar entrada a la luz en sus dominios, empieza removien-
30 do los estorbos que podían detener sus progresos.

Éste fué su primer cuidado. La ignorancia defiende todavía sus trincheras, pero Carlos acabará de
derribarlas. La verdad lidia a su lado, y a su vista desaparecerán del todo las tinieblas.

La filosofía de Aristóteles había tiranizado por 5
largos siglos la república de las letras, y aunque
despreciada y expulsa de casi toda Europa, con-
servaba todavía la veneración de nuestras escuelas. Poco útil en sí misma, porque todo lo da a la
especulación y nada a la experiencia, y desfigura- 10
da en las versiones de los árabes, a quienes Europa debió tan funesto don, había acabado de co-
rromperse a esfuerzos de la ignorancia de sus co-
mentadores.

Sus sectarios, divididos en bandos, la habían 15
oscurecido entre nosotros con nuevas sutilezas,
inventadas para apoyar el imperio de cada secta;
y mientras el interés encendía sus guerras intes-
tinas, la doctrina del Estagirita era el mejor escudo de las preocupaciones generales. Carlos di- 20
sipa, destruye, aniquila de un golpe estos parti-
dos, y dando entrada en nuestras aulas a la libertad de filosofar, atrae a ellas un tesoro de conocimientos filosóficos, que circulan ya en los ánimos
de nuestra juventud, y empiezan a restablecer el 25
imperio de la razón. Ya se oyen apenas entre nosotros aquellas voces bárbaras, aquellas sentencias
oscurísimas, aquellos raciocinios vanos y sutiles,
que antes eran gloria del peripato y delicia de sus
creyentes; y en fin, hasta los títulos de tomistas, 30

escotistas, suaristas han huído ya de nuestras escuelas, con los nombres de Froilán, González y Losada, sus corifeos, tan celebrados antes en ellas,
como pospuestos y olvidados en el día. De este
5 modo la justa posteridad permite por algún tiempo que la alabanza y el desprecio se disputen la
posesión de algunos nombres, para arrancárselos
después y entregarlos al olvido.

La teología, libre del yugo aristotélico, abando-
10 na las cuestiones escolásticas, que antes llevaban
su primera atención, y se vuelve al estudio del
dogma y la controversia. Carlos, entregándola a
la crítica, la conduce por medio de ella al conocimiento de sus purísimas fuentes, de la santa Es-
15 critura, los concilios, los Padres, la historia y disciplina de la Iglesia, y restituye así a su antiguo
decoro la ciencia de la religión.

La enseñanza de la ética, del derecho natural
y público, establecida por Carlos III, mejora la
20 ciencia del jurisconsulto. También ésta había te-

2 El padre Froilán Díaz, dominico, célebre confesor de
Carlos II y famoso por el proceso a que fué sometido después de la muerte del rey; fué catedrático de la Universidad de Alcalá y autor de *Philosophia Naturalis per ques-
tiones et articulos divisa juxta menem D. Thomae*, 1698.—
El padre Vicente González de la Peña, franciscano y filósofo scotista de principios del siglo XVIII; autor de *Cursus
Philosophicus Scoticus*. Salamanca, 1724-35.—El padre Luis
de Losada (1681-1748), jesuíta y catedrático de la Universidad de Salamanca; autor de *Cursus Philosophicus Rega-
lis Colegii Salmanticensis Societatis Jesu*, Salamanca, 1724-
35, y *De nova vel innovata philosophia quae tartesiana, cor-
puscularis et atomistica vocitatur*.

nido sus escolásticos que la extraviaran en otro
tiempo hacia los laberintos del arbitrio y la opinión. Carlos la eleva al estudio de sus orígenes,
fija sus principios, coloca sobre las cátedras el derecho natural, hace que la voz de nuestros legis- 5
ladores se oiga por la primera vez en nuestras
aulas, y la jurisprudencia española empieza a
correr gloriosamente por los senderos de la equi-
dad y la justicia.

Pero Carlos no se contenta con guiar sus súbdi- 10
tos al conocimiento de las altas verdades que son
objeto de estas ciencias. Aunque dignas de su atención por su influjo en la creencia, en las costumbres y en la tranquilidad del ciudadano, conoce
que hay otras verdades menos sublimes por cier- 15
to, pero de las cuales pende más inmediatamente
la prosperidad de los pueblos. El cuidado de con-
vertirlos con preferencia a su indagación distinguirá perfectamente en la historia de España el
reinado de Carlos III. 20

El hombre, condenado por la Providencia al
trabajo, nace ignorante y débil. Sin luces, sin
fuerzas, no sabe dónde dirigir sus deseos, dónde
aplicar sus brazos. Fué necesario el transcurso de
muchos siglos y la reunión de una muchedumbre 25
de observaciones para juntar una escasa suma de
conocimientos útiles a la dirección del trabajo, y
a estas pocas verdades debió el mundo la primera
multiplicación de sus habitantes.

Sin embargo, el Criador había depositado en el 30

espíritu del hombre un grande suplemento a la
debilidad de su constitución. Capaz de comprender a un mismo tiempo la extensión de la tierra,
la profundidad de los mares, la altura e inmensi-
5 dad de los cielos; capaz de penetrar los más escon-
didos misterios de la naturaleza, entregada a su
observación, sólo necesitaba estudiarla, reunir,
combinar y ordenar sus ideas para sujetar el universo a su dominio. Cansado al fin de perderse
10 en la oscuridad de las indagaciones metafísicas,
que por tantos siglos habían ocupado estérilmente
su razón, vuelve hacia sí, contempla la naturaleza, cría las ciencias que la tienen por objeto, en-
grandece su ser, conoce todo el vigor de su espí-
15 ritu, y sujeta la felicidad a su albedrío.

Carlos, deseoso de hacer en su reino esta especie de regeneración, empieza promoviendo la enseñanza de las ciencias exactas, sin cuyo auxilio
es poco o nada lo que se adelanta en la investi-
20 gación de las verdades naturales. Madrid, Sevilla,
Salamanca, Alcalá ven renacer sus antiguas escuelas matemáticas. Barcelona, Valencia, Zaragoza, Santiago y casi todos los estudios generales
las ven establecer de nuevo. La fuerza de la de-
25 mostración sucede a la sutileza del silogismo. El
estudio de la física, apoyado ya sobre la experiencia y el cálculo, se perfecciona; nacen con él las
demás ciencias de su jurisdicción: la química, la
mineralogía y la metalurgia, la historia natural,
30 la botánica; y mientras el naturalista observador

indaga y descubre los primeros elementos de los cuerpos, y penetra y analiza todas sus propiedades y virtudes, el político estudia las relaciones que la sabiduría del Criador depositó en ellos para asegurar la multiplicación y la dicha del género 5 humano.

Mas otra ciencia era todavía necesaria para hacer tan provechosa aplicación. Su fin es apoderarse de estos conocimientos, distribuirlos útilmente, acercarlos a los objetos del provecho común, 10 y en una palabra, aplicarlos por principios ciertos y constantes al gobierno de los pueblos. Ésta es la verdadera ciencia del Estado, la ciencia del magistrado público. Carlos vuelve a ella los ojos, y la economía civil aparece de nuevo en sus do- 15 minios.

Había debido ya algún desvelo a su heroico padre en la protección que dispensó a los ilustres ciudadanos que la consagraron sus tareas. Mientras el Marqués de Santa Cruz reducía en Turín 20 a una breve suma de preciosas máximas todo el fruto de sus viajes y observaciones, don Jerónimo Uztáriz en Madrid depositaba en un amplio trata-

---

20 Don Álvaro Navia Osorio Vigil, marqués de Santa Cruz de Marcenado (1684-1732), general, político y escritor, uno de los personajes más famosos e influyentes en el reinado de Felipe V. Como economista escribió durante su estancia en Turín la *Rapsodia económico-político-monárquica*. Madrid, 1732.
22-23 Jerónimo de Ustáriz, uno de los más importantes hacendistas y economistas del siglo XVIII en España, de-

do las luces debidas a su largo estudio y profunda
meditación. Poco después se dedica Zabala a reconocer el estado interior de nuestras provincias
y a examinar todos los ramos de la hacienda real,
⁵ y Ulloa pesa en la balanza de su juicio rectísimo
los cálculos y raciocinios de los que le precedieron
en tan distinguida carrera.

Es forzoso colocar estos economistas sobre todos
los del siglo pasado, reconocer que había más uni-
¹⁰ dad y firmeza en sus principios, y confesar que
se elevaron más al origen de nuestra decadencia.
Sin embargo, aun duraba entre ellos el abuso de
tratar las materias económicas por sistemas particulares. Cada uno aspiraba a una particular re-
¹⁵ forma. Navia, proponiendo la de la marina real,
piensa criar la mercantil y abrir los mares a un
rico y extendido comercio; Uztáriz, declamando

---

fensor de las doctrinas mercantilistas; autor de *Teoría
y práctica de comercio y de marina en diferentes discursos*.
Madrid, 1724. Se hicieron nuevas ediciones de esta obra
en 1742 y en 1757.

2 Miguel de Zabala y Auñón, economista del siglo XVIII
y regidor de la ciudad de Badajoz; autor de *Representación al Rey N. S. D. Felipe V, dirigida al más seguro aumento del real erario y conseguir la felicidad, mayor alivio y riqueza de su monarquía.* Madrid, 1732.

5 Bernardo de Ulloa, economista y alcalde mayor del
Cabildo de la ciudad de Sevilla (m. 1740); autor de *Res-
tablecimiento de las fábricas y comercio español: errores
que se padecen en las causas de su decadencia, y los medios eficaces de que florezca.* Madrid, 1740. Según Colmeiro (*Bib. de los economistas españoles*), es éste un "libro
muy importante para conocer el estado de nuestras artes
y comercio en el siglo XVIII".

contra la alcabala, contra las aduanas internas y
contra los aranceles de las marítimas, concibe un
plan de comercio activo, tan vasto como juiciosa-
mente combinado; Zabala demuestra y dice abiertamente que la prosperidad de la agricultura y ⁵
las artes, únicas fuentes del comercio, es incompatible con el sistema de rentas provinciales,
opresivo por su objeto, ruinoso por su forma y
dispensioso en su ejecución, y libra todo el remedio sobre la única contribución, y Ulloa aplica las ₁₀
luces del cálculo y la experiencia a todos los objetos de la economía pública y a todos los sistemas
relativos a su mejoramiento, y sin fijarse en alguno, quiere remediar los vicios generales por medio
de parciales reformas. ₁₅

Algo más dignamente apareció este estudio bajo
los auspicios de Fernando. La doctrina del célebre
José González, mejorada por Zabala, resucitada
por Loinaz, modificada y adoptada al fin por el

18   *El célebre José González.* No hemos encontrado mención de este personaje en ninguna de las historias y biblio-
grafías consultadas. En la época de Carlos II hubo un
presidente de Hacienda así llamado, que fué luego gobernador del Consejo de Indias y comisario de Cruzada. A
juzgar por lo que de él dice Gabriel Maura (*Carlos II y
su corte,* Madrid, Beltrán, 1911, vol. I, ap. 2, págs. 467-
498), se distinguió más por su falta de escrúpulos que por
sus teorías económicas.
19   Martín Loinaz, director de Tabacos durante el reinado de Fernando VI; autor de *Instrucción que para la sub-
rogación de las rentas provinciales en una sola contribución dió... al Excmo. Sr. Marqués de la Ensenada.* Madrid,
1749. Según Campomanes (*Cartas político-económicas,* Carta I), a él se debe la primera idea de la contribución única.

célebre Ensenada, hubiera a lo menos reducido
a unidad el sistema de los impuestos, si la impe-
ricia de sus ejecutores no malograse tan benéfica
idea. Sin embargo, la nación no perdió todo el
5 fruto de estos trabajos, pues se libró entonces de
la plaga de los asientos, y ahuyentó para siempre
de su vista el vergonzoso ejemplo de tantas sú-
bitas y enormes fortunas como la pereza del gobierno dejaba fundar cada día sobre la sustancia
10 de sus hijos.

Entre tanto un sabio irlandés, felizmente pro-
hijado en ella, se encarga de enriquecerla con nuevos conocimientos económicos. A la voz de Fernando, don Bernardo Ward, instruído en las
15 ciencias útiles y en el estado político de España,
sale a vistar la Europa, recorre la mayor parte
de sus provincias; se detiene en Francia, en Inglaterra, en Holanda, centros de la opulencia del
mundo; examina su agricultura, su industria, su
20 comercio, su gobierno económico; vuelve a Madrid
con un inmenso caudal de observaciones; rectifica
por medio de la comparación sus ideas; las orde-

---

1 El marqués de la Ensenada defendió y propuso el
establecimiento del impuesto único en su *Representación
hecha al Sr. D. Fernando VI por su ministro el... proponiendo medios para el adelantamiento de la monarquía y
buen gobierno de ella*. Según Colmeiro (*ob. cit.*), es de
1751. Está publicada incompleta en el *Semanario erudito*
de Valladares, t. XII, pág. 260, y traducida al francés
por don Andrés Muriel en la obra de William Coxe *L'Espagne sous les rois de la maison de Bourbon*. París, 1827,
tomo IV, pág. 282.

na, las aplica; escribe su célebre *Proyecto económico,* y cuando nos iba a enriquecer con este don preciosísimo, la muerte le arrebata, y hunde en su sepulcro el fruto de tan dignos trabajos.

Estaba reservado a Carlos III aprovechar los rayos de luz que estos dignos ciudadanos habían depositado en sus obras. Estábale reservado el placer de difundirlos por su reino y la gloria de convertir enteramente sus vasallos al estudio de la economía. Sí, buen rey: ve aquí la gloria que más distinguirá tu nombre en la posteridad. El santuario de las ciencias se abre solamente a una porción de ciudadanos, dedicados a investigar en silencio los misterios de la naturaleza para declararlos a la nación. Tuyo es el cargo de recoger sus oráculos; tuyo el de comunicar la luz de sus investigaciones; tuyo el de aplicarla al beneficio de tus súbditos. La ciencia económica te pertenece exclusivamente a ti y a los depositarios de tu autoridad. Los ministros que rodean tu trono, constituídos órganos de tu suprema voluntad; los altos magistrados, que la deben intimar al pueblo,

---

1-2 BERNARDO WARD: *Proyecto económico en que se proponen varias providencias dirigidas a promover los intereses de España, con los medios y fondos necesarios para su plantificación, escrito en el año de 1762.* Obra póstuma. Madrid, 1779. Fruto también de los viajes a que alude Jovellanos, para los que fué comisionado especialmente por Fernando VI, fué otra anterior titulada *Obra pía; medio de remediar la miseria de la gente pobre de España,* publicada en 1750 y de nuevo en 1757 e incluída luego en la edición del *Proyecto.*

y elevar a tu oído sus derechos y necesidades; los
que presiden al gobierno interior de tu reino, los
que velan sobre tus provincias, los que dirigen
inmediatamente tus vasallos, deben estudiar, deben saberla, o caer derrocados a las clases destinadas a trabajar y obedecer. Tus decretos deben
emanar de sus principios, y sus ejecutores deben
respetarlos. Ve aquí la fuente de la prosperidad
o la desgracia de vastos imperios que la Providencia puso en tus manos. No hay en ellos mal,
no hay vicio, no hay abuso que no se derive de
alguna contravención a estos principios. Un error,
un descuido, un falso cálculo en economía llena
de confusión las provincias, de lágrimas los pueblos, y aleja de ellos para siempre la felicidad. Tú,
Señor, has promovido tan importante estudio; haz
que se estremezcan los que debiendo ilustrarse con
él, le desprecien o insulten.

Apenas Carlos sube al trono, cuando el espíritu
de examen y reforma repasa todos los objetos de
la economía pública. La acción del gobierno des-
pierta la curiosidad de los ciudadanos. Renace entonces el estudio de esta ciencia, que ya por aquel
tiempo se llevaba en Europa la principal atención
de la filosofía. España lee sus más célebres escritores, examina sus principios, analiza sus
obras; se habla, se disputa, se escribe, y la nación
empieza a tener economistas.

28 No puedo dejar de citar aquí una obra que basta por
sí sola para que no se tache de arrogante la proposición

Entre tanto una súbita convulsión sobrecoge inesperadamente al gobierno y embarga toda su vigilancia. ¡Qué días aquellos de confusión y oprobio! Pero un genio superior, nacido para bien de la España, acude al remedio. A su vista pasa la sorpresa, se restituye la serenidad, y el celo, recobrando su actividad, vuelve a hervir y se agita con mayor fuerza. Su ardor se apodera entonces del primer senado del reino e inflama a sus individuos. La timidez, la indecisión, el respeto a los errores antiguos, el horror a las verdades nuevas, y todo el séquito de las preocupaciones huyen o enmudecen, y a su impulso se acelera y propaga el movimiento de la justicia. No hay recurso, no hay expediente que no se generalice. Los mayores intereses, las cuestiones más importantes se agitan, se ilustran, se deciden por los más ciertos principios de la economía. La magistradura, ilus-

---

que acabo de sentar. Tiene por título *Discurso sobre la economía política*, Madrid, 1769, un volumen en 8.º, en casa de Ibarra. Este escrito, tan excelente como poco conocido, se publicó entonces con el nombre de don Antonio Muñoz; pero su verdadero autor es uno de los literatos que hacen más honor a nuestra edad, y con cuyo nombre hubiera ilustrado yo esta parte de mi discurso si no respetase la modestia con que trata de encubrirle. Mas no por eso dejaré de aconsejar a los amantes de los estudios económicos que le lean y relean noche y día, porque es de aquellos que encierran en pocos capítulos grandes tesoros de doctrina. *(Nota del autor.)*

El autor de esta obra, cuyo nombre no quiere revelar Jovellanos, era el capitán de Reales Guardias de Infantería don Enrique Ramos, que escribió también sobre asuntos de economía con el seudónimo de *D. Desiderio Bueno.*

trada por ellos, reduce todos sus decretos a un
sistema de orden y de unidad antes desconocido.
Agricultura, población, cría de ganados, industria,
comercio, estudios, todo se examina, todo se me-
5 jora según estos principios; y en la agitación de
tan importantes discusiones, la luz se difunde, ilumina todos los cuerpos políticos del reino, se deriva a todas las clases y prepara los caminos a una
reforma general.

10   ¡Oh, cuán grandes, cuán increíbles hubieran
sido sus progresos, si la preocupación no hubiese
distraído el celo, provocándole a la defensa de
otros objetos menos preciosos! La nación, no dis-
cerniendo bien todavía los que estaban más uni-
15 dos con su interés, volvía su espectación hacia las
nuevas disputas que el espíritu de partido acalo-
raba más y más cada día. Era preciso llamarla
otra vez hacia ellos, mostrarla la luz que empezaba
a eclipsarse, y disponerla para recibir sus rayos
20 bienhechores.

Entonces fué cuando un insigne magistrado, que
reunía al más vasto estudio de la constitución,
historia y derecho nacional, el conocimiento más
profundo del estado interior y relaciones políticas
25 de la monarquía, se levantó en medio del Senado,
cuyo celo había invocado tantas veces, como primer representante del pueblo. Su voz, arrebatan-
do nuevamente la atención de la magistradura, le
presenta la más perfecta de todas las instituciones
30 políticas, que un pueblo libre y venturoso había

admitido y acreditado con admirables ejemplos de ilustración y patriotismo. El Senado adopta este plan, Carlos le protege, le autoriza con su sanción, y las sociedades económicas nacen de repente.

Estos cuerpos llaman hacia sus operaciones la [5] espectación general, y todos corren a alistarse en ellos. El clero, atraído por la analogía de su objeto con el de su ministerio benéfico y piadoso; la magistratura, despojada por algunos instantes del aparato de su autoridad; la nobleza, olvidada de [10] sus prerrogativas; los literatos, los negociantes, los artistas, desnudos de las aficiones de su interés personal, y tocados del deseo del bien común, todos se reúnen, se reconocen ciudadanos, se confiesan miembros de la asociación general antes [15] que de su clase, y se preparan a trabajar por la utilidad de sus hermanos. El celo y la sabiduría juntan sus fuerzas, el patriotismo hierve, y la na-

4   La solicitud para el establecimiento de la Sociedad Económica Matritense de Amigos del País, que fué la primera de las Económicas, fué elevada al Rey el 30 de mayo de 1775 y pasó entonces al informe del Consejo de Castilla, donde pronunció Campomanes, fiscal del Consejo, el elocuente informe a que alude Jovellanos; celebró su primera sesión el 23 de junio y se aprobaron sus estatutos por una Real Cédula de 9 de noviembre del mismo año. Después de la de Madrid se fundaron las de Murcia y Sevilla (1777), la de Córdoba (1779), la de León (1783) y otras muchas más. Antes de la de Madrid ya se había establecido en Vergara en 1764 la Real Sociedad Vascongada de Amigos del País, que, aunque de distinto origen que las Económicas, sirvió de modelo a todas ellas. (Véase *Las Económicas* en Rafael M. de Labra, *Estudios de Derecho público*. Madrid, Tip. de Alfredo Alonso, 1907, págs. 474-567.)

ción, atónita, ve por la primera vez vueltos hacia
sí todos los corazones de sus hijos.

Éste era el tiempo de hablarla, de ilustrarla y
de poner en acción los principos de su felicidad.
5 Aquel mismo espíritu que había excitado tan maravillosa fermentación, debía hacerle también este
alto servicio. Carlos le protege, el Senado le anima, la patria le observa, y movido de tan poderosos estímulos, se ciñe para la ejecución de tan
10 ardua empresa. Habla al pueblo, le descubre sus
verdaderos intereses, le exhorta, le instruye, le
educa y abre a sus ojos todas las fuentes de su
prosperidad.

Vosotros, señores, fuisteis testigos del ardor que
15 inflamaba su celo en aquellos memorables días en
que nuestro augusto fundador con su sanción daba
el ser a nuestra sociedad. Su voz fué la primera
que se escuchó en nuestras asambleas; la primera que pagó a Carlos el tributo de gratitud por
20 el beneficio cuyo aniversario celebramos hoy; la
primera que animó, que guió nuestro celo; la primera, en fin, que nos mostró la senda que debía

---

9 *ceñirse*, "aparejarse y disponerse como para una empresa o labor ardua" (CUERVO: *Diccionario*). De los cuatro
ejemplos que da Cuervo para ilustrar el uso de esta acepción, tres están tomados de Jovellanos; el otro, de Fray
Luis de Granada: "cuando más favorecido se viere en la
oración, y con mayores deleites, entonces se ha de ceñir y
aparejar para mayores trabajos". *Orac. y Consid.*, 2, 5, 11
(R. 8, 152).

llevarnos al conocimiento de los bienes propuestos a nuestra indagación.

Los antiguos economistas, aunque inconstantes en sus principios, habían depositado en sus obras una increíble copia de hechos, de cálculos y raciocinios, tan preciosos como indispensables para conocer el estado civil de la nación y la influencia de sus errores políticos. Faltaba sólo una mano sabia y laboriosa que los entresacase y esclareciese a la luz de los verdaderos principios. El infatigable magistrado lee y extracta estas obras, publica las inéditas, desentierra las ignoradas, comenta unas y otras, rectifica los juicios y corrige las consecuencias de sus autores; y mejoradas con nuevas y admirables observaciones, las presenta a sus compatriotas. Todos se afanan por gozar de este rico tesoro; las luces económicas circulan, se propagan y se depositan en las sociedades, y el patriotismo, lleno de ilustración y celo, funda en ellas su mejor patrimonio.

¡Ah! Si la envidia no me perdonare la justicia que acabo de hacer a este sabio cooperador de los designios de Carlos III, aquellos de vosotros que fueron testigos de los sucesos de esta época memorable; sus obras, que andan siempre en vuestras manos; sus máximas, que están impresas en vuestros corazones, y estas mismas paredes, donde tantas veces ha resonado su voz, darán el testimonio más puro de su mérito y mi imparcialidad.

Pero a ti, oh buen Carlos, a ti se debe siempre

la mayor parte de esta gloria y de nuestra gratitud. Sin tu protección, sin tu generosidad, sin
el ardiente amor que profesabas a tus pueblos,
estas preciosas semillas hubieran perecido. Caídas
5 en una tierra estéril, la cizaña de la contradicción
las hubiera sofocado en su seno. Tú has hecho
respetar las tiernas plantas que germinaron, tú
vas ya a recoger su fruto, y este fruto de ilustración y de verdad será la prenda más cierta de la
10 felicidad de tu pueblo.

Sí, españoles; ved aquí el mayor de todos los
beneficios que derramó sobre vosotros Carlos III.
Sembró en la nación las semillas de luz que han
de ilustraros, y os desembarazó los senderos de
15 la sabiduría. Las inspiraciones del vigilante ministro, que encargado de la pública instrucción,
sabe promover con tan noble y constante afán las
artes y las ciencias, y a quien nada distinguirá
tanto en la posteridad como esta gloria, lograron
20 al fin establecer el imperio de la verdad. En ninguna época ha sido tan libre su circulación, en
ninguna tan firmes sus defensores, en ninguna tan
bien sostenidos sus derechos. Apenas hay ya estorbos que detengan sus pasos; y entre tanto que
25 los baluartes levantados contra el error se forti-
fican y respetan, el santo idioma de la verdad se
oye en nuestras asambleas, se lee en nuestros escritos y se imprime tranquilamente en nuestros corazones. Su luz se recoge de todos los ángulos de
30 la tierra, se reúne, se extiende, y muy presto ba-

ñará todo nuestro horizonte. Sí, mi espíritu, arrebatado por los inmensos espacios de lo futuro, ve allí cumplido este agradable vaticinio. Allí descubre el simulacro de la verdad sentado sobre el trono de Carlos; la sabiduría y el patriotismo le acompañan; innumerables generaciones le reverencian y se le postran en derredor; los pueblos beatificados por su influencia le dan un culto puro y sencillo, y en recompensa del olvido con que le injuriaron los siglos que han pasado, le ofrecen los himnos del contento y los dones de la abundancia que recibieron de su mano.

¡Oh vosotros, amigos de la patria, a quienes está encargada la mayor parte de esta feliz revolución! Mientras la mano bienhechora de Carlos levanta el magnífico monumento que quiere consagrar a la sabiduría, mientras los hijos de Minerva congregados en él rompen los senos de la naturaleza, descubren sus íntimos arcanos, y abren a los pueblos industriosos un minero inagotable de útiles verdades, cultivad vosotros noche y día el arte de aplicar esta luz a su bien y prosperidad. Haced que su resplandor inunde todas las avenidas del trono, que se difunda por los palacios y altos consistorios, y que penetre hasta los más distantes y humildes hogares. Éste sea vuestro afán, éste vuestro deseo y única ambición. Y si queréis hacer a Carlos un obsequio digno de su piedad y de su nombre, cooperad con él en el glorioso empeño de ilustrar la nación para hacerla dichosa.

También vosotras, noble y preciosa porción de
este cuerpo patriótico, también vosotras podéis
arrebatar esta gloria, si os dedicáis a desempeñar
el sublime oficio que la naturaleza y la religión os
5 han confiado. La patria juzgará algún día los ciudadanos que le presentéis para librar en ellos la
esperanza de su esplendor. Tal vez correrán a ser-
virla en la Iglesia, en la magistratura, en la milicia, y serán desechados con ignominia si no los
10 hubiereis hecho dignos de tan altas funciones. Por
desgracia los hombres nos hemos arrogado el derecho exclusivo de instruirlos, y la educación se
ha reducido a fórmulas. Pero, pues nos abando-
náis al cuidado de ilustrar su espíritu, a lo menos
15 reservaos el de formar sus corazones. ¡Ah! ¿De
qué sirven las luces, los talentos, de qué todo el
aparato de la sabiduría, sin la bondad y rectitud
del corazón? Sí, ilustres compañeras, sí, yo os lo
aseguro; y la voz del defensor de los derechos de
20 vuestro sexo no debe seros sospechosa; yo os lo re-
pito, a vosotros toca formar el corazón de los ciudadanos. Inspirad en ellos aquellas tiernas afecciones a que están unidos el bien y la dicha de
la humanidad; inspiradles la sensibilidad, esta
25 amable virtud, que vosotras recibisteis de la naturaleza, y que el hombre alcanza apenas a fuerza

---

20　Alude a la *Memoria leída en la Sociedad Económica
de Madrid, sobre si se debían o no admitir en ella a las
señoras,* publicada en Rivad., L, págs. 54-57.

de reflexión y de estudio. Hacedlos sencillos, esforzados, compasivos, generosos; pero, sobre todo,
hacedlos amantes de la verdad y de la patria.
Disponedlos así a recibir la ilustración que Carlos
quiere vincular en sus pueblos, y preparadlos para 5
ser algún día recompensa y consolación de vuestros afanes, gloria de sus familias, dignos imita-
dores de vuestro celo y bienhechores de la nación.

ORACIÓN

QUE PRONUNCIÓ EN EL INSTITUTO ASTURIANO,
SOBRE LA NECESIDAD DE UNIR EL ESTUDIO DE
LA LITERATURA AL DE LAS CIENCIAS

5 SEÑORES: La primera vez que tuve el honor de
hablaros desde este lugar, en aquel día memorable y glorioso, en que con el júbilo más puro y
las más halagüeñas esperanzas os abrimos las
puertas de este nuevo Instituto y os admitimos a
10 su ensañanza, bien sabéis que fué mi primer cuidado realzar a vuestro ojos la importancia y utilidad de las ciencias que veníais buscando. Y si
algún valor residía en mis palabras, si alguna
fuerza les podía inspirar el celo ardiente de vues-
15 tro bien, que las animaba, tampoco habréis olvidado la tierna solicitud con que las empleé en
persuadiros tan provechosa verdad y en exhor-
taros a abrazarla. ¿Y qué?; después de corridos
tres años, cuando habéis cerrado ya tan gloriosa-

19   Este discurso fué pronunciado en 1797, al terminarse
el tercer año del Instituto, cuya apertura se celebró el 6
de enero de 1794.

mente el círculo de vuestros estudios, y cuando
vamos a presentar al público los primeros frutos
de vuestra aplicación y nuestra conducta, ¿esta-
remos todavía en la triste necesidad de persuadir
e inculcar una verdad tan conocida? 5

Esto acaso exigiría de nosotros la opinión pública, y esto haríamos en su obsequio, si no nos
prometiésemos captarla más bien con hechos que
con discursos. Sí, señores; a pesar de los progresos debidos a nuestra constancia y la vuestra, y en 10
medio de la justicia con que la honran aquellas
almas buenas que penetradas de la importancia
de la educación pública, suspiran por sus mejoras, sé que andan todavía en derredor de vosotros
ciertos espíritus malignos, que censuran y persi- 15
guen vuestros esfuerzos; enemigos de toda buena
instrucción, como del bien público, cifrado en ella,
desacreditan los objetos de vuestra enseñanza, y
aparentando falsa amistad y compasión hacia vosotros, quieren poner en duda sus ventajas y vues- 20
tro provecho particular. Tal es la lucha de la luz
con las tinieblas, que presentí y os predije en
aquel solemne día, y tal será siempre la suerte
de los establecimientos públicos que haciendo la
guerra a la ignorancia, tratan de promover la 25
verdadera instrucción.

Pero ¿qué podría yo responder a unos hombres,
que no por celo, sino por espíritu de contradicción; no por convicción, sino por envidia y ma-
lignidad, murmuran de lo que no entienden y 30

persiguen lo que no pueden alcanzar? No, no esperéis que les respondamos sino con nuestro silencio y nuestra conducta. Vean hoy los frutos de vuestro estudio, y enmudezcan. Ellos serán nuestra mejor apología, y ellos serán también su mayor confusión, si menospreciando nosotros sus susurros, seguís constantes vuestras útiles tareas, como las industriosas abejas labran tranquilamente sus panales mientras los zánganos de la colmena zumban y se agitan en derredor.

Un nuevo objeto, no menos censurado de estos Zoilos ni a vosotros menos provechoso, ocupa hoy toda mi atención y reclama la vuestra. En el curso de buenas letras, o más bien en el ensayo de este estudio, que hemos abierto con el año, visteis anunciar el designio de reunir la literatura con las ciencias, y esta reunión, tanto tiempo ha deseada y nunca bien establecida en nuestros imperfectos métodos de educación, parecerá a unos extraña, a otros imposible, y acaso a vosotros mismos inútil o poco provechosa.

Es nuestro ánimo satisfacer hoy a todos, porque todos debemos la razón de nuestra conducta. La debemos al Gobierno, que nos ha encargado de perfeccionar este establecimiento; la debemos al público, a cuyo bien está consagrado; y pues que nos habéis confiado vuestra educación, la debemos a vosotros principalmente. ¡Qué! ¿me atrevería yo a pediros este nuevo sacrificio de trabajo y vigilias, si no pudiese presentaros en él la es-

peranza de un provecho grande y seguro? Ved,
pues, aquí lo que servirá de materia a mi discurso.
No temáis, hijos míos, que para inclinaros al estudio de las buenas letras trate yo de menguar
ni entibiar vuestro amor a las ciencias. No por
cierto; las ciencias serán siempre a mis ojos el
primero, el más digno objeto de vuestra educación; ellas solas pueden ilustrar vuestro espíritu,
ellas solas enriquecerle, ellas solas comunicaros el
precioso tesoro de verdades que nos ha transmiti-
do la antigüedad, y disponer vuestros ánimos a
adquirir otras nuevas y aumentar más y más este
rico depósito; ellas solas pueden poner término a
tantas inútiles disputas y a tantas absurdas opiniones; y ellas, en fin, disipando la tenebrosa
atmósfera de errores que gira sobre la tierra,
pueden difundir algún día aquella plenitud de luces y conocimientos que realza la nobleza de la
humana especie.

Mas no porque las ciencias sean el primero, deben ser el único objeto de vuestro estudio; el de
las buenas letras será para vosotros no menos
útil, y aun me atrevo a decir no menos necesario.

Porque ¿qué son las ciencias sin su auxilio? Si
las ciencias esclarecen el espíritu, la literatura le
adorna; si aquéllas le enriquecen, ésta pule y ava-
lora sus tesoros; las ciencias rectifican el juicio
y le dan exactitud y firmeza; la literatura le da
discernimiento y gusto, y le hermosea y perfec-

ciona. Estos oficios son exclusivamente suyos, porque a su inmensa jurisdicción pertenece cuanto tiene relación con la expresión de nuestras ideas; y ved aquí la gran línea de demarcación que divide los conocimientos humanos. Ella nos presenta las ciencias empleadas en adquirir y atesorar ideas, y la literatura en enunciarlas; por las ciencias alcanzamos el conocimiento de los seres que nos rodean, columbramos su esencia, penetramos sus propiedades, y levantándonos sobre nosotros mismos, subimos hasta su más alto origen. Pero aquí acaba su ministerio, y empieza el de la literatura, que después de haberlas seguido en su rápido vuelo, se apodera de todas sus riquezas, les da nuevas formas, las pule y engalana, y las comunica y difunde, y lleva de una en otra generación.

Para alcanzar tan sublime fin no os propondré yo largos y penosos estudios; el plazo de nuestra vida es tan breve, y el de vuestra juventud huirá tan rápidamente, que me tendré por venturoso si lograre economizar algunos de sus momentos. Tal por lo menos ha sido mi deseo, reduciendo el estudio de las bellas letras al arte de hablar, y encerrando en él todas las artes que con varios nombres han distinguido los metodistas, y que esencialmente le pertenecen.

Y ¿por qué no podré yo combatir aquí uno de los mayores vicios de nuestra vulgar educación, el vicio que más ha retardado los progresos de las ciencias y las del espíritu humano? Sin duda que la subdivisión de las ciencias, así como la de las artes, ha contribuído maravillosamente a su perfección. Un hombre consagrado toda su vida a un solo ramo de instrucción pudo sin duda emplear en ella mayor meditación y estudio; pudo acumular mayor número de observaciones y experiencias, y atesorar mayor suma de luces y conocimientos. Así es como se formó y creció el árbol de las ciencias, así se multiplicaron y extendieron sus ramas, y así como nutrida y fortificada cada cada una de ellas, pudo llevar más sazonados y abundantes frutos.

Mas esa subdivisión, tan provechosa al progreso, fué funesta al estado de las ciencias, y al paso que extendía sus límites, iba dificultando su adquisición, y trasladada a la enseñanza elemental, la hizo más larga y penosa, si ya no imposible y eterna. ¿Cómo es que no se ha sentido hasta ahora este inconveniente? ¿Cómo no se ha echado de ver que truncado el árbol de la sabiduría, separada la raíz de su tronco, y del tronco sus grandes ramas, y desmembrando y esparciendo todos sus vástagos, se destruía aquel enlace, aquella íntima unión que tienen entre sí todos los conocimientos humanos, cuya intuición, cuya comprensión debe ser el único fin de nuestro estudio, y sin cuya posesión todo saber es vano?

¿Y cómo no se ha temido otro más grave mal, derivado del mismo origen? Ved cómo multiplicando los grados de la escala científica, detenemos

en ellos a una preciosa juventud, que es la esperanza de las generaciones futuras, y cómo cargan-
do su memoria de impertinentes reglas y preceptos, le hacemos consagrar a los métodos de inqui-
5 rir la verdad el tiempo que debiera emplear en
alcanzarla y poseerla. Así es como se le prolonga
el camino de la sabiduría, sin acercarla nunca a
su término; así es como en vez de amor, le ins-
piramos tedio y aversión a unos estudios en que
10 se siente envejecer sin provecho; y así también
como se llena, se plaga la sociedad de tantos hombres vanos y locuaces, que se abrogan el título de
sabios, sin ninguna luz de las que ilustran el espíritu, sin ningún sentimiento de los que mejoran
15 el corazón. Para huir de este escollo, así como
hemos reducido al curso de matemáticas los elementos de todas las ciencias exactas, y al de física
los de todas las naturales, reduciremos al de buenas letras cuanto pertenece a la expresión de
20 nuestras ideas. ¿Por ventura es otro el oficio de
la gramática, poética y retórica, y aun de la dia-
léctica y lógica, que el de expresar rectamente
nuestras ideas? ¿Es otro su fin que la exacta enun-
ciación de nuestros pensamientos por medio de
25 palabras claras, colocadas en el orden y serie más
convenientes al objeto y fin de nuestros discursos?

Pues tal será la suma de esta nueva enseñanza. Ni temáis que para darla oprimamos vuestra memoria con aquel fárrago importuno de defi-
30 niciones y reglas a que vulgarmente se han redu-

cido estos estudios. No por cierto; la sencilla lógica del lenguaje, reducida a pocos y luminosos
principios, derivados del purísimo origen de nuestra razón, ilustrados con la observación de los
grandes modelos en el arte de decir, harán la suma 5
de vuestro estudio. Corto será el trabajo, pero si
vuestra aplicación correspondiere a nuestros deseos y al tierno desvelo del laborioso profesor que
está encargado de vuestra enseñanza, el fruto será
grande y copioso. 10

Mas por ventura, al oírme hablar de los grandes modelos, preguntará alguno si trato de em-
peñaros en el largo y penoso estudio de las lenguas muertas para transportaros a los siglos y
regiones que los han producido. No, señores; con- 15
fieso que fuera para vosotros de grande provecho
beber en sus fuentes purísimas los sublimes rau-
dales del genio que produjeron Grecia y Roma.
Pero valga la verdad; ¿sería tan preciosa esta
ventaja como el tiempo y el ímprobo trabajo que 20
os costaría alcanzarla? ¿Hasta cuándo ha de durar
esta veneración, esta ciega idolatría, por decirlo
así, que profesamos a la antigüedad? ¿Por qué
no habemos de sacudir alguna vez esta rancia
preocupación, a que tan neciamente esclavizamos 25
nuestra razón y sacrificamos la flor de nuestra
vida?

Lo reconozco, lo confieso de buena fe; fuera necedad negar la excelencia de aquellos grandes modelos. No, no hay entre nosotros, no hay todavía 30

en ninguna de las naciones sabias cosa compara-
ble a Homero y Píndaro, ni a Horacio y el Mantuano; nada que iguale a Jenofonte y Tito Livio,
ni a Demóstenes y Cicerón. Pero ¿de dónde viene
5 esta vergonzosa diferencia? ¿Por qué en las obras
de los modernos, con más sabiduría, se halla
menos genio que en las de los antiguos, y por
qué brillan más los que supieron menos? La razón
es clara, dice un moderno: porque los antiguos
10 crearon, y nosotros imitamos; porque los antiguos
estudiaron en la naturaleza, y nosotros en ellos.
¿Por qué, pues, no seguiremos sus huellas? Y si
queremos igualarlos, ¿por qué no estudiaremos
como ellos? He aquí en lo que debemos imitarlos.
15   Y aquí también adónde deseamos guiaros por
medio de esta nueva enseñanza. Su fin es sem-
brar en vuestros ánimos las semillas del buen
gusto en todos los géneros de decir. Para formarle, para hacerlas germinar, hartos modelos esco-
20 gidos se os pondrán a la vista de los antiguos en
sus versiones, y de los modernos en sus originales.
Estudiad las lenguas vivas, estudiad sobre todo
la vuestra; cultivadla, dad más a la observación
y a la meditación que a una infructuosa lectura;
25 y sacudiendo de una vez las cadenas de la imitación, separaos del rebaño de los metodistas y co-
piadores, y atreveos a subir a la contemplación de
la naturaleza. En ella estudiaron los hombres cé-

2-3 *El Mantuano*, Virgilio.

lebres de la antigüedad, y en ella se formaron y descollaron aquellos grandes talentos en que, tanto como su excelencia, admiramos su extensión y generalidad. Juzgadlos, no ya por lo que supieron y dijeron, sino por lo que hicieron, y veréis de cuánto aprecio no son dignos unos hombres que parecían nacidos para todas las profesiones y todos los empleos, y que como los soldados de Cadmo brotaban del seno de la tierra armados y preparados a pelear, así salían ellos de las manos de sus pedagogos a brillar sucesivamente en todos los destinos y cargos públicos. Ved a Pericles, apoyo y delicia de Atenas por su profunda política y por su victoriosa elocuencia, al mismo tiempo que era por su sabiduría el ornamento del Liceo, así como por su sensibilidad y buen gusto el amigo de Sófocles, de Fidias y de Aspasia. Ved a Cicerón mandando ejércitos, gobernando provincias, aterrando a los facciosos y salvando la patria, mientras que desenvolvía en sus oficios y en sus academias los sublimes preceptos de la moral

---

8-9 *Soldados de Cadmo.* Cadmo, héroe fenicio, nieto de Poseidón, llegó a Beocia en busca de su hermana Europa; fué atacado allí por un dragón, al que mató. Por consejo de Atenea sembró sus dientes, de los que nacieron gigantes armados que se mataron mutuamente, quedando sólo cinco. Con ellos fundó la ciudad de Tebas.

17 *Aspasia,* la mujer de Pericles, nacida en Mileto. Su casa en Atenas era el centro de reunión de los escritores y filósofos más famosos de su tiempo. Pericles no pudo unirse a ella legalmente porque las leyes griegas prohibían el matrimonio con mujer extranjera.

pública y privada; a Jenofonte dirigiendo la gloriosa retirada de los diez mil, e inmortalizándola después con su pluma; a César lidiando, orando y escribiendo con la misma sublimidad; y a Plinio,
5 asombro de sabiduría, escudriñando entre los afanes de la magistratura y de la milicia los arcanos de la naturaleza, y describiendo con el pincel más atrevido sus riquezas inimitables.

Estudiad vosotros como ellos el universo natu-
10 ral y racional, y contemplad como ellos este gran modelo, este sublime tipo de cuanto hay de bello y perfecto, de majestuoso y grande en el orden físico y moral; que así podréis igualar a aquellas ilustres lumbreras del genio. ¿Queréis ser grandes
15 poetas? Observad, como Homero, a los hombres en los importantes trances de la vida pública y privada, o estudiad, como Eurípides, el corazón humano en el tumulto y fluctuación de las pasiones, o contemplad, como Teócrito y Virgilio, las
20 deliciosas situaciones de la vida rústica. ¿Queréis ser oradores elocuentes, historiadores disertos, políticos insignes y profundos? Estudiad, indagad, como Hortensio y Tulio, como Salustio y Tácito, aquellas secretas relaciones, aquellos grandes y
25 repentinos movimientos con que una mano invisible, encadenando los humanos sucesos, compone los destinos de los hombres, y fuerza y arrastra

---

23   Quinto Hortensio (114-50), orador romano, rival y
más tarde amigo de Cicerón.—*Tulio*, Cicerón.

todas las vicisitudes políticas. Ved aquí las huellas que debéis seguir, ved aquí el gran modelo
que debéis imitar. Nacidos en un clima dulce y
templado, y en un suelo en que la naturaleza reunió a las escenas más augustas y sublimes las
más bellas y graciosas; dotados de un ingenio firme y penetrante, y ayudados de una lengua llena
de majestad y de armonía, si la cultivareis, si
aprendiereis a emplearla dignamente, cantaréis
como Píndaro, narraréis como Tucídides, persua-
diréis como Sócrates, argüiréis como Platón y
Aristóteles, y aun demostraréis con la victoriosa
precisión de Euclides.

¡Dichoso aquel que aspirando a igualar a estos
hombres célebres, luchare por alcanzar tan preciosos talentos! ¡Cuánta gloria, cuánto placer no
recompensará sus fatigas! Pero si una falsa modestia entibiare en alguno de vosotros el inocente deseo de fama literaria, si la pereza le hiciere
preferir más humildes y fáciles placeres, no por
eso crea que el estudio que le propongo es para
él menos necesario. Porque ¿quién no le habrá menester para su provecho y conducta particular?
Creedme: la exactitud del juicio, el fino y delicado
discernimiento; en una palabra, el buen gusto que
inspira este estudio, es el talento más necesario
en el uso de la vida. Lo es, no sólo para hablar y
escribir, sino también para oír y leer, y aun me
atrevo a decir que para sentir y pensar; porque
habéis de saber que el buen gusto es como el tacto

de nuestra razón; y a la manera que tocando y palpando los cuerpos nos enteramos de su extensión y figura, de su blandura o dureza, de su aspereza o suavidad, así también tentando o exa-
5 minando con el criterio del buen gusto nuestros escritos o los ajenos, descubrimos sus bellezas o imperfecciones, y juzgamos rectamente del mérito y valor de cada uno.

Este tacto, este sentido crítico, es también la
10 fuente de todo el placer que excitan en nuestra alma las producciones del genio, así en la literatura como en las artes, y esta deliciosa sensación es siempre proporcionada al grado de exactitud con que distinguimos sus bellezas de sus defec-
15 tos. Él es el que nos eleva con los sublimes raptos de fray Luis de León o nos atormenta con las hinchadas metáforas de Silveira, y él es el que nos

---

17 Miguel de Silveira, escritor nacido en Portugal, autor de varias obras y del poema épicoheroico en veinte cantos y en octavas, titulado *El Macabeo*, Nápoles, 1638. Hoy es poeta enteramente olvidado, pero en el siglo XVIII era considerado como ejemplo representativo de las exageraciones del gongorismo, según se desprende de las palabras de Jovellanos y de otros textos de la época. Forner alude a Silveira en las *Exequias de la lengua castellana:* "En pelotón confuso... se dejaban ver los cultos Villamediana, Silveira y sus conmilitones en la tenebrosidad gongorina", ed. Sáinz y Rodríguez, C. C., pág. 248. También Moratín lo cita: "Pero a este tiempo ocurrió un accidente que puso a los de la escalera en grave peligro de perderse; porque acabada que fué la primera descarga, vieron venir de retorno por el aire el tenebroso *Macabeo de Silbeira*, que arrojado de robusta mano parecía una bala de cañón según el ímpetu que traía." *La derrota de los pedantes,* Rivad., II. 570.

embelesa con los encantos del pincel de Murillo o
nos fastidia con la descarnada sequedad del Gre-
co; por él lloramos con Virgilio y Racine o reímos
con Moreto y Cervantes; y mientras nos aleja
desabridos de la ruidosa palabrería de un charla- 5
tán, nos ata con cadenas doradas a los labios de
un hombre elocuente; él, en fin, perfeccionando
nuestras ideas y nuestros sentimientos, nos descubre las gracias y bellezas de la naturaleza y de
las artes, nos hace amarlas y saborearnos con ellas, 10
y nos arrebata sin arbitrio en pos de sus encantos.

Perfeccionad, hijos míos, este precioso sentido,
y él os servirá de guía en todos vuestros estudios,
y él tendrá la primera influencia en vuestras opi- 15
niones y en vuestra conducta. Él pondrá en vuestras manos las obras marcadas con el sello de la
verdad y del genio, y arrancará o hará caer de
ellas los abortos del error y de la ignorancia. Per-
feccionadle, y vendrá el día en que difundido por 20
todas partes, y no pudiendo sufrir ni la extravagancia ni la medianía, ahuyente para siempre de
vuestros ojos esta plaga, esta asquerosa coluvie
de embriones, de engendros, de monstruos y ves-
tiglos literarios, con que el mal gusto de los pa- 25
sados siglos infestó la república de las letras. En-

---

23 *coluvie*, "gavilla de pícaros o gente perdida" *(Diccionario de la Ac.)*. Comp. "esta coluvie de alcaldes, de
entregadores, de cuadrilleros y achaqueros". *Inf. sobre
Ley Agraria*, Rivad., L, pág. 97.

tonces, comparando la necesidad que tenemos de buena y provechosa doctrina con el breve período que nos es dado para adquirirla, condenaremos de una vez a las llamas y al eterno olvido tantos enigmas, sofismas y sutilezas, tantas fábulas y patrañas y supercherías, tanta paradoja, tanta inmundicia, tanta sandez y necedad como se han amontonado en la enorme enciclopedia de la barbarie y de la pedantería.

Esto deberá la educación pública a la reunión de las ciencias con la literatura; esto le deberá la vuestra. Alcanzadlo, y cualquiera que sea vuestra vocación, vuestro destino, apareceréis en el público como miembros dignos de la nación que os instruye; que tal debe ser el alto fin de vuestros estudios. Porque ¿qué vale la instrucción que no se consagra al provecho común? No, la patria no os apreciará nunca por lo que supiereis, sino por lo que hiciereis. ¿Y de qué servirá que atesoréis muchas verdades, si no las sabéis comunicar?

Ahora bien; para comunicar la verdad es menester persuadirla, y para persuadirla, hacerla amable. Es menester despojarla del oscuro científico aparato, tomar sus más puros y claros resultados, simplificarla, acomodarla a la comprensión general e inspirarle aquella fuerza, aquella gracia que fijando la imaginación, cautiva victoriosamente la atención de cuantos la oyen.

¿Y a quién os parece que se deberá esta victoria, sino al arte de bien hablar? No lo dudéis: el dominio de las ciencias se ejerce sólo sobre la razón; todas hablan con ella, con el corazón ninguna; porque a la razón toca el asenso, y a la voluntad el albedrío. Aun parece que el corazón, como celoso de su independencia, se revela alguna vez contra la fuerza del raciocinio, y no quiere ser rendido ni sojuzgado sino por el sentimiento. Ved, pues, aquí el más alto oficio de la literatura, a quien fué dado el arte poderoso de atraer y mover los corazones, de encenderlos, de encantarlos y sujetarlos a su imperio.

Tal es la fuerza de su hechizo, y tal será la del hombre que a una sólida instrucción uniere el talento de la palabra, perfeccionado por la literatura. Consagrado al servicio público, ¿con cuánto esplendor no llenará las funciones que le confiare la patria? Mientras las ciencias alumbren la esfera de acción en que debe emplear sus talentos, mientras le hagan ver en toda su luz los objetos del público interés que debe promover, y los medios de alcanzarlos, y los fines a que debe conducirlos, la literatura le allanará las sendas del mando. Dirigiendo o exhortando, hablando o escribiendo, sus palabras serán siempre fortificadas por la razón o endulzadas por la elocuencia, y excitando los sentimientos y captando la voluntad del público, le asegurarán el asenso y gratitud universal.

Comparemos con este hombre respetable uno de aquellos sabios especulativos, que desdeñando tan precioso talento, deben tal vez a la incierta opinión

de sus teorías la entrada a los empleos públicos.
Veréis que sus estudios no le inspiran otra pasión
que el orgullo, otro sentimiento que el menospre-
cio, otra afición que el retiro y la soledad; pero
5 al emplear sus talentos, vedle en un país desconocido, en que ni descubre la esfera de su acción,
ni la extensión de sus fuerzas, ni atina con los
medios de mandar ni con los de hacerse obedecer.
Abstracto en los principios, inflexible en sus má-
10 ximas, enemigo de la sociedad, insensible a las delicias del trato; si alguna vez los deberes de urba-
nidad le arrancan de sus nocturnas lucubraciones,
aparecerá desaliñado en su porte, embarazado en
su trato, taciturno o importunamente misterioso
15 en su conversación, como si sólo hubiese nacido
para ser espantajo de la sociedad y baldón de la
sabiduría.

Pero la literatura, enemiga del mando y amar-
telada de la dulce independencia, se acomoda mu-
20 cho mejor con la vida privada, y en ella se recrea
y en ella ejerce y desenvuelve sus gracias. Mientras los conocimientos científicos, levantados en
su alta atmósfera, se desdeñan de bajar hasta el
trato y conversación familiar, o son desdeñados
25 de ella, veréis que la erudición pule y hace amable
este trato, le adorna, le perfecciona, y concurre
así al esplendor de la sociedad, y también al provecho. Sí, señores: también al provecho. ¿Por
ventura es la sociedad otra cosa que una gran com-
30 pañía, en que cada uno pone sus fuerzas y sus lu-

ces, y las cónsagra al bien de los demás? Cortés, amigable, expresivo en sus palabras, ninguno obligará, ninguno persuadirá mejor; cariñoso, tierno, compasivo en sus sentimientos, ninguno será más apto para dirigir y consolar; lleno de amabilidad y dulzura en su porte, y de gracia y de policía en sus palabras, ¿quién mejor entretendrá, complacerá y conciliará a sus semejantes?

Y ved aquí por qué el hombre adornado de estos talentos agradables y conciliatorios será siempre el amigo y el consuelo de los demás. ¿Quién resistirá al imperio de su expresión? Llena de vigor y atractivos, siempre amena e interesante, siempre oportuna y acomodada a la materia presentada por la ocasión, le atraerá sin arbitrio la atención y el aplauso de sus oyentes; y ora narre y exponga, ora reflexione y discurra, ora ría, ora sienta, le veréis ser siempre el alma de las conversaciones y la delicia de los concurrentes.

Pero ¡ah! que más de una vez le arrojarán de ellas la ignorancia y mala educación. ¡Ah!, que atormentado del estúpido silencio, de la grosera chocarrería, de la mordaz y ruín maledicencia, que suele reinar en ellas, se acogerá más de una vez a su dulce retiro; pero seguidle, y veréis cuántos encantos tiene para él la soledad. Allí, restituído a sí mismo y al estudio y a la contemplación, que hacen su delicia, encuentra aquel inocente placer cuya inefable dulzura sólo es dado sentir y gozar a los amantes de las letras. Allí.

en dulce comercio con las musas, pasa independiente y tranquilo las plácidas horas, rodeado de los ilustres genios que las han cultivado en todas las edades. Allí, sobre todo, ejercita su imaginación, y allí es donde esta imperiosa facultad del espíritu humano, volando libremente por todas partes, llena su alma de grandes ideas y sentimientos; ya la enternece o eleva, ya la conmueve o inflama, hasta que arrebatándola sobre las alas del fogoso entusiasmo, la levanta sobre toda la naturaleza a un nuevo universo, lleno de maravillas y de encantos, donde se goza extasiada entre los entes imaginarios que ella misma ha creado.

Alguno me dirá que todo es una ilusión, y es verdad; pero es una ilusión inocente, agradable, provechosa. Y ¿qué bien, qué gozo del mundo no es una ilusión sobre la tierra? ¿Es acaso otra cosa lo que se llama en él felicidad? ¿Acaso la encuentra más seguramente el hombre ambicioso en la devorante sed de gloria, de mando y de oro, o el sensual en la intemperancia, que paga brevísimos instantes de gozo con plazos prolongados de inquietud y amargura? ¿Se halla acaso entre el sudor y las fatigas de la caza o en la zozobra y angustiosa incertidumbre del juego? ¿Se halla en aquel continuo vaguear de calle en calle, con que veis a algunos hombres indolentes andar acá y allá todo el día, aburridos con el fastidio y agobiados con el peso de su misma ociosidad? No, hijos míos; si algo sobre la tierra merece el nombre de felicidad es aquella interna satisfacción, aquel íntimo sentimiento moral que resulta del empleo de nuestras facultades en la indagación de la verdad y en la práctica de la virtud. ¿Y qué otros estudios excitarán mejor esta pura satisfacción, este delicioso sentimiento, que los del literato? Aun aquellos que los sabios presuntuosos motejan con el nombre de frívolos y vanos concurren a mejorar e ilustrar su alma. La poesía misma, entre sus dulces ficciones y sabias alegorías, le brinda a cada paso con sublimes ideas y sentimientos, que enterneciéndola y elevándola, la arrancan de las garras del torpe vicio y la fuerzan a adorar la virtud y seguirla; y mientras la elocuencia, adornando con amable colorido sus victoriosos raciocinios, le recomienda los más puros sentimientos y los ejemplos más ilustres de virtud y honestidad, la historia le presenta en augusta perspectiva, con las verdades y los errores, y las virtudes y los vicios de todos los siglos, aquella rápida vicisitud con que la eterna Providencia levanta los imperios y las naciones, y los abate y los rae de la faz de la tierra. Y si en este magnífico teatro ve al mayor número de los hombres arrastrados por la ambición y la codicia, también le consuelan aquellos pocos modelos de virtud que descuellan acá y allá en el campo de la historia, como en un bosque devorado por las llamas, tal cual roble salvado del incendio por su misma proceridad.

¿Y por ventura no pertenece también la filosofía a los estudios del literato? Sí, hijos míos; ésta es su más noble provincia. No la creáis ajena ni distante de ellos; porque todo está unido y enlazado en el plan de los conocimientos humanos. ¿Por ventura podremos tratar de la expresión de nuestras ideas sin analizar su generación, ni analizarla, sin encontrar con el origen de nuestro ser, ni contemplar este ser, sin subir a aquel alto supremo origen que es fuente de todos los seres como de todas las verdades? Ved aquí, pues, el alto punto a que quisiera conduciros por medio de esta nueva enseñanza. Corred a él, hijos míos; apresuraos, sobre todo, hacia aquella parte sublime de la filosofía que nos enseña a conocer al Criador y a conocernos a nosotros mismos, y que sobre el conocimiento del sumo bien establece todas las obligaciones naturales y todos los deberes civiles del hombre.

Estudiad la ética; en ella encontraréis aquella moral purísima que profesaron los hombres virtuosos de todos los siglos, que después ilustró, perfeccionó y santificó el Evangelio, y que es la cima y el cimiento de nuestra augusta religión. Su guía es la verdad y su término la virtud. ¡Ah!, ¿por qué no ha de ser éste también el sublime fin de todo estudio y enseñanza? ¿Por qué fatalidad en nuestros institutos de educación se cuida tanto de hacer a los hombres sabios, y tan poco de hacerlos virtuosos? Y ¿por qué la ciencia de la virtud no ha de tener también su cátedra en las escuelas públicas?

¡Dichoso yo, hijos míos, si pudiere establecerla algún día, y coronar con ella vuestra enseñanza y mis deseos! Las obras de Platón y de Epicteto, las de Cicerón y Séneca ilustrarán vuestro espíritu e inflamarán vuestro corazón. Nuestra religión sacrosanta elevará vuestras ideas, os dará moderación en la prosperidad, y fortaleza en la tribulación, y la justicia de principios y de sentimientos que caracterizan la virtud verdadera. Cuando lleguéis a esta elevación, sabréis cambiar el peligroso mando por la virtuosa oscuridad, entonar dulces cánticos en medio de horrorosos tormentos, o morir adorando la divina Providencia, alegres en medio del infortunio.

ORACIÓN

PRONUNCIADA EN EL INSTITUTO ASTURIANO, SOBRE EL ESTUDIO DE LAS CIENCIAS NATURALES

⁵ SEÑORES: Después de haber pagado a la venerable memoria de nuestro difunto director el tributo de gratitud y de lágrimas que era tan debido a sus virtudes como a su celo y vigilancia paternal; después de haber coronado a los alumnos que
¹⁰ lidiaron con más ventaja en el certamen de ingenio y aplicación que habéis sostenido; después de haber satisfecho así la expectación del público, vamos al fin a presentarle el último de los títulos que nos deben asegurar de su benevolencia; vamos a
¹⁵ anunciarle que hoy es el día señalado para abrir la enseñanza de ciencias naturales; aquella ense-

---

6 Su hermano don Francisco de Paula, que había muerto algunos meses antes, siendo don Gaspar ministro de Gracia y Justicia, que es el destino superior a sus deseos, de que habla en el párrafo siguiente. *(Nota de Nocedal.)*

fianza que debe ser término de vuestros estudios, que lo ha sido siempre de nuestros deseos, y que lo será un día de la prosperidad y la gloria de nuestro Instituto.

Cuánto sea el gozo que inunda mi alma al haceros este precioso anuncio, vosotros mismos lo podéis inferir del afán con que he procurado acelerarle y de la constancia con que combatí los estorbos que le retardaban. Cedieron todos por fin, y mi corazón se siente penetrado de ternura al considerar por cuán raros y desusados caminos plugo a la divina Providencia conducirme a este alegre y bienhadado instante. ¿Por ventura habrán caído ya de vuestra memoria aquellos días de sorpresa y de angustia, en que súbitamente arrancado de vuestra presencia, me vi llevar por un impulso irresistible a otro destino tan superior a mis fuerzas como lo era a mis deseos, o no habréis echado de ver el ansia con que volví a vosotros desde que me fué dado recobrar mis antiguas y gloriosas funciones? Sí, hijos míos, en su desempeño había puesto yo toda mi gloria, y la pongo todavía. Porque ¿cuál otra puede ser más ilustre, cuál otra más agradable a un verdadero amigo del público, que la de ilustrar el espíritu

15 Alude a su nombramiento de ministro de Gracia y Justicia en noviembre de 1797. Cesó en el ministerio el 15 de agosto de 1798; vuelto a Asturias, leyó este discurso en el Instituto el 1 de abril de 1799. Sobre la repulsión con que Jovellanos aceptó el cargo de ministro véase lo que dice en los *Diarios*, págs. 393 y ss.

y perfeccionar el corazón de una preciosa juventud que es la mejor esperanza de nuestra patria?

Ni creáis que lo diga por orgullo ni por ostentación de mi celo, aunque no os esconderé que mi
5 alma apenas acierta a resistir aquella inocente vanidad que alguna vez se mezcla al ejercicio de la beneficencia pública. Dígolo solamente para congratularme con vosotros en el advenimiento de este día, cuya gloria es de todos, porque todos ha-
10 béis cooperado conmigo a su logro; dígolo para fijarle más bien en vuestra memoria, como una época de nueva y provechosa ilustración, que abrimos hoy a nuestra posteridad; dígolo, en fin, para solemnizarle como un día de renovación y de es-
15 peranza, en que llamados al estudio de la naturaleza, vais a domiciliar en este suelo las preciosas verdades en que está cifrada la prosperidad de los pueblos y la perfección de la especie humana.

20 Pero haciéndoos este anuncio, el amor que os profeso y la obligación que me impone la confianza del Soberano me llaman a discurrir un rato con vosotros acerca de la importancia del estudio que vais a emprender. Yo invoco en su favor toda
25 vuestra atención, todo vuestro celo; su novedad, su grandeza, su misma incertidumbre exigen de vosotros una aplicación constante, una meditación profunda, una paciencia heroica. Los cielos, la tierra, cuanto alcanza la vasta extensión del univer-
30 so, será materia de vuestra contemplación; pero

este admirable, este inmenso objeto, desenvuelto ante vuestros ojos, y sometido al parecer a la jurisdicción de vuestros sentidos, está mudo y silencioso para vosotros; nada dice todavía a vuestra razón, y nada le dirá mientras no la pongáis en comercio con la naturaleza misma. Conocerla para perfeccionar vuestro ser; aplicar este conocimiento al socorro de vuestras necesidades, al servicio de vuestra patria y al bien del género humano: ved aquí el fin de la nueva ciencia a que os preparáis. Ella es la ciencia del hombre, la que califica todas las demás y en la que todas buscan su complemento, y es, en fin, la que perfeccionando vuestros estudios, cerrará gloriosamente el círculo de vuestra educación.

Acaso alguno de vosotros, desvanecido con los sublimes conocimientos de la matemática, se creerá capaz de penetrar el santuario de la naturaleza; pero habéis de saber que estáis muy lejos todavía de sus umbrales. Son, por cierto, muy importantes y provechosas las verdades que habéis alcanzado; pero serán estériles mientras no las aplicaréis a la investigación de la naturaleza. Conocéis ya la cantidad y la extensión, grandes y esenciales propiedades de la materia; pero sólo las conocéis en abstracto y como separadas de los cuerpos. Tenéis que investigarlas como unidas y como inseparables de ellos; y con todo, nada alcanzaréis de la naturaleza mientras no la observaréis en los cuerpos mismos. ¿Qué importa que podáis calcular la rápida sucesión del tiempo, la inmensa extensión del espacio, la dirección y los progresos del movimiento, si el movimiento, el espacio, el tiempo son unos seres ideales y abstractos, unos seres que no existen; si son nada, mientras no los consideréis como medida del estado y sucesión de los entes reales? Debéis, pues, contemplar estos entes en sí mismos, observar su acción y sus mudanzas o fenómenos, y subiendo desde ellos a sus causas, investigar aquellas eternas y constantes leyes que la sabiduría del Criador dictó a la naturaleza para la inmutable conservación de su grande obra.

Y ved aquí por qué los antiguos, abandonando este camino de investigación, han delirado tanto en la filosofía natural. Bien conocieron que su objeto era el universo; pero asombrados de su inmensidad, buscaron algún breve camino de descubrir las leyes que le regían. Investigarlas en la innumerable muchedumbre de seres que abraza, pareció inaccesible a la constancia y a las fuerzas del espíritu humano. ¿No era más fácil y más gloriosa empresa subir derechamente a ellas, buscándolas en su misma razón? Esto juzgaron y esto hicieron, y en vez de consultar los hechos, inventaron hipótesis, sobre las hipótesis levantaron sistemas, y desde entonces todo fué sueño e ilusión en la filosofía natural. Cuál señaló el fuego por principio universal de las cosas, como Zoroastro, fundador de la filosofía oriental: cuál el agua, como Thales, padre de la filosofía griega; Pitágoras, admirando el orden del universo, le derivó de su armonía, y Zenón, viendo sólo un aparente desorden, le atribuyó a la casual reunión de los átomos. ¿Quién apurará los sueños de los antiguos corifeos de la filosofía? Cada uno forjaba un sistema, cada uno le pretendía demostrar a fuerza de raciocinios. El arte de disputar se hizo el grande instrumento de los filósofos; las ciencias experimentales se convirtieron en especulativas, y desde entonces el universo fué entregado al gobierno de agentes invisibles, de fuerzas inherentes y de cualidades ocultas. Así que, mientras el espíritu de partido multiplicaba estas ilusiones y las defendía, la naturaleza, abandonada a las disputas y caprichos de las sectas, parecía haber vuelto al caos tenebroso de donde saliera el primero de los días.

Tal era el aspecto de la filosofía natural, cuando Aristóteles, rigiendo sus cielos cristalinos por la mano de supremas inteligencias, y sujetando nuestro globo a sus tres famosos principios, negando cantidad y cualidad a la materia para dársela a la forma, y atribuyendo existencia real a las formas universales, echó los fundamentos del peripato, destinado a dominar la tierra. Las conquistas de Alejandro llevaron su doctrina por el Asia y la India y le dieron autoridad en Grecia; las de Roma la difundieron por el orbe latino, y después de haber triunfado del platonismo, ora

llevada al imperio de la media luna, ora traída y
canonizada por las escuelas generales de Europa,
extendió al fin por todas partes su influjo, y le
supo conservar casi hasta nuestros días.

5   No os detendré yo en la exposición de unos errores que la antorcha de la experiencia ha descu-
bierto ya y casi desterrado del mundo; basteos reflexionar que Aristóteles fué menos funesto a la
filosofía por sus doctrinas que por sus métodos.

10 ¿Cuál de los antiguos y aun de los modernos filósofos se gloriará de no haber pagado su tributo
al error? Pero el método de investigación señalado
por Aristóteles extravió la filosofía del sendero
de la verdad. Este método era precisamente lo

15 contrario de lo que debió ser, pues que trataba de
establecer leyes generales para explicar los fenómenos naturales, cuando sólo de la observación de
estos fenómenos podía resultar el descubrimiento
de aquellas leyes. Es, sin duda, muy ingenioso su

20 sistema de categorías y predicamentos, y lo es
también el artificio de sus silogismos; pero la aplicación de uno y otro fué equivocada y perniciosa.
Su método sintético es admirable para convencer
el error, pero no para descubrir la verdad; es ad-

25 mirable para comunicarla, pero inútil para inqui-
rirla; y cuando la indulgente sabiduría perdonare a este gran filósofo los errores que introdujo en
su imperio, ¿cómo le perdonará el haber cegado
sus caminos y atrancado sus puertas?

30   La gloria de abrirlas de par en par estaba re-

servada al sublime genio de Bacon. Él fué quien
con intrépida resolución y fuerte brazo quebrantó
los cerrojos que tantos esfuerzos y tantos siglos
no pudieron descorrer; él fué quien aterró al mons-
truo de las categorías, y sustituyendo la inducción
al silogismo, y el análisis a la síntesis, allanó el
camino de la investigación de la verdad y fran-
queó las avenidas de la sabiduría; él fué quien
primero enseñó a dudar, a examinar los hechos
y a inquirir en ellos mismos la razón de su existencia y sus fenómenos. Así ató el espíritu a la
observación y la experiencia; así le forzó a estudiar sus resultados, y a seguir, comparar y reunir
sus analogías; y así, llevándole siempre de los efectos a las causas, le hizo columbrar aquellas sabias
admirables leyes que tan constantemente obedece
el universo.

Por tan segura y gloriosa senda entraron a ex-
plorar la naturaleza los hombres célebres cuyos
pasos debéis seguir y cuyos descubrimientos darán tan amplia materia a vuestro estudio. Sus útiles trabajos, ilustrando la generación a que per-
tenecéis, le dieron un derecho a más altos y provechosos conocimientos. Buscándolos vosotros, re-
conoceréis por todas partes los caminos que andu-
vieron, las huellas que dejaron estampadas en las
vastas regiones del universo. Allí veréis cómo Co-
pérnico, desbaratando los cielos de Hiparco y Pto-
lomeo, se atrevió a restituir el sol al centro del
mundo, y fijar para siempre allí su inmóvil trono;

y cómo Képlero, en torno de él, señaló nuevas vías
a los planetas y disipó las sabias ilusiones de su
maestro Tico, en tanto que Hevelio espiaba los inconstantes pasos de la luna, y subía hasta ella para
5 contar sus valles, medir sus montes y determinar
el espacio de sus mares, y el gran Newton se alzaba sobre la candente masa del sol para regir desde ella los escuadrones celestes. Allí veréis a Ga-
lileo y Hugens ensanchar con la fuerza de su te-
10 lescopio aquel brillante imperio que debían poblar
después el sabio Cassini y el laborioso. Herschel,

---

1 *Keplero*, el astrónomo alemás Johann Kepler (1571-
1630).
3 *Tico*, el astrónomo danés Tycho-Brahe (1546-1601).
3 *Hevelio*. En Rivad. y en todas las ediciones dice por
errata Harelio. Se refiere al astrónomo alemán Juan He-
velius (1611-1687), fundador de la selenografía y autor
de varias obras sobre la luna, los planetas, el año cli-
matérico, etc. La más importante de ellas es *Selenographia,
sive Lunae descriptio, atque accurata tam macularum ejus,
quam motuum diversorum, aliarumque omnium viccissitu-
dinum phasiumque telescopii ope deprehensarum, delina-
tio...* Gedani, 1647.
9 *Hugens*. Christian Huygens de Zuylichem (1629-
1695), astrónomo y físico holandés. Como astrónomo, sus
obras más importantes fueron: *Systema Saturnium...*, Hagae Comitum, 1659, y Κοσμοδέωρος, *sive de terris coelesti-
bus earumque ornatu conjecturae.* Hagae Comitum, 1698.
11 Giovanni Domenico Cassini (1625-1712), astrónomo
italiano, director del Observatorio de París; descubrió varios satélites de Saturno y estudió especialmente la rotación
de los planetas. Reunió la mayoría de sus estudios y obras
en *Opera astronomica.* Roma, 1666.—Sir Frederick William
Herschel (1738-1822), astrónomo inglés, descubrió el sistema de rotación de las estrellas según las leyes de la gra-
vitación. La mayoría de sus estudios, memorias y descubrimientos fueron publicados en la *Philosophical Transactions,*

mientras Descartes sometía el de la tierra a
su sublime geometría, Leibnitz penetraba hasta
las primeras moléculas de la materia, Torricelli
encadenaba el aliento para pesarle en su balanza,
Franklin estudiaba el fuego para apoderarse del
rayo, y Priestley descomponía el aire para conocer su varia índole y su fuerza portentosa. Allí
hallaréis a la intrépida cohorte de los químicos
destruyendo para reedificar, y desmoronando las
obras de la naturaleza para observar sus materia- 10
les, penetrar sus elementos y remedar sus operaciones. Allí veréis cómo más atentos otros a recoger hechos que a sacar inducciones, se derrama-
ron por todos los ángulos de nuestro globo para
ilustrar su historia; cómo Klein conversó con los 15
cuadrúpedos, Adanson con los que cruzan la región del aire, y Yonston y Lacépède con los que

de Londres, y en el *Journal des savants*, de París, años
1780-1799. (Cf. J. DE LALANDE: *Bibliographia astronomi-
que*, París, 1803.)
6 Joseph Priestley (1733-1804), químico inglés, descu-
bridor del oxígeno; autor de *Experiments and Observations
on Different Kinds of Air*, Londres, 1774-75, y de *Consi-
derations on the doctrine of phlogiston and the decompo-
sition of water*, 1796-97.
15 *Klein*. En Rivad., Kleint. Alude a Jacobo Teodoro
Klein (1685-1759), zoólogo alemán; estudió casi todas las
especies del reino animal e impugnó la clasificación de
Linneo; autor de *Summa dubiorum circa classes quadru-
pedum et amphibiorum in C. Linnaei Systemate naturae*.
Lipsiae, 1743.
16 Michel Adanson (1727-1826), naturalista francés;
autor de *Histoire naturelle du Senegal*. París, 1757.
17 *Yónston*. Johann Jonston (1603-75), médico y naturalista polaco, profesor de Medicina en Francfort; autor de

surcan las aguas; cómo Réaumur se abatió hasta
la rastrera república de los insectos, y Rondelet
hasta las conchas moradoras de las desiertas playas. Nada, nada quedó por observar, nada por des-
5 cribir desde que Tournefort y Linneo se atrevieron
a formar el inmenso inventario de las riquezas
naturales, como si no fuesen inagotables. Hasta
que al fin el inmortal Buffon, subiendo a los primeros días del mundo, resolviendo sus antiguas
10 épocas, lustrando los cielos y las regiones intermedias, y corriendo con pasos de gigante toda la
tierra, coronó aquel glorioso monumento que Plinio había levantado a la naturaleza, y que debe ser
tan durable como ella misma.
15 Al entrar a estudiarla, ¡qué espectáculo tan au-

---

*Historia naturalis de piscibus et cetis libri V, cum aenis fi-
guris.* Francofurti [1649]. Escribió otras obras sobre cuadrúpedos, pájaros e insectos y las reunió todas bajo el título
Historia naturalis animalium. Francofurti, 1650.—Bernard
Germain Etienne de la Ville, Comte de Lacépède (1756-
1825), naturalista francés; publicó la *Historia natural* de
Buffon, continuándola en varias de su obras, entre ellas
en *Histoire naturelle des poissons.* París, 1798-1803, 5 vols.
1. René Antoine de Réaumur (1683-1757), físico y naturalista francés. Como naturalista escribió *Mémoires pour
servir à l'histoire des insectes.* París, 1734.
2 Guillaume Rondelet (1507-1566), médico y naturalista francés; autor de *Libri de piscibus marinis, in quibus
verae piscium effigies expressae sunt.* Lugduni, 1554-55.
5 Joseph Pitton de Tournefort (1656-1708), botánico
francés, precursor de Linneo. Hizo antes que éste una clasificación del reino vegetal en su libro *Institutiones rei
herbariae.* París, 1700, 3 vols.
12 *Aquel glorioso monumento* alude a los 37 libros de
la *Historia natural.*

gusto no se abrirá a vuestra contemplación! Vosotros, acostumbrados a verle a todas horas y familiarizados con su grandeza, apenas os dignáis
de examinarle; pero levantad a él vuestro espíritu, y veréis cómo, atónito con tantas maravillas, 5
se enciende y suspira por conocerlas. La razón os
fué dada para alcanzar una parte de ellas; elevad-
la hasta el sol, inmenso globo de fuego y resplandor, y veréis cómo fué colocado en el centro del
mundo para regir desde allí los planetas situados 10
a tan diversas distancias. Como padre y rey de
los astros, él los ilumina y fomenta y dirige sus
pasos y prescribe sus movimientos. Cada uno oye
su voz, la sigue obediente y gira en torno de su
brillante trono. La Tierra, este pequeño globo que 15
habitamos, y uno de sus planetas inferiores, reconoce la misma ley, y de él recibe luz y movimiento.
¿Queréis formar alguna idea del gran sistema de
que somos una pequeñísima parte? Pues sabed que
el lugar que ocupáis dista sobre veinte y siete mi- 20
llones de leguas del Sol, que es su centro, que Saturno dista del mismo centro sobre doscientos y
sesenta y cinco millones de leguas, que el planeta
Urano, columbrado en nuestros días, dista todavía más de Saturno que Saturno del Sol, que to- 25
davía se alejan más y más de él los cometas en
sus giros excéntricos, y que todavía la flaca ra-

---

2 *Verle... examinarle.* El uso del acusativo *le* en lugar
de *lo*, unido a una construcción poco clara, produce ambi-
güedad. El antecedente es "espectáculo".

zón del hombre no ha podido tocar los límites de
este magnífico sistema.

Y ¡qué! Cuando los hubiese alcanzado, cuando
pudiese transportarse hasta ellos, ¿divisaría desde allí los términos de la creación? Preguntadlo a
esa muchedumbre de estrellas fijas, que en el silencio de la noche veis centellear sobre los remotos cielos; parece que su número crece cada día
al paso que se perfeccionan los instrumentos ópti-
cos, y cada día nos hace ver que el Altísimo las
sembró como brillante polvo en el espacio inmen-
surable. Fijas en el lugar que les fué señalado,
cada una es un sol, centro de otro sistema, en torno del cual giran sin duda otros cuerpos opacos,
y acaso en torno de éstos otras lunas, como las
que siguen nuestro globo y el de Júpiter. He aquí
lo que alcanzamos, pero ¿quién adivinará dónde
empieza ni dónde acaba la naturaleza inaccesible
a nuestros débiles sentidos, o quién comprenderá
los límites de la creación, sino aquella suprema Inteligencia, que encierra en su misma inmensidad
el vastísimo imperio de la existencia y del espacio?

Pero en torno de vosotros existen más cercanos
testimonios de esta grandeza. ¿No veis esa dila-
tada región que se extiende entre los cielos y la
tierra? A vuestros ojos se presenta vacía; mas
¡cuál será vuestro asombro cuando os convencie-
reis de que toda está henchida y penetrada de
aquella naturaleza activa, benéfica, y a que se da

el nombre de elemental, porque parece ocupada perennemente en la sucesiva reproducción de los entes y en la conservación del todo! Allí sabréis cómo la luz, emanada del sol, ya se lanza a iluminar el anillo de Saturno y las radiantes cabelleras de los cometas remotísimos, y ya descendiendo sobre nosotros, inunda la tierra en un océano de esplendor. Corpórea, pero impalpable; penetrante hasta traspasar los poros del diamante más duro, pero flexible hasta ceder al encuentro de una plumilla, ella vivifica cuanto existe, y no visible en sí, hace visibles todas las cosas. Simple e inmaculada, ella las colora y cubre de bellas y variadas tintas. Sabe recogerse y extenderse, y ya la veis reunida en esplendentes manojos, ya suelta y desatada en brillantes hilos. Su solo movimiento produce el calor, y la agitación del calor este fuego elemental, alma de la naturaleza, que difundido por todos los cuerpos, los penetra, los llena, los dilata, y así reside en la deleznable arcilla como en el duro pedernal, así en el agua termal como en el friísimo carámbano. Este agente poderosísimo los mueve y los anima, su influjo los fomenta y vivifica, pero también su enojo los destruye y anonada, ora sea que anunciado por el trueno, caiga desde las nubes a derrocar las altas torres, ora que desgarrando las entrañas de la tierra, reviente por las nevadas cumbres para sepultar en ríos de lava y ceniza los bosques y los campos, las solitarias alquerías y las ciudades populosas.

El aire le alimenta; el aire, otro flúido elemental, invisible, movible, elástico por excelencia, y
grave y velocísimo. En él, como en un golfo inmenso, nada sumergida la Tierra. Un día cono-
5 ceréis cómo la estrecha y abraza por todas partes,
y cómo gravita sobre ella y la sostiene, y cómo la
sigue constante en su diurno y anual movimiento.
Por él respiran los entes animados, por él alienta
la vegetación y se renueva todos los años, y a él
10 deben todos los cuerpos solidez, sonoridad y armonía. Por él el hombre anuncia la serenidad y
las tormentas, y por él mide la elevación y com-
para la temperatura de los climas. Su movimiento forma los vientos salutíferos, purificadores de
15 la atmósfera y conservadores de la existencia y
la vida. ¡Cuán benéficos y regalados cuando en las
mañanas de primavera cubren de flores los valles
y colinas, o en las tardes de estío difunden el re-
frigerio sobre los campos abrasados! Pero ¡cuán
20 terribles si, rotas alguna vez sus cadenas, se pre-
cipitan a conmover los cielos, y llamando las tem-
pestades, turban y sublevan el vasto imperio de
los mares!

Estos mares son abastecidos por el agua, otro
25 benéfico elemento, líquido, diáfano y siempre ansioso del equilibrio; que ya se congrega en las

---

1 *le alimenta.* También hay aquí oscuridad de expresión, producida en parte por el uso del acusativo *le*, pero
principalmente por lo remoto del antecedente, que es "este
fuego elemental" (pág. 127, línea 17).

nubes para descender suelta en lluvias y rocíos o coagulada en nieves y granizos, ya se deposita en el corazón de los montes para brotar en fuentes y arroyos, abastecer lagos y ríos, y después de haber llenado la tierra de fecundidad y los vivien- 5 tes de salud y alegría, sumirse en el inmenso Océano; en el Océano, lleno también de riqueza y de vida, que enlaza y acerca los separados conti- nentes y forma aquel extendido vínculo de comuni- cación que el Dios omnipotente quiso establecer 10 entre la especie humana, y que en vano pretende desatar la loca ambición de los hombres.

Estos seres purísimos, tan diferentes en sus propiedades, que siguen tan constantemente la ley que les fué impuesta por el Criador, que siguién- 15 dola concurren a la continua reproducción de los demás seres y que perpetúan la naturaleza, aun cuando parece que amenazan su destrucción, ¡cuán admirable materia no ofrecerán a vuestro estudio!

Pero nacidos para vivir sobre la tierra, ella es 20 la que os presentará los objetos más dignos de vuestra contemplación. ¿Qué nos importaría el co- nocimiento de los seres superiores, si no fuese por las admirables relaciones que los enlazan con nues- tro globo? ¡Oh, cómo resplandece sobre él la be- 25 neficencia de Dios! Do quiera que volváis los ojos hallaréis impresa la marca de su omnipotencia y su bondad. Considerad el activo y oficioso reino animal derramado por todo el orbe; consideradle desde el elefante, que roe los hojosos bosques de 30

Abisinia, hasta el minador, que se esconde y mantiene en las membranas de una hojilla; desde el
águila caudal, que se remonta a las nubes para
beber más de cerca los rayos del sol, hasta el pá-
⁵ jaro mosca, que revolotea entre las flores de América; y desde la enorme ballena, que sondea los
mares del Norte o se tiende sobre sus espaldas
como una isla batida en vano de las ondas, hasta
la inmóvil lapa, que nace y muere pegada a nues-
¹⁰ tras peñas. ¡Qué muchedumbre de pueblos y familias, qué variedad de formas y tamaños, de ín-
doles e instintos, y qué escala de perfección tan
maravillosa! Buscadle, y le hallaréis poblando la
pura región de la atmósfera, como el fétido am-
¹⁵ biente de las cavernas, así en las aguas dulces y
corrientes como en las salobres y estancadas, en
las plantas como en las rocas, en lo alto de las
montañas como en el fondo de los valles, y en la
superficie como en las entrañas de la tierra; todo
²⁰ está poblado, todo henchido de vida y sentimiento. ¿Qué digo henchido? La vida misma es alimento de la vida, y los vivientes de otros vivientes.
Nosotros mismos, nuestra carne, nuestra sangre,
nuestros huesos encierran dentro de sí numero-
²⁵ sas familias de otros vivientes, que acaso encerra-

---

1 *minador*. Ningún diccionario da este nombre en la
acepción concreta con que parece usarlo aquí Jovellanos.
Debe de tratarse de una designación elíptica de "in-
secto". Comp. "... los puercos con su hocico minador, todo lo
talan y apuran..." (*Descrip. de Bellver*, pág. 43, líneas 9-10.)

rán también en sí y darán morada y alimento a
otros y otros vivientes. Porque ¿quién sabe hasta
dónde plugo al Omnipotente multiplicar la vida y
extender los términos de la creación animada?

Y ¿quién alcanzó todavía los de la creación ve- 5
getal? Este reino, lleno también de vigor y de
vida, ostenta por todas partes la misma grandeza, la misma variedad, la misma exquisita graduación de formas y tamaños. Ved cuál cubre toda
la tierra y forma su gala y ornamento, y cuál va 10
difundiendo sobre ella la abundancia y la alegría.
Tan admirable en lo grande como en lo pequeño,
en el cedro del Líbano como en el lirio de los valles, y así en la madrépora, que nace en el fondo
del mar, como en el moho, que crece y fructifica 15
sobre una piedrezuela, sirve de sustento y abrigo
a la vida animal, es origen fecundísimo de inocente riqueza y el mejor apoyo de la unión social.
¡Cuánto no consuela al labrador llenando sus tro-
jes con las doradas mieses o hinchendo sus her- 20
vientes cubas, inocente recompensa de sus fatigas! Y ¡cuánto no enriquece al industrioso arte-
sano, ora le ofrezca preciosa materia para que le
inspire nuevas formas, ora multiplique los instrumentos de las artes útiles, desde el arado, que 25
nos alimenta, hasta el telar, que nos viste, y desde el carro, que da los primeros pasos del comercio, hasta las naves voladoras, que llevan a los ha-
bitadores del Septentrión los frutos y manufacturas del Mediodía! 30

Así es como la naturaleza reúne siempre estos caracteres de grandeza y utilidad, que resplandecen en sus obras, y que vosotros descubriréis hasta en el informe reino mineral. ¡Qué inmensa mole
5 de materia ruda e inorgánica, tendida debajo de nuestros pies, y compuesta de seres tan diferentes por su sustancia, por su forma y por sus propiedades! Tierras y piedras, sales y betunes, metales y cristales... ¡cuántos bienes presentados a
10 las necesidades y al recreo del hombre! Y ¡cuál se ostenta en ellos aquella delicada progresión de perfecciones, que tanto embellece y armoniza las obras de la naturaleza! ¿Quién comparará el barro con el minio, el asperón con el jaspe, el fierro
15 con el oro y el oscuro pedernal con el lucidísimo diamante de Golconda? ¿Quién explicará la naturaleza del imán, guía constante de la navegación, o la virtud atractiva y repulsiva del succino, o la indocilidad de este mineral flúido inquietísimo, que
20 así se niega al derretimiento como a la congelación, y que tan fácilmente se reúne como se disuelve y sublima? ¿Quién dirá por qué el fuego que funde la platina deja ileso al amianto, o por qué la platina resiste tan tenazmente al martillo que
25 extiende un átomo de oro a distancias incalculables? Y como si la naturaleza se complaciese en acumular mayores prodigios en los seres que nuestra orgullosa ignorancia mira con más desprecio,

18　*succino*, ámbar (lat., *succinum*).

¿quién explicará las virtudes de esta tierra que hollamos, y que es cuna y sepulcro de cuanto existe sobre ella? ¿No veis cómo de ella nace y en ella se resuelve cuanto vive y muere delante de vosotros? Engendre o destruya, ¡cuán portentosa es su fuerza, o ya de un grano menudísimo haga brotar el roble, cuya sombra cobija rebaños numerosos, o ya devore y convierta en sustancia propia animales y plantas, mármoles y bronces, palacios y templos y todo cuanto existe; que todo está condenado a caer en el abismo de sus entrañas.

Y he aquí cómo la simple observación de la naturaleza os conducirá a más altas indagaciones de filosofía natural; porque habéis de saber que vuestro espíritu jamás se contentará con el recuento y clasificación de los seres, sino que suspirará principalmente por conocer sus propiedades. El hombre no puede anhelarlos, sin también anhelar su conocimeinto; una insaciable curiosidad, inherente a su ser, y que no en vano le fué inspirada, sino para levantarle a la contemplación del universo, le lleva en pos del gran sistema de causación que imagina y descubre por todas partes. Mira en torno de sí otros seres, y no viendo en ellos cosa estable ni duradera, se apresura a observar su flujo sucesivo. Entonces cada alteración es para él un fenómeno, en cada fenómeno ve un efecto, y en cada efecto busca una causa. Reúne las analogías de los fenómenos particulares, y deduce la existencia de causas generales, que erige en leyes.

Sigue también estas leyes, y viendo en su tendencia y dirección un fin determinado, se levanta al conocimiento del orden general que las enlaza; de este orden admirable, cuya contemplación tanto
5 ennoblece su espíritu y tanto magnifica las obras de la naturaleza.

Cuánto se hayan desvelado los hombres desde que rayó la aurora de la filosofía, y cuán admirables hayan sido sus progresos en la investiga-
10 ción de este orden, lo echaréis de ver a cada paso en el progreso de vuestro estudio. Observando la varia muchedumbre de seres que veían en derredor de sí, reuniendo unos por la analogía de sus formas y propiedades, separando otros por la
15 desemejanza de sus fenómenos, e inquiriendo, siguiendo y calando las relaciones que parecían enlazar a unos con otros, lograron al fin componer estos sistemas celestes, estos reinos geológicos, estos géneros y especies, y familias y clases que
20 veréis tan menudamente deslindados en la historia de la naturaleza; y como el navegante señaló ciertos puntos y alturas para atravesar sin peligro el ciego y vasto Océano, así el filósofo marcó estas divisiones para no perderse en la inmensidad del
25 universo. No, yo no las condenaré, hijos míos, ni os privaré de un auxilio que la grandeza misma del objeto hace indispensable; empero advertiros he que no atribuyáis a la naturaleza las invenciones de la flaqueza humana. Estas clasificacio-
30 nes son obra nuestra, no suya. La naturaleza no

produce más que individuos, de cuyo número y propiedades, así como de las relaciones que los unen, sólo conocemos una porción pequeñísima. Sin duda que en la grande obra de la creación todo está enlazado, graduado, ordenado; pero también en ella está todo lleno, henchido, completo. En la inmensa cadena de los seres no hay interrupción ni vacío, y mientras percibimos algunos eslabones sueltos acá y allá, y distinguidos por muy notables caracteres, perdemos de vista los demás y se nos escapan aquellas imperceptibles transiciones con que la naturaleza pasa de uno en otro ser. ¿Hay por ventura quien alcance las esencias intermedias que el Omnipotente colocó entre el sentimiento y la animación, entre la animación y la vida, y entre la vida y el movimiento y la simple existencia? ¿Hay quien penetre las relaciones y los grados de perfección que intercaló entre la razón y el instinto, el instinto y la propensión, la propensión y la gravedad, y estas afinidades, estas aversiones y estas apetencias a ciertas formas que descubren los seres conocidos?

¡Ah! fuérame dado penetrar la esencia del más pequeño de ellos; de una mariposilla, una flor, un grano de arena de los que agita el viento en nuestras playas, y yo sorprendería vuestro espíritu, llenándole de admiración y pasmo! Pero ignorante como vosotros de la economía de la naturaleza, sólo podré llamar vuestra atención hacia los grandes caracteres que distinguen los entes.

Volvedla hacia aquellos a quienes fué dada vida
y sentimiento, y detenedla por un rato sobre la
organización animal. ¿Quién ha sondeado todavía
los prodigios que abraza la muchedumbre y delicadeza de sus partes, su trabazón y enlace, la proporción relativa de cada una, su conveniencia recíproca, y aquella tendencia uniforme con que
concurren a la unidad de acción que les fué pres-
crita? ¿Y quién explicará los varios y diversi-
ficados movimientos de esta acción multifaria,
siempre certera, siempre congruente a tantas y
tan diferentes funciones, y siempre determinada
a un fin conocido, y jamás equivocado ni alterado?
Observad cualquiera de los individuos de este reino animado, y desde el león, que atruena con su
bramido los desiertos de África, hasta el imperceptible animalillo que se esconde en la pimienta,
cien millones de veces más pequeño que un grano
de arena, no hallaréis alguno cuya organización
no sea tan cumplida y perfecta cual conviene a su
ser y al grado que le cupo en la escala de la naturaleza animal. En todos, en cada uno hallaréis
completos los órganos de respiración, digestión,
secreción, generación, alimentación, movimiento y
sensación; en todos, los instrumentos y los recursos necesarios para labrar su morada, buscar su
alimento, engendrar y criar su prole y defender
su vida. ¿Y a quién no sorprende la congruencia
de esta organización con el elemento que debe habitar, el alimento de que debe vivir y las funcio-

nes en que se debe ocupar cada especie y aun
cada individuo? ¿Y no más? ¿No les fué dada también aquella partecilla de razón que convenía a
su ser? Aquí es donde el observador de la naturaleza admira extasiado la conveniencia portentosa
que hay entre el instinto y la organización animal,
y la constante fidelidad con que el más pequeño viviente llena este fin de conservación, y la sagaci-
dad y el acierto con que camina a la perfección
para que fué criado. Ninguno desmiente la tendencia de esta ley. Todos la siguen, así los que
amigos de soledad, huyen a los bosques y cavernas umbrías, o pasan su vida eremítica en un
tronco, en una roca o en el corazón de una gruta,
como los que, amando la compañía, se reúnen en
rebaños o bandadas para hacer comunes sus pastos, sus juegos, sus amores y su seguridad. Fieles
algunos a la voz de la naturaleza, ved cómo se
buscan, se congregan para volar sobre las altas
cumbres, o cruzan los hondos mares en busca de
otro cielo, otro clima, otro suelo más conveniente
a su ser; mientras que otros, aspirando a más
perfecta unión, forman aquellas oficiosas repúbli-
cas, donde el interés personal aparece siempre sacrificado al bien común, donde reina siempre el
orden y la laboriosidad, y donde tanto brillan la
previsión y la justicia del gobierno como la subor-
dinación y el celo público de los individuos. ¡De-
chados admirables, que debiera observar con más
vergüenza que pasmo el hombre temerario, que

rompiendo los vínculos sociales, arma tal vez su
razón o su brazo contra la patria, a quien debe
la vida, y el Estado, que se la asegura!

Sin duda que tales ejemplos tienen derecho a
nuestra admiración, sin duda que la prudencia de
las hormigas, los trabajos de las abejas, las estupendas obras de los castores nos presentan grandes prodigios y grandes documentos; pero nosotros debemos esta admiración a su excelencia, y
la damos sólo a su singularidad. Descuidados de
la naturaleza, no vemos que el más rudo de los
vivientes presenta iguales prodigios, y los presenta en todos los períodos, en todos los accidentes,
en todas las funciones de su vida. Observadlos en
cualquiera de ellas, observadlos en una sola, en
aquella que los mueve a la propagación de su especie, y sobre la cual se apoya la gran ley de la
conservación; ¡cuán tierno y expresivo no es entonces el idioma de sus amores! Sus querellas
¡cuán afectuosas y bien sentidas! ¡Qué solercia,
qué industria en la nidificación! ¡Qué mansedumbre, qué paciencia en la incubación y lactación!
¡Qué solicitud en la crianza y educación de su
prole! Y si algún enemigo le amenaza, ¡qué valor
tan intrépido, qué resolución tan heroica para de-
fenderla!

Pero estos medios de preservación y propagación brillan más todavía en seres menos perfectos.
¡Qué! ¿no descubrimos esta sombra de instinto,
esta propensión determinada al mismo fin en el

reino vegetal, aunque inmóvil, y a nuestro parecer
dotado de menos perfecta organización? ¿A cuál
de sus individuos faltan los medios de conservar
su vida y propagar su especie? Poned una planta
en la oscuridad, y veréis cómo alterando su natural dirección, se encamina en busca del aire que
debe respirar y de los fecundos rayos de luz que
la alimentan. Todas extienden sus raíces al paso
que sus ramas, para proporcionar el cimiento a
la cumbre. Todas las apartan de los lugares estériles, y las dirigen a los húmedos y pingües. Todas buscan, todas hallan su equilibrio, y perdido,
todas saben restablecerle. Apenas columbramos
sus amores; pero la diferencia de sexos y el don
de fecundidad los atestiguan. Ninguna ignora el
arte de distribuir y defender sus semillas, que ora
siembran y esparcen, ora las fían al ambiente o
a las aguas, provistas de airones o quillas para
que vayan a germinar lejos de su tallo. Si son
hambrientas y voraces, ved cuál se adhieren a los
verdes troncos o a los ancianos muros, y trepan
por ellos, y tienden sus brazos y multiplican sus
bocas, hasta saciarse de los jugos convenientes.
Si débiles y flacas, ved cuál dirigen sus ramillas
en busca del cercano apoyo, y le estrechan y abra-
zan en líneas espirales, o buscan otros medios de
seguridad y subsistencia. Así es como las propensiones se proporcionan a los recursos, y los recursos a las necesidades; y mientras la robusta
encina, cuyas raíces ocupan una región entera,

resiste apenas los embates del Aquilón, la dócil
caña, doblando su cuello, salva su vida y se burla
de los más violentos huracanes.

Pero al examinar las propiedades de los seres,
¿dónde llevaréis vuestros ojos, que no descubran
nuevas maravillas? ¿Por ventura carece de ellas
el reino mineral? ¡Ah! ¡cuántas nos reserva para
vosotros la química; esta ciencia de nuestros días,
que saliendo apenas de su infancia, levanta ya
entre las demás su orgullosa cabeza, y como la
astronomía al imperio de los cielos, parece aspirar
al de las sustancias sublunares! Ella es hoy el
anteojo de la física y la exploradora de la naturaleza. Perspicaz y desconfiada en sus combina-
ciones, pero constante y atrevida en sus designios,
logró desatar los vínculos de la materia, y sorprender algunos de estos secretísimos agentes, que
la naturaleza emplea en la formación y disolución
de los cuerpos. ¿Quién no admirará la índole de
sus sales, su forma regular, su tenaz propensión
a recobrarla, su amor y afinidad con unos cuerpos y su aversión y repugnancia a otros? Poned
en contacto los alcalinos y los ácidos, y ved qué
odio tan fervoroso, qué guerra tan encarnizada
excitáis entre ellos. Ninguno cederá hasta que mutuamente se destruyan, u otro agente los neutra-
lice, para producir una sustancia diversa. Pero
separados, ¿quién resiste a su fuerza? Troncos,
rocas, metales, todo lo disuelven, todo lo rinden
y avasallan. A su lado pelea la numerosa legión

de los gases, que parten su dominio; los gases, otras sustancias aeriformes, elásticas, impetuosísimas, y que invisibles como el espíritu, sólo pueden ser conocidas por sus efectos. Cuanto nos rodea reconoce su influjo. Este ambiente que respiramos, estos alimentos de que nos nutrimos, la sangre que bulle en nuestras venas, el aire, el agua, el fuego, todo es gas, todo pertenece a estos estupendos flúidos, en mil maneras combinados; sustancias impalpables, indóciles, y que sin embargo ha sabido sujetar a su mano el poderoso genio de la química.

Pero ¿acaso la química robará a la naturaleza todos sus arcanos? No, por cierto; una mano invisible detendrá sus pasos, y refrenará su temeridad si no los respetare. El hombre no verá jamás en los seres sino formas y apariencias; las sustancias y las esencias de las cosas se negarán siempre a sus sentidos. En vano los esforzará por observar los cuerpos; en vano seguirá las huellas que la naturaleza va rápidamente imprimiendo en sus formas; en la flúida vicisitud de su estado sólo verá mudanzas o fenómenos. En vano por estos efectos querrá subir hasta sus causas; tal vez alcanzará algunas de las inmediatas, pero no las intermedias y remotas, y por más que las siga, las verá confundires todas en aquella eterna, única primera causa, de que todo procede y se deriva, y por la cual existe todo cuanto existe. ¡Dichoso si siguiendo la maravillosa cadena de la existen-

cia, se prosternare a adorar la mano omnipotente,
que tiene su primer eslabón! Pero si esta gran
causa, si este ser adorable y benéfico ha rodeado
de sombras los principios de las cosas, ved cómo
5 por todas partes nos descubre sus fines. Más aten-
to a socorrer nuestras necesidades que a contentar
nuestro orgullo, nos presenta en todos los fenómenos y en todas las leyes naturales una tendencia, una determinación a fines conocidos y prove-
10 chosos, y en la reunión de estas determinaciones
nos hace columbrar aquel orden grande y admirable que armoniza el universo, y en el cual tan
gloriosamente resplandece el fin de la creación.

Ved aquí donde debéis encaminar vuestros es-
15 tudios. La naturaleza se presenta por todas partes
a vuestra contemplación, y do quiera que volváis
los ojos veréis brillando la conveniencia, la armonía, el orden patente y magnífico que atestiguan
este gran fin. Consultadla, y nada os esconderá
20 de cuanto conduzca a la perfección de vuestro ser;
el único entre todos dotado de una perfectibilidad
indefinida. Nada os esconderá, porque esta perfección pertenece al mismo orden y está conteni-
da en el mismo fin. Consultadla, y luego desenvol-
25 verá a vuestros ojos el admirable y portentoso
lazo con que sostiene el universo, atando y subor-
dinando todos los seres, haciéndolos depender unos
de otros, y ordenándolos para la conservación del
todo. Veréis que en él todo está enlazado, todo
30 ordenado; que nada existe por sí ni para sí; que

toda existencia viene de otra, y se determina hacia otra; y que todo existe para todo y está ordenado hacia el gran fin. Nada producirían los elementos primitivos sin los principios secundarios, ni existirían estos principios sin la sucesiva y perenne destrucción de los cuerpos. Sin la atracción, sin esta ley de amor, que coloca y sostiene todos los seres, y a la cual así obedece el anillo de Saturno como la arista arrebatada por un torbellino, la naturaleza, trastrocada, sólo presentaría confusión y desorden. Ella detiene al sol en el centro del mundo, y lleva en torno de él los grandes y pequeños planetas. Sin sus ordenados movimientos no luciera sobre nosotros el día, ni la callada noche protegería nuestro reposo; no habría meses ni años, ni medida que reglase nuestros cuidados y placeres, nuestros deberes civiles y religiosos. Sin ella no asomaría la primavera a renovar la vida y la vegetación, ni la sucederían el estío con sus doradas mieses y el otoño con sus opimos frutos, ni el invierno cobijaría en sus hielos y nieves las esperanzas de una futura renovación. Así es como el Omnipotente ató los cielos con la tierra, y como enlazó sobre ella todas las cosas en un mismo vínculo de amor y mutua dependencia. ¿No veis cómo las rocas durísimas, penetrando con sus raíces las entrañas de nuestro planeta, le ciñen, le estrechan por el Ecuador y las zonas, y dan estabilidad a su superficie? Ved cómo abren un ancho asiento a los tendidos ma-

res; pero ved también cómo les oponen los pro-
montorios y dilatados continentes para refrenar
el furor de sus olas, y cómo rompiendo acá y allá
seguros abrigos y ensenadas, llaman el hombre al
5 uso de las riquezas que produce su fondo, y le
convidan a la pesca, al comercio y a la navegación. Sobre estas rocas, como sobre un incontras-
ble fundamento, se levantan los montes; las
nieves cobijan y las nubes riegan sus cumbres, e
10 hinchen sus entrañas con aguas salutíferas, y la
tierra las cubre y enriquece con majestuosos árboles, en que hallan abrigo y alimento fieras y
aves, insectos y reptiles. Sin los despojos de estos
árboles y estos vivientes, sin las aguas que fluyen
15 de las alturas, fueran estériles los valles, y no ná-
cieran el rubio grano, ni la brizna de yerba, ni el
trabajo del hombre recogería tanta abundancia de
bienes y regalos, que la industria mejora y mul-
tiplica, el comercio cambia y la navegación difun-
20 de por toda la tierra. Así es como se enlazan también todos los pueblos que la habitan, como se
hacen comunes sus conocimientos, sus artes, sus
riquezas y sus virtudes, y como se prepara aquel
día tan suspirado de las almas, en que perfeccio-
25 nadas la razón y la naturaleza, y unida la gran
familia del género humano en sentimientos de paz
y amistad santa, se establecerá el imperio de la
inocencia y se llenarán los augustos fines de la
creación. Día venturoso, que no merece la corrup-
30 ción de nuestra edad, y que está reservado sin

duda a otra generación más inocente y más digna de conocer, por la contemplación de la naturaleza, el alto grado que fué señalado al hombre en su escala.

El hombre, ved aquí el rey de la tierra y el término de vuestros estudios. Vedle colocado en el centro de todas las relaciones que presenta la armonía del universo. Él es la única criatura capaz de comprender esta armonía, y de subir por ella hasta el supremo Artífice que la ordenó. Derramado por la superficie del globo, capaz de habitar todos sus climas, dotado de la organización más exquisita y de la forma más augusta, aparece en todas partes destinado a dominar la tierra. Firme y erguido entre los demás seres, su aspecto mismo anuncia su superioridad. ¡Ved cuán excelsa se levanta su frente al empíreo en busca de objetos dignos de su contemplación, y cómo sus ojos penetrantes circundan de un vuelo los dilatados horizontes y las bóvedas celestes! Habla, y todo viviente reconoce la voz de su señor, y viene humilde a su morada para ayudarle y enriquecerle, o tímido se esconde, respetando su imperio. No le resiste el rinoceronte en los umbríos bosques, ni la garza en la sublime región del viento, ni el leviatán en el profundo de los mares. Todo se le rinde; a su albedrío está el planeta en que tiene su morada, y ya le veis penetrar sus abismos, remover sus montes, levantar sus ríos, atravesar sus golfos, ya remontarse a las nubes para colocar su trono entre los cielos y la tierra. Su mano es instrumento admirable de invención, de ejecución, de perfección, capaz de mejorar la naturaleza, de dirigir sus fuerzas, de aumentar y variar y trasformar sus producciones, y de someterlas a sus deseos. Su palabra, vínculo inefable de unión y comunicación con su especie, le da la portentosa facultad de analizar y ordenar el pensamiento, pronunciarle al oído, pintarle a los ojos, difundirle de un cabo al otro de la tierra, y transmitirle a las generaciones que no han nacido aún. Sobre todo, su alma; ved aquí el más sublime de los dones con que plugo al Altísimo enriquecer al hombre, y el que corona todos los demás; su alma, destello de la luz increada, purísima emanación de la eterna Sabiduría, sustancia simple, indivisible, inmortal, que anima y esclarece la parte corpórea y perecedera de su ser, y encaramándola sobre toda la naturaleza visible, la acerca y asimila a las supremas inteligencias. Más aguda que la saeta en penetración, más veloz que el rayo en su movimiento, más extendida que los cielos en su comprensión, abraza de una ojeada todos los seres, penetra sus propiedades, sus analogías, sus relaciones, y subiendo hasta la razón de su existencia, ve en ella la gran cadena que los enlaza, y columbra la mano omnipotente que la sostiene.

Entonces es cuando extasiado en la contemplación de tan admirable armonía, pierde de vista

cuanto hay de material y perecedero en la tierra,
y levantándose sobre sí mismo, reconoce otro universo más noble y magnífico que el que le habían
mostrado los torpes sentidos, poblado de seres más
perfectos, gobernado por leyes más sublimes y ordenado a más excelsos e importantes fines. En
medio de este universo moral, descubre el alto
grado que le fué concedido en la escala de los seres,
ve más de lleno las relaciones que enlazan tantas
y tan varias esencias, y se lanza de un vuelo
hasta el inefable principio de donde todas manan
y se derivan. Allí es donde, penetrado de admiración y reverencia, reconoce aquella eterna y purísima Fuente de bondad, en la cual esencialmente
residen, y de la cual perennalmente fluyen los tipos
de cuanto es sublime, bello, gracioso en el mundo
físico, y de cuanto es justo, honesto, deleitable en
el mundo moral. Allí es donde se inunda, se em-
bebe en estos puros y generosos sentimientos, que
tanto realzan la gloria de la naturaleza y la dignidad de la especie humana; en la activa ilimitada
sensibilidad que le interesa, en el bienestar de
cuanto existe, en la augusta longanimidad que le
fortifica contra el dolor y la tribulación; en la
gran prudencia, la noble gratitud, la tierna compasión y la celestial beneficencia, corona de todas
sus virtudes; allí ve, en fin, cómo a él sólo fueron
dados este amor a la verdad, este respeto a la virtud, este íntimo religioso sentimiento de la Divinidad, que desprendiéndole de todas las criatu-

ras, le mueve y le fuerza a buscar solamente en
el seno de su Criador la causa y el fin de toda
existencia y el principio y término de toda felicidad.

5 Ved aquí, amados jóvenes, los títulos de vuestra dignidad; títulos gloriosos, a ninguno nega-
dos, y ante los cuales se eclipsan o se disipan
como el humo todos los títulos y vanas distincio-
ciones que la ambición y el orgullo han inven-
10 tado. Conocerlos, merecerlos, perfeccionarlos es el
sublime objeto de vuestros estudios y de mis ardientes deseos. ¡Venturosos vosotros si en medio
de la depravación de un siglo en que la superstición y la impiedad se disputan el imperio de la
15 sabiduría, siguiereis el único camino que ella señala a los que quiere conducir a su templo! Venturosos si le hallareis en el estudio de la naturaleza y en la contemplación del alto fin para que
fuisteis colocados en medio de ella! Venturosos si
20 ilustrado vuestro espíritu con el conocimiento de
las verdades que encierra, y perfeccionado vuestro corazón con la posesión de las virtudes a que
conduce, alcanzareis la verdadera sabiduría para
asegurar vuestra felicidad, mejorar vuestro ser
25 y acelerar la perfección de la especie humana!
Entonces podréis convencer con la razón y con
el ejemplo a aquellos hombres tímidos y espanta-
dizos, que deslumbrados por una superstiosa ignorancia, condenan el estudio de la naturaleza, como
30 si el Criador no la hubiese expuesto a la contem-

plación del hombre para que viese en ella su poder
y su gloria, que predican a todas horas los cielos
y la tierra. Entonces sí que podréis confundir más
bien a aquellos espíritus altaneros e impíos, baldón de la sabiduría y de su misma especie, que 5
sólo escudriñan la naturaleza para atribuirla al
acaso o abandonarla al gobierno de un ciego y
necesario mecanismo, usando sólo, o más bien abu-
sando, del privilegio de su razón para degradarla
bajo del nivel del instinto animal. Entonces sí que 10
subiendo continuamente de la contemplación de la
naturaleza a la de vuestro ser, y de ésta a la del
Ser supremo. y adorando en espíritu a este Ser
de los seres, Ser infinito, que existe por sí mismo
y que es principio y término de toda existencia, 15
perfeccionaréis el conocimiento de los grandes objetos en que está cifrada toda la humana sabiduría: Dios, el hombre y la naturaleza.

CARTAS

A DON ANTONIO PONZ

CARTA PRIMERA

Amigo y señor: Hemos hecho con gran felicidad la primera parte de nuestro viaje, y ya nos tiene usted descansando en León. No sabré yo explicar bastante bien cuánto nos hemos divertido en el camino. Nuestro Comendador contribuyó a ello cual ninguno, y vale un Perú para semejantes partidas. En medio de aquel aire circunspecto y aquella severidad de máximas que usted tanto celebra, tiene el mejor humor del mundo y el trato más franco y agradable que puede imaginarse. Así que sus conversaciones nos han entretenido continuamente, y sus ocurrencias sobre el carácter

---

7 *Comendador*. Debe de referirse a su hermano don Francisco de Paula, que, según Ceán, le acompañaba en este viaje: "Salió de Madrid para aquella ciudad [León] el día 20 de marzo de 1782, acompañado de su hermano don Fransisco de Paula, caballero de la misma orden [la de Santiago], que pocos meses antes había pasado a la Corte". CEÁN: *Memorias...*, pág. 30.

grosero y remolón de los carruajeros, la estrechez
y desaliño de las posadas, la aridez y monotonía
del país que atravesamos y otros objetos semejantes, fueron sobremanera oportunas y chisto-
5 sas. Nadie mejor que él sabe sostener en la conversación aquel tono zumbón y ligero que tanto
la sazona, y hace tan dulces y agradables las com-
pañías.

Pero ¿qué dirá usted cuando sepa que el caro
10 y dulcísimo Batilo tuvo la buena humorada de
venirnos a sorprender al camino, saliéndonos al
paso entre Rapariegos y Montejo de la Vega, y
al fin la de seguir con nosotros hasta Valladolid?
Usted podrá figurarse cuánto su venida habrá au-
15 mentado nuestro gusto y animado nuestras conversaciones, pues conoce como yo la reunión de
prendas estimables que adornan su carácter, y
sobre todo aquella índole dulce y suavísima que
le hace ser amado de cuantos le conocen.

---

10 "Les salió al encuentro en el camino desde Salamanca don Juan Meléndez Valdés, a quien había antes visto
y tratado en Madrid después que comenzó la correspondencia poética en Sevilla...; los acompañó dos jornadas,
hablando de versos y recitando otros que el mismo Meléndez acababa de componer, de los cuales quedó muy satisfecho don Gaspar, viendo que con sus amonestaciones con-
seguía la resurrección del buen gusto de la poesía española del siglo XVI." CEÁN: *Loc. cit.*—Durante este viaje
compuso Jovellanos su "Epístola a Batilo" con la descripción de la Vega del Bernesga, que incluyó en la segunda
carta a Ponz. Véase Rivad. L, 279.
12 *Rapariegos* y *Montejo de la Vega*, pueblos de la provincia de Segovia, a unas nueve leguas de la capital, en
la carretera de Madrid a Valladolid.

Después de la llegada de tan amable huésped, nuestro mayor placer fué oírle recitar algunos poemas compuestos después de nuestra última vista en eŝa corte. Su gusto actual está declarado por la poesía didascálica. Cansado del género erótico 5 que tanto y tan bien cultivó en sus primeros años, y que era tan propio de ellos como de su carácter tierno y sensible, ha creído que envilecería las musas si las tuviese por más tiempo entregadas a materias de amor, y sin dejarlas remontarse a 10 objetos más grandes y sublimes. En consecuencia emprendió varias composiciones morales llenas de profunda y escogida filosofía, y adornadas al mismo tiempo con todos los encantos poéticos. Aseguro a usted que se las oímos recitar no sin sor- 15 presa, porque a pesar de la inmensa distancia que hay entre esta especie de poesía y aquella en que antes se ejercitara, es increíble cuántos progresos ha hecho en ella y cuánto promete para lo sucesivo. El ensayo que incluyo hará ver a usted 20 que no me engaño, y que el autor de *la Palomita*, tan feliz imitador de Anacreonte y Villegas, podrá imitar algún día a Lucrecio y al amigo de Bolinbroke con igual gloria.

23-24 *el amigo de Bolinbroke.* Henry St. John, Viscount Bolingbroke (1678-1751), fué amigo de casi todos los escritores importantes ingleses y franceses de la época. Aunque en nota de este pasaje en la primera edición, Habana, 1849, dice que se refiere a Voltaire, es evidente que Jovellanos alude aquí a Alexander Pope, cuyas obras, *Pastorales* (1709) y *Ensayo sobre el hombre* (1733-34), imitó

Esta conversión de nuestro amigo a las musas graves nos dió lugar a reflexionar cuánto era reprensible el celo de aquellos ceñudos literatos, que deseosos de ennoblecer la poesía, reprenden como indigna de ella toda composición en que tenga alguna parte el amor. Yo, sin aprobar los abusos a que conduce este género, que así como los demás tiene sus extravíos, creo que una nación no tendrá jamás poetas épicos ni didascálicos, si antes no los tuviese eróticos y líricos. *Ætatis cujusque notandi sunt tibi mores,* decía Horacio. El hombre siente en su primera juventud, proyecta y ambiciona en la edad robusta, y madura ya su razón en la declinación de la vida, se entra en la jurisdicción de la filosofía, busca con preferencia los conocimientos útiles, y se alimenta con las altas verdades que pueden conducirle a la verdadera felicidad.

Esta misma graduación se nota en el gusto de la lectura. Anacreonte y Cátulo son las delicias de un joven; Homero y Virgilio de un hombre hecho; y Eurípides y Horacio de un anciano. Es, pues, consiguiente que los amigos de las musas

---

Meléndez por consejo principalmente de Jovellanos. Sobre la correspondencia y las relaciones de Jovellanos con Meléndez pueden consultarse: VALMAR, *Hist. crítica de la poesía cast. en el siglo XVIII,* vol. I, págs. 405 y ss., y el prólogo de Pedro Salinas a la ed. de Meléndez de esta misma colección.

10-11 "Debes tener en cuenta las costumbres de cada edad", *Arte Poética,* 156.

sigan este orden establecido por la naturaleza misma; que escriban de amores cuando la razón enmudece y el corazón sólo siente las arrebatadas impresiones de esta pasión halagüeña. Es natural que traten de guerras y conquistas, de grandes y 5 estupendas revoluciones, cuando el deseo de mando y gloria enciende su imaginación, arrebata su espíritu, y le encarama a una esfera ideal llena de encantos y peligros. Y en fin, es natural que se entreguen del todo a la investigación de su ori- 10 gen y obligaciones y al conocimiento de las verdades universales y profundas de la metafísica y la moral, cuando sosegado el tumulto de las pasiones, sólo habla en su interior el conato de su existencia, sustituyendo al gusto de sentir y go- 15 zar los placeres, el de conocerlos y juzgarlos.

Ahora bien: el talento poético, así como todos los demás, se debe desenvolver y cultivar desde la juventud, y aun éste con mayor razón, no sólo porque pide gran fuerza de imaginación, sino por- 20 que la poesía es un arte, y sólo se puede perfeccionar con el hábito. Con que si usted vedase a los jóvenes la poesía erótica, los inhabilitará sin remedio para los demás géneros; y si les prohibiese la lectura de Tíbulo y Villegas, jamás lo- 25 grará igualen a Persio ni a León. Fuera de que, siendo el amor una pasión universal, no hay quien no sea capaz de juzgar los poemas que le perte-

---

14 *conato*, "propósito" *(Dicc. Ac.).*

necen. Acaso las mujeres podrían aspirar mejor
a esta judicatura, por lo mismo que es mayor y
más delicada su sensibilidad. Sea como fuere, de
aquí nace la facilidad de censurar los poemas eróticos; de aquí la necesidad de corregirlos; y de
aquí, finalmente, todos los estímulos que allanan
la senda de la perfección y conducen a la fama,
fuerte y poderoso cebo de las almas bien tem-
pladas.

Como quiera que sea, Batilo está ya en la en-
crucijada, y la copia adjunta hará conocer a usted
hasta dónde podrá llegar echando por esta gloriosa cuanto difícil senda.

Disculpe usted, amigo mío, esta digresión en
favor del cariño que profesamos a nuestro poeta,
y vamos a otra cosa. Veo que usted estará esperando la descripción del país y los pueblos que
hemos corrido en esta travesía; pero, amigo, la
espera en vano, porque no me atrevo a empren-
derla. Óigame usted antes de condenarme.

Caminar en coche es ciertamente una cosa muy
regalada, pero no muy a propósito para conocer
un país. Además de que la celeridad de las marchas ofrece los objetos a la vista en una sucesión demasiado rápida para poderlos examinar,
el horizonte que se descubre es muy ceñido, muy
indeterminado, variado de momento en momento,
y nunca bien expuesto a la observación analítica.
Por otra parte, la conversación de cuatro personas embanastadas en un forlón, y jamás bien uni-

das en la idea de observar, ni en el modo y objetos de la observación; el ruido fastidioso de las
campanillas y el continuo clamoreo de mayorales
y zagales, con *su bandolera, su capitana y su tor-
dilla,* son otras tantas distracciones que disipan el ₅
ánimo y no le permiten aplicar su atención a los
objetos que se le presentan.

Agregue usted a esto la naturaleza del país que
acabamos de atravesar, compuesto de inmensas
llanuras, de horizontes interminables, sin montes ₁₀
ni colinas, sin pueblos ni alquerías, sin árboles ni
matas, sin un objeto siquiera que señale y divida
sus espacios, y fije los aledaños de la observación,
y verá que es incapaz de ser observado de carrera, y que se resiste sin arbitrio al estudio y me- ₁₅
ditación del caminante.

Ni aun la forma del cultivo puede suplir, como
en otras partes, este inconveniente. Usted no ve
por esta línea de Madrid, particularmente pasada
la falda del Guadarrama, otra cosa que tierras y ₂₀
más tierras, de sembradío o de viñedo, pero sin
casas, cercas, vallados ni arbolado, y que sólo presentan a la vista, o un yermo espantoso cuando
alzado el fruto, o cuando pendiente, una escena
inmensa de mieses y viñas, rica y magnífica a la ₂₅
verdad, pero también cansada por su uniformi-
dad, que apenas puede sostenerse aún la agrada-

---

4 Gritos del mayoral y los zagales para animar a las
caballerías.

ble estación del año. Como no hay edificios rústicos ni linderos visibles que señalen la división
de las propiedades, usted tampoco puede distin-
guir fácilmente lo bien de lo mal cultivado, ni
5 saber a quién pertenece la aplicación o el abandono. Es, pues, imposible hacer una buena descripción de este país; y yo, después de recorrer los
apuntamientos de mi diario, sólo puedo sacar de
ellos estas melancólicas reflexiones y el triste con-
10 vencimiento que producen.

Esto es por lo que toca al suelo; pero otro tanto
se puede decir de los pueblos y mansiones. Quien
llega a comer a una posada lleno de cansancio y
fastidio, y sólo tiene tiempo para dar una mirada
15 muy de paso a tal cual objeto digno de ser visto,
¿qué es lo que podrá decir acerca de ellos? Mucho
menos si llega al pueblo con el crepúsculo de la
tarde, y sale con el de la aurora, como sucede de
ordinario. Para conocer los objetos es preciso
20 observarlos muy detenidamente, preguntar, inquirir, apuntar sus más notables circunstancias. De
otro modo, el observador se expone a grandes
errores y equivocaciones, y tengo para mí que la
falta de este detenimiento es la que ha puesto en
25 tanto descrédito las relaciones de los viajeros.

Sin embargo, una observación general salta a
los ojos al atravesar tantos lugares sucios y de-
rrotados como hay en esta línea, y es la pequeñez,
la fealdad y el estado miserable y ruinoso de sus
30 edificios. Hechos por la mayor parte de tapia o

de adobes, si se levantan con facilidad, con la misma se desmoronan a la simple acción del sol y de
las lluvias. ¿Sabe usted que el origen de este mal
está en la falta de combustibles? Es verdad que
escasean la piedra, la cal, la madera; pero el la-   5
drillo ¿no remediaría esta falta si hubiese con que
cocerle? Bien fácil sería el remedio, o por lo menos seguro y posible. ¿Cómo?, dirá usted. Paciencia, y después me explicaré.

Ahora, y para que no vaya esta carta entera-   10
mente vacía, hablaré a usted de lo que me ha parecido más notable en la línea que hemos corrido,
esto es, de los silos, las cuevas y las glorias de
Castilla y Cameros.

Los silos son unos graneros subterráneos desti-   15
nados a conservar el trigo por largos años. La fe-
racidad de este suelo, su poca población, y la
falta de proporciones para buscar un consumo exterior al sobrante de sus frutos, obligó naturalmente a los castellanos a preferir esta especie de   20
graneros baratos, y donde el trigo se puede conservar veinte, treinta y aun cien años sin perderse. La calidad del terreno que sugirió este recurso,
concurrió sin duda a generalizarle y arraigarle.

---

14   La tierra de Cameros está en las provincias de So-
ria y Logroño, tomando su nombre de la sierra que las
separa. Aunque por el texto pudiera deducirse lo contrario,
no pasó por allí Jovellanos en este viaje. Se refiere, sin
embargo, a ella, como lo prueba el hecho de citar más adelante las palabras *zarceras* y *zierceras*, con las que se de-
signan en la Rioja los respiraderos abiertos en las bodegas.

Por todo él se halla un fondo de arcilla de tan
enorme espesura, que sería increíble, si no le mos-
trase a los ojos el interior de los silos y bodegas,
que da tanto que pensar a los profesores de historia natural como a los economistas. Basta, pues,
abrir un hueco proporcionado a la cabida que se
quiere dar al silo, y sin otra precaución, el grano
metido en él se mantiene seco y se preserva de la
corrupción. Sin embargo, el fondo del silo está
por lo común enladrillado, y tal vez todas sus paredes, por temor de que se rezume alguna humedad. Su forma interior es de ordinario cónica y
de la figura de una pera, y su capacidad proporcionada a dos mil cargas de trigo, esto es, a ocho
mil fanegas, bien que hay en esto su más y su
menos.

Cuando los silos están contiguos a las casas, su
boca comunica a lo interior de ellas, a cuyo fin la
puerta está dividida en dos hojas, una sobre otra,
para facilitar la salida; mas cuando se hallan fuera de los pueblos, tienen sólo una boca en la parte
superior. Cúbrela su losa, atravesada con una barra de hierro y cerrada con llave y candado. Así
es cómo los moradores de este país tienen su principal riqueza abandonada en los mismos campos
que la producen, librando su seguridad, más que
en los hierros y cerraduras, en la fidelidad de sus
vecinos.

No obstante, habiendo visto yo algunas paneras
construídas de poco acá en Castilla, y oyendo a

los naturales que empezaba a abandonarse el uso
de los silos, quise indagar con cuidado la causa
de esta novedad, y todos me dijeron que era el
haberse hecho en tiempos recientes varios robos
del trigo encerrado en ellos. La causa, a la verdad, 5
me pareció insuficiente para alterar una costumbre tan vieja y tan general, y pensando y repen-
sando en ella, he discurrido otras, que creo más
verosímiles. Veamos si a usted se lo parecen.

Los silos son conocidos muy de antiguo en Es- 10
paña, porque se halla ya memoria de ellos en Columela, y no hay duda en que su introducción en
Castilla se debe atribuir, aun más que a su utilidad, a su necesidad absoluta. Más arriba hemos
indicado la causa de esta necesidad. Pero el con- 15
sumo de los trigos de esta provincia ya no es tan
difícil como dos siglos ha: primero, porque ha-
biéndose fijado la corte en Madrid a principios del
pasado, aumentádose enormemente su población,
y disminuídose las cosechas de su contorno por 20
los grandes acotamientos hechos ya desde el tiempo de Felipe II, el gran consumo de ese pobla-
chón, abastecido por la mayor parte de Castilla,
facilitó el despacho de sus trigos; segundo, porque la abertura del puerto de Guadarrama, faci- 25
litando los transportes, extendió naturalmente la
esfera de los consumos; tercero, porque, construído el camino de Santander, aunque muy a tras-
mano respecto del reino de León, como puede to-
todavía dar salida al trigo de Palencia y Burgos, 30

hace menos funesta la superabundancia de Castilla, pues al fin los granos de cada provincia, supuesto su libre comercio, se equilibran poco más o
menos como los líquidos echados sobre un plano;
5 cuarto, porque se ha abolido la tasa de los granos;
porque ha sido más libre su circulación interior;
porque, aunque no muy constantemente, se ha per-
mitido muchas veces su exportación al extranjero, y muchas más a nuestras provincias litorales.
10 Síguese de aquí que ya no puede haber tantos
sobrantes que conservar en Castilla, y por lo mismo tanta necesidad de silos. Por otra parte, en
ellos se desperdicia todo el trigo que toca a su
fondo y paredes. En empezando a vaciarlos, que-
15 da el grano muy expuesto al gorgojo. El trigo, sin
tener más harina, crece en volumen en las paneras por medio del apaleo, y esto da una ventaja
en las ventas, que comúnmente se hacen por medida y no al peso; y, en fin, siempre la riqueza
20 está mejor en casa que en el campo. Infiera usted,
pues, que no el miedo, sino estas causas de utilidad y conveniencia debieron alterar la antigua costumbre, y dar la preferencia a las paneras sobre
los silos.
25 Las cuevas o bodegas fueron también inventadas en Castilla por la necesidad, para guardar y
conservar por largo tiempo los vinos de sus abundantes cosechas. Son unas grandes minas abiertas
a pico en las entrañas de la tierra, que en este
30 país, como he dicho, es arcillosa y de una dureza

extraordinaria. Compónense de varias naves o galerías, pues suelen tener cuatro o cinco, con comunicación entre sí y sostenidas sobre pilares del mismo barro, dejados de trecho en trecho para apoyo de la bóveda superior. En los costados de ⁵ estas naves hay grandes nichos, donde se colocan los toneles, que son de enorme tamaño y cabida. Cada cueva puede contener cuatro o seis mil cántaros de vino, y aun creo que en la vega del Toral las hay que admiten hasta catorce mil. ¹⁰

Tal es la forma de estos templos de Baco, cuya arquitectura puede compararse a la de los antiguos y grandes subterráneos de Egipto, inventados también por la necesidad mucho antes que las portentosas pirámides lo fueran por la su- ¹⁵ perstición y el orgullo. En Villacañas, Consuegra y otros términos de la Mancha hay también muchas cuevas semejantes destinadas a la habitación de los naturales. ¡Qué buena especie para un anticuario que quisiera apoyar en ella la venida de ²⁰ los gitanos a poblar aquellas regiones!

Bájase a estos edificios por unas rampas suaves y tendidas, y aunque muy hondos, son por lo común bastante claros, porque de trecho en trecho, y a lo largo de las naves, tienen sus troneras, ²⁵

---

9 *Vega del Toral*, comarca en la provincia de León, partido judicial de Valencia de Don Juan, que cruza el camino real de Madrid a Asturias.

16 *Villacañas, Consuegra*, pueblos importantes de la provincia de Toledo.

que penetran hasta la superficie a recibir la luz
del cielo, tomada siempre del Norte. Llaman a
estas claraboyas *zarceras,* sin duda por corrupción
de la palabra *zierceras,* pues todas tienen su ven-
⁵ tana al cierzo. Sin embargo, es muy poca su ven-
tilación, y su interior está siempre lleno de aire
espeso y mal sano, que se purifica haciendo de
tiempo en tiempo grandes lumbradas. Por lo mismo es necesario entrar en ellas con precaución, y
¹⁰ la que más de ordinario se toma, es llevar una
luz encendida, y cuando la llama se disminuye o
apaga, indicio de la espesura del aire, se vuelve
inmediatamente a la puerta a huir del riesgo, buscando la respiración más libre, cerca o fuera de
¹⁵ ella. La experiencia del remedio ha familiarizado
a estos naturales con un peligro tan próximo, y
enseñádoles a tenerlo en poco.

Las cuevas están todas en poblado y a orilla de
los lagares, desde donde exprimida la uva y he-
²⁰ cho el mosto, cuela por unas largas canales de madera hasta los toneles que le tragan, recibiendo
cada uno al paso del licor la cantidad que le destina el dueño: operación que me ha parecido tan
sencilla como bien inventada y económica.

²⁵ A estas fuentes subterráneas vienen los arrie-
ros de Asturias a llenar sus cántaros, o por mejor
decir sus pellejos, comprando el vino al pie mismo
de los toneles; y como algunos bebedores prefie-
ran el más fuerte al más ligero, vería usted va-
³⁰ rias piqueras colocadas perpendicularmente unas

sobre otras desde lo más bajo a lo más alto del
tonel, y cada arriero pidiendo de la suya, según
el gusto de sus consumidores. Si por este medio se
logra o no graduar la fortaleza de un mismo licor
encerrado en un mismo tonel, díganlo los prácti- 5
cos, que yo ni lo soy ni lo entiendo.

Vamos ahora a las glorias de Campos, otro in-
vento de la necesidad, no menos útil y oportuno
que los antecedentes. Si usted no ha oído de ellos
otra vez, esperará con impaciencia la explicación 10
de una cosa a que se da nombre tan magnífico.
Pero, amigo mío, no hay que engañarse. Las glorias de Campos no son otra cosa que las cocinas,
y no hay que extrañarlo, siendo ya tan común poner la bienaventuranza en la mesa. Yo haré su 15
descripción como Dios me ayudare, y veremos después si atino con la razón suficiente de su nombre.

La falta absoluta de los combustibles, que abundan y son de uso común en otras partes, ha obligado a los moradores de tierras de Campos a ser- 20
virse en sus cocinas de sarmientos, cardos, boñi-
gas secas y paja, y por una consecuencia natural,
a proporcionar la forma de sus hogares al uso de
estas fáciles y leves sustancias. No ha influído
poco en ella la frialdad del clima y la larga dura- 25
ción del invierno, pues aumentando la necesidad
de los fuegos en este desamparado país, han hecho más sensible la escasez de leñas, y perfeccionado el uso económico de los pocos y malos combustibles que en él se encuentran. 30

De uno y otro ha nacido el singular método de construir las cocinas de Campos, que no son otra cosa que unas grandes estufas hechas en la forma siguiente: a lo largo de la sala más capaz y cómoda de la casa se construye un poyal hueco, de buena bóveda de ladrillo, y de cuatro a cinco palmos de altura, que corre arrimado a la pared. En medio de este poyal, y al frente, se abre una boca en arco de tres cuartas de alto y casi la misma anchura, cuyo centro forma una especie de hornilla, que en la parte superior tiene su respiradero, esto es, un cañón embebido en la pared o tapia de la espalda, y que penetrando por ella, sube hasta buscar el aire libre. El hogar está en el suelo de esta hornilla, y el modo de hacer fuego se reduce a encender en él unos sarmientos, e ir echando encima varias capas de paja trillada, ni tan lentamente que se consuman del todo, ni tan de priesa que sofoquen y apaguen la lumbre. De tiempo en tiempo se aprieta la paja y se continúan las capas hasta llenar enteramente la hornilla, que suele tragarse hasta medio carro de paja, medida proporcionada a la duración y consumo de un día. Este montón se rocia por encima con agua, y se cubre y aprieta con piedras para que el fuego se concentre más y más, y quede del todo cobijado. Hecho esto, se arriman a él las ollas y todo lo que hubiere de ser cocido o guisado, y se cierra la boca de la hornilla con su puerta de madera forrada en hierro; y sin otra diligencia

se sazonan maravillosamente las ollas y guisados,
usándose de hornos comunes para los asados y
pastas, si tal vez se trata de hacerlos en un país
donde no ha entrado todavía el lujo de las mesas.

Pero no crea usted que estén destinadas las glo- 5
rias a este solo uso. Al entrar en alguna de ellas,
usted creerá ver el *salon nobile,* o sea el estrado
de la casa, por ser no sólo la pieza más capaz, sino
también más limpia y adornada, y aun la más ha-
bitada de todas. En ella asisten de continuo los 10
dueños: se reciben visitas, se tienen las tertulias
y veladas por la noche, y en ella las comidas, los
bailes y todas las funciones de sociedad y regocijo. A este fin, cuando se quiere llamar el calor
adentro, se tapa la garganta de la gloria con una 15
paleta de hierro que la atraviesa, y como los po-
yos son huecos, el calor se reparte con igualdad
por toda la sala; los concurrentes, sentados a la
larga sobre ellos, le disfrutan sin necesidad de
apiñarse, de tostarse las piernas ni de helarse las 20
espaldas, como suele suceder en nuestras ponde-
radas chimeneas; y vea usted aquí cómo el país
más frío de España y más falto de combustibles
ha llegado a perfeccionar el abrigo de sus habitaciones hasta donde no lo han conseguido los más 25
abundantes y delicados de Europa.

7 *salon nobile,* expresión italiana cuyo significado explica la frase siguiente. Los italianos llaman así, en efecto,
al salón más bello y adornado de un palacio donde se recibe a la gente de cumplido.

Ahora bien: ¿será extraño que unas oficinas destinadas a la sociedad y al regocijo de unos pueblos que no conocen otra especie de entretenimiento, se hayan levantado con el nombre de glorias? Júzguelo usted; que yo, llevado de la analogía, no acertaré con otra etimología de esta palabra.

Dirá usted que con tanto hablar no he logrado darle una ligera idea del país que acabamos de atravesar; pero ya he dicho por qué no podía darla. Si usted me apura, será más fácil decirle lo que serán con el tiempo Castilla y León, que lo que son en el día. Figúrese usted concluídos los canales de Castilla y Campos en toda la extensión de su proyecto; figúrese que tocan desde las anchas faldas del Guadarrama hasta Reinosa, León, Zamora y Extremadura; figúrese que las aguas del Eresma, del Pisuerga, el Carrión, el Duero, el Voltoya y el Ezla extienden el riego y la navegación por ambas provincias; que, en consecuencia, se dividen sus fértiles territorios en suertes pequeñas; que estas suertes se pueblan de hombres y ganados; que se plantan, abonan y cultivan con esmero; que crecen con el producto las subsistencias, con las subsistencias los hombres, y con los hombres el trabajo, la abundancia, la alegría y la felicidad. ¿Quiere usted después industria, comercio, opulencia? No tiene más que abrir avenidas al mar de Asturias y Cantabria, y verá usted que Castilla es otra vez el emporio de España... ¿Duda usted que se acabarán estos canales? Yo no. Ello es fácil. Dediquemos a conquistar nuestras provincias lo que gastamos en invadir las ajenas, y verá usted vencido este imposible. ¡Cuándo apreciaremos la paz en lo que vale! ¡Cuándo aborreceremos la guerra tanto como merece!

Basta: no espere usted noticias de León, si ya no es la descripción del edificio que habito, y me tiene encargada. Le estoy reconociendo, y juntando las que tocan a su origen y autores, y a lo que contiene más digno de memoria, y creo que harto habrá para llenar una carta. El deseo de arrancar de aquí cuanto antes para doblar mis Alpes, me aguija continuamente, y me obligará a recordársela. Cuente usted con ella y con el buen afecto de, etc.

CARTA TERCERA

Amigo y señor: Cuanto más veo y observo este país poco conocido, tanto más siento que usted haya defraudado al público de las observaciones que pudo hacer en él cuando le reconoció en 1772. Si el único objeto de sus viajes y escritos fuesen las bellas artes, tuviera alguna disculpa su silencio, porque ciertamente no es Asturias el suelo donde más han florecido. Pero después que la agricultura, la industria, los montes, los caminos, la población y todos los objetos de que pende la felicidad de una provincia, dan materia a sus observaciones, o yo me engaño mucho, o Asturias tiene mucha razón para quejarse de no haber hallado todavía en sus cartas el lugar que merece.

Esta queja sería tanto más justa, cuanto Asturias puede fundarla, no ya en ser poco conoci-
5 da, sino en ser siniestramente juzgada. Situada en el extremo septentrional del reino, y confinada entre la más brava y menos frecuentada de sus costas, y una cordillera de montañas inaccesibles, sabe usted que los españoles nacidos de la
10 otra banda tienen de ella poco más o menos la misma idea que de la Laponia o la Siberia, y que juzgándola por los miserables que la abandonan, y que de ordinario no son otra cosa que la redundancia de su población, la tienen por una región
15 miserable y estéril, o por una cruel madrastra, que no pudiendo alimentar sus hijos, los emancipa y echa de sí para que vayan a servir con los más ruines ministerios a los venturosos moradores de otras provincias.

20 Ahora bien: si este error y estas falsas ideas se desvanecen desde el punto que, vencidos los montes, se empieza a observar el suelo, el cultivo, las producciones y las costumbres de Asturias, ¿cómo es que usted pudo preferir la descripción
25 de otros objetos y países más comunes y conocidos a la de una provincia tan digna de la curiosidad de un viajero y de la meditación de un filósofo?

Dejando aparte que Asturias pueda mirarse
30 como la cuna de la libertad, de la nobleza, y en

cierto sentido de la religión de España, y que en
ella existen y en ella deben ser buscados los venerables monumentos de nuestra historia, basta-
rían para recomendarla los grandes objetos que
la naturaleza reunió en su suelo. ¿Pudo usted ob- 5
servar sin admiración en su viaje sus frondosos
bosques, sus valles amenísimos, sus montes levantados hasta las nubes, sus ríos, ya precipitados de
lo alto de la cumbres por extrañas y vistosas cas-
cadas, o ya brotando de repente al pie de su fal- 10
da? ¿Pudo usted dejar de sorprenderse agrada-
blemente a la vista de tantas eminencias, preci-
picios, alturas, cañadas, grutas, fuentes minerales, lagos, ríos, puertos, playas, y en fin, cuanto
produce de grande y singular la naturaleza? Ni 15
debe salvar a usted la disculpa de que deja este
cuidado a otros que por haber nacido en el país
tendrán proporción de tratar más exactamente de
sus cosas. Fuera de que esta razón es demasiado
general y aplicable a todas las provincias, sabe 20
usted que no son los naturales de ellas los más a
propósito para describirlos, o porque familiarizados con los objetos que están continuamente a su
vista los observan y juzgan de ordinario con menos atención, o porque no los comparan, o los com- 25
paran con espíritu parcial o preocupado, o en fin,
porque es difícil hablen con la libertad de un extraño, siempre expuestos a la inevitable alterna-
tiva de ser tenidos por parciales, si hablan bien,
y por preocupados y desafectos, si mal. Además 30

de que si es dado a todos el ver y observar, es
dado a pocos el calificar con juicio y buena crítica, y dado a menos el definir con exactitud y gracia. Para uno y otro se necesita talento, instrucción, gusto y, sobre todo, aquel tino que nace del
hábito de observar y analizar, y aquella facilidad
que sólo puede deberse a la de definir y describir;
en todo lo cual ninguno tendrá la vanidad de com-
petir con usted. Así que, fuera melindres, y vá-
yase ciñendo para esta empresa. Y pues quiere
que yo ayude a ella dándole razón de lo que obser-
vare en mi viaje, lo voy a hacer de mil amores,
prometiéndole en mi correspondencia una pepitoria de observaciones naturales, económicas, histó-
ricas, artísticas, y si usted quiere políticas y morales, de las cuales podrá tomar y dejar para su
descripción lo que más le pluguiere.

Por ahora, conténtese usted con la relación del
viaje que acabamos de hacer desde León a esta
ciudad, porque no hay tiempo para otra cosa, no
habiendo descansado aún de las fatigas del camino, y mucho menos de la que causa a un recién
llegado la lluvia de abrazos y preguntas, de visitas y ceremonias que caen encima antes de sen-
tarse ni quitarse las botas.

---

10 *ceñirse.*
13-14 *pepitoria,* "conjunto de cosas diversas y sin
orden" *(Dicc. Ac.).* FORNER: *Exequias:* "Que adquiriendo
en una lectura vaga una ciencia de pepitoria." Véase edición Clásicos Castellanos, pág. 97.

La mitad de la primera jornada, saliendo de León, se hace por una vastísima llanura llamada vulgarmente la *Hoja*, acaso por la igualdad con que se tiende a una y otra parte. Colocada en la altura que media entre las vegas del Torio y el Vernesga, se sube a ella por una cuesta larga y tendida, y se desciende por otra grande, breve y tan penosa por su pendiente como por los enormes morrillos de que está sembrada. Es la tal *Hoja* un inculto despoblado, donde usted desearía ver a lo menos multiplicados los plantíos, para que no faltase alguna especie de vivientes en tan vasto terreno; y a buena fe que es capaz de dar no sólo excelentes árboles, sino también muchos frutos, una vez poblado y reducido a cultivo. Su terreno, aunque flojo y guijoso, puede todavía producir mucho pasto, aumentar muchos ganados, proporcionar abundantes abonos y criar buenas cosechas de centeno y batatas, y finalmente dar establecimiento a algunos centenares de colonos, que convertirían este desierto en un país de vida, de producción, de abundancia y alegría.

Hacia la mitad de este páramo edificó la necesidad un ventorrillo, que probablemente fué antes barraca, pues conserva este nombre, y apenas merece otro. Es el único abrigo que usted halla entre León y la Robla, distante cuatro leguas. A este lugar, situado en terreno llano y bien regado a orilla del Vernesga, se baja por la áspera y pedregosa cuesta de que hablé a usted, y que pare-

ce destinada por la naturaleza para dividir unos
países tan diferentes en clima, aspecto y producciones. En efecto, en él acaba la jurisdicción ecle-
siástica de León y empieza la de Oviedo, y es la
5 primera población del obispado de Oviedo.

Antes de bajar la cuesta, y desde lo más alto,
se presenta una escena que empieza a recrear por
su gran diferencia de las que dejamos a la espalda. Es inexplicable cuán grata sensación causa su
10 amenidad en el ánimo de los que le ven viniendo
desde los áridos y desnudos campos de Castilla.
Un estrecho y fresco valle que el río Vernesga
atraviesa y fertiliza corriendo de Norte a Sur; un
montezuelo que le ciñe y estrecha por el Poniente,
15 cubierto de altos y frondosos árboles; los lugares
de Llanos y Sorribas, situados en su falda a la
otra parte del río; varios caseríos salpicados acá
y allá, muy cuidadosamente cultivados y divididos
en prados llenos de muchedumbre de ganados, en
20 sembrados de lino, de maíz y centeno, y en huer-
tos de fruta y hortaliza; algunas fuentes y arro-
yuelos, cuyas cristalinas aguas corren y serpean
por todos lados hasta perderse en el río; y sobre
todo cierta frescura y fragancia que de todos estos
25 objetos participa el ambiente, hieren de tal manera los sentidos del caminante, que excitan en
su alma agradables sensaciones, y la llenan sin
arbitrio de paz y de alegría. Añada usted a esto
la ilusión con que debía recibir semejantes impre-
30 siones quien se acercaba a su patria, restituído a

ella después de larga ausencia, y hallará que no en vano le recuerdo este instante como uno de los más dulces de mi vida.

Pero cuanto agradan las inmediaciones de la Robla, desagrada y fatiga la mansión que se hace en él. No es fácil expresar a usted cuán mala, cuán sucia y cuán incómoda es la posada. Lejos de ofrecer al pasajero un asilo contra las molestias del camino, hace desear con ansia volver al camino para huir de un albergue tan molesto y desamparado.

De la Robla, siguiendo la orilla del río que baja por la izquierda, se va a Puente de Alba, Peredilla y la Pola de Gordón, en cuyo trecho unos enormes peñascos estrechan considerablemente el paso; pero sería muy fácil franquearle dando en las peñas algunos barrenos, y sin otra diligencia quedaría abierto un camino eterno.

En esta villa, capital de su concejo, se paga un fuerte portazgo al conde de Luna, si no me engaño. Este portazgo es más notable por sus excep-

---

20 Coincide la descripción de este viaje con parte de la que hace el mismo Jovellanos en el Diario primero: "Viaje de Madrid a Gijón para visitar de Real Orden en Asturias las minas de carbón de piedra." Da allí numerosas noticias sobre casi todos los lugares citados en esta carta. Véase, por ejemplo, lo que dice del portazgo al conde de Luna; "sigue a la Pola de Gordón; aquí cobra el conde de Luna (Uceda) un portazgo todo el año de tres cuartos cada caballería de carga cargada, y seis maravedís la de carga; la de vacío y la montada no paga. El ganado vacuno y mu-

ciones que por su gravamen. Nada paga el ganado
lanar, privilegiado por doquiera que vaya; nada
el de paso y montura. El ganado mular y el de
cuerno paga sólo en tiempo de ferias, pero las
5 caballerías de carga pagan doce maravedises con
ella y seis de vacío. Vea usted, pues, sobre qué
buenos principios está calculado este impuesto.
Usted querría, y con razón, ver desterrados todos
los portazgos, y principalmente aquellos cuyo pro-
10 ducto no se invierte en beneficio de los contribu-
yentes ni del público; pero ¿qué diría usted de los
que, siendo dudosos en su origen, son opresivos
por su forma y por el enorme embarazo que presentan al tráfico interior? Pásase luego el puente
15 del Tornero, y se sigue por la orilla izquierda del
río, al cual se juntan algunos riachuelos que vienen por una y otra mano. Aquí ya no se conoce al
Vernesga por su nombre, pues los naturales, como
sucede en otras partes, dan a los ríos el de los
20 pueblos por donde pasan, como río de Gordón, de
Buiza, de Pajares, etc.

A tres leguas de la Robla se tropieza con Buiza,
lugar mayor que la Robla, pero de malísima posada y malísima asistencia. Con esto digo a usted
25 que aquí pasé yo, y pasarán otros muchos de los
que van o vienen de Asturias, malísima noche.
Este mal sólo tiene un remedio; haga usted que

lar paga cuando va a la feria de León, y el lanar no paga,
por ser del país o privilegiado con la mesta". *Diarios*, Madrid, Hernando, 1915, pág. 3.

nos den buen camino, y lo verá poblarse de muy buenas posadas.

En la media legua de distancia que hay desde Buiza a Villa Sempliz está la famosa cuesta conocida por la collada de Buiza, que es lo peor que hay en esta travesía. Es peligrosa en los inviernos por las nieves, pero no sería difícil abrir por ella un buen camino, porque el terreno es firme, y aunque grande su altura, puede faldearse suavemente al favor de dos tornos que están bien indicados a la simple vista.

La cuesta de Villamanín, que se encuentra después, conduce a mayor altura. Antes de subirla se entra a su falda por una estrechísima garganta abierta en peña viva, que forma el célebre paso de Puente Tuero. ¡Si viera usted qué sublimes son por su forma y su altura las dos enormes rocas de cuarzo, escarpadas perpendicularmente, camino nunca pasado sin angustia por la gente medrosa e inexperta, pues la altísima cumbre que se ve de una parte, y el profundo despeñadero hasta el río que va por lo más hondo de la otra, llenan de horror y susto a las personas poco acostumbradas a verse en tales situaciones!

Pero ¡cuán al contrario al curioso contemplador de la naturaleza! Aquellas elevadísimas rocas, monumentos venerables del tiempo que recuerdan las primeras edades del mundo, al paso que ofrecen a la vista un espectáculo grande, raro y en cierto modo magnífico, llenan el espíritu de ideas subli-

mes y profundas, le ensanchan, le engrandecen y
le arrebatan a la contemplación de las maravillas
de la creación.

Sin este antemural, decía yo alguna vez dentro
5 de mí mismo, ¿qué sería de la libertad de España?
Aun olvidando los inútiles esfuerzos que costó a
Roma reducirle a su dominio, él solo detuvo el número y la fuerza de un enemigo poderoso a quien
nada se había resistido desde Tarifa; él solo sir-
10 vió de escudo a la santa religión de nuestros padres, y él solo ofreció un asilo a las reliquias del
imperio godo, refugiadas a lo interior de Asturias; a aquellos buenos y esforzados varones, que
no contentos con negarse al yugo infame del Ber-
15 berisco, combatiendo gloriosamente por la patria,
le fueron arredrando hasta arrojarle del todo de
sus conquistas.

Pasado Villamanín se hallan en el mismo camino y a sus lados las poblaciones de Ventosilla,
20 Villanueva, Camponglo, Busdongo, Vegalamosa y
Arbas. En este último, situado en el monte de Val-
grande, vertientes a León, y separado del camino
real, está la antiquísima colegiata de Santa María
de Arbas del Puerto, que otro tiempo fué monas-
25 terio de canónigos reglares. Por un privilegio del
señor don Alfonso IX de León, de que poseo copia, fecho en la era 1254, esto es, año de 1216,
consta que ya existía este monasterio desde el
tiempo del señor don Alonso VII llamado el Em-
30 perador, cuyas donaciones confirma; y pues el pri-

vilegio no da a este soberano el título de fundador,
es visto que a la mitad del siglo XII había ya mon-
jes y monasterio en el mismo sitio en que hoy
existe la colegiata.

El abad y canónigos, únicos moradores de aquel
yermo, viven solos sin más trato que el de sus
amas, y sepultados por ocho o nueve meses del
año en montañas de nieve, siéndoles muchas veces
necesario abrir minas por bajo de ella desde sus
casas a la iglesia, por estar absolutamente cerrada toda comunicación entre unas y otras.

No me toca a mi realzar los inconvenientes que
semejante situación puede inducir; pero jamás dejaré de admirar el extravagante celo de quien
quiso poner en la cima de un puerto asperísimo,
lejos del camino y de toda humana correspondencia, no sólo un monasterio, sino también una especie de hospital o alberguería de peregrinos. Las
demás fundaciones de esta clase, tan frecuentes en
el tiempo de las peregrinaciones, estaban a lo menos colocadas sobre los caminos públicos; pero
fuera de ellos y donde es preciso hacer viaje de
propósito, huyendo del rumbo y emboscándose en
aquel hórrido desierto, ¿cuál pudo ser el fin de semejante establecimiento? Me dirá usted que socorrer a los que peregrinaban a San Salvador de
Oviedo, e iban a visitar sus reliquias; que de esta

---

26 La iglesia de San Salvador fué construída en 762 por
Fruela I, y luego, después de destruída esta primera fábrica, reconstruída y engrandecida en los primeros años del

devoción hay memorias bien antiguas; pero note
usted el discreto modo de ejercitar la caridad con
estos romeros, que prescribe el privilegio de que
voy hablando, y dígame si conoce una especie de
superstición más favorable a la holgazanería. *Tali
tamen conditione servata*, dice el texto, *do prae-
dicta omnia et confirmo, ut semper in praedicto
hospitali panem integrum et vinum omni adve-
nienti, undecumque adveniant, detur, tam bono ho-
mini quam etiam malo, dummodo charitatis ele-
mosinam humiliter petat et devotè.*

En el día se compone esta colegiata de un abad
y doce canónigos, aquélla rica, y éstos infelizmen-
te dotados. La abadía y algunas canongías se hallan actualmente vacantes, y parece que el Gobierno, dirigido por principios más ilustrados y benéficos, piensa destinar estas prebendas rurales
sin perjuicio de sus cargas piadosas, a un objeto
de más general y conocida utilidad.

---

siglo IX por Alfonso II el Casto. Se guardaban en ella va-
liosas reliquias, que por ser las más antiguas de la Iglesia española, fueron durante los siglos medievales objeto
de culto especial, y de ahí las peregrinaciones a que alude Jovellanos.

5-11 "Observada la susodicha condición, otorgo y confirmo todo lo ya mencionado para que se dé siempre en el
dicho hospital un pan entero y vino a todo el que llegare,
de donde quiera que fuere, tanto al bueno como al malo,
con tal de que [en él] pidiere limosna humilde y devotamen-
te." En la *España Sagrada*, t. XXXVIII, ap. 39, págs. 356-
365, se publica un documento de Fernando IV, fechado en
1304, que confirma todos los privilegios concedidos por sus
antepasados al monasterio de Santa María de Arvás y en
el cual se copia con alguna ligera variante el aquí citado.

Mientras los amantes de las letras piden a Dios que así lo verifique, volvamos usted y yo al camino que llevábamos. Casi enfrente de Arbas está el sitio llamado la Perruca, en lo más alto del puerto de Pajares, y en él se dividen los términos del reino de León y el principado de Asturias.

Después se baja al lugar de Pajares, venciendo la molestia del puerto a que da su nombre, el cual, aunque harto áspero y desacomodado por la incuria con que se ha mirado hasta ahora su importante camino, es sin embargo el más franco y suave de todo el Principado.

Este puerto es el único de Asturias que queda transitable en el rigor del invierno, hallándose entonces todos los demás, como más altos y ásperos, cubiertos de nieve. Aun el de Pajares suele recibir tanta alguna vez, que no podría penetrarse, si no se hubiese establecido para estos casos el remedio de la *Espala*, que se hace con gran cuidado por los vecinos del lugar, lográndose tan gran beneficio a costa de una ligerísima contribución arreglada por la real audiencia en 1753 y cobrada solamente desde san Miguel de septiembre a san Miguel de mayo.

Desde Pajares se pasa por el centro o por las cercanías de los siguientes lugares: Hordacevo, Llanos de Somerón, Pasadorio, Romia, La Muela,

---

19   *espalar*, "apartar con la pala la nieve que cubre el suelo" *(Dicc. Ac.)*. No da el sustantivo.
23-24   Del 29 de septiembre al 8 de mayo.

La Veguellina, Puente los Fierros, La Hecha, Campomanes, Vega del Rey, Vega del Ciego, Pola de Lena, Villayana, Figaredo y Santullano. Dígame usted si conoce un camino en España más poblado.

5 Aunque el terreno que corre desde Villamanín es harto áspero y en parte notablemente estrecho y quebrado, todavía puede decirse que no es tan malo como el que precede desde Buiza allí, y de seguro su composición nunca será tan costosa, 10 puesto que se puede tirar la nueva carretera por terrenos firmes, donde abundan y son de excelente calidad los materiales.

Lo menos tolerable de todo él son al presente unas malísimas calzadas que se hallan principal-15 mente desde Puente los Fierros, a que llaman en el país *Pedreres*, porque, sobre ser molestísimas, estrechas y pendientes, se hallan muy quebrantadas y deshechas, y los regodones de que fueron formadas al principio, sueltos y perdidos sobre 20 el camino, ofrecen un embarazo inevitable y continuo, y hacen muy difícil e incómodo el tránsito de toda especie de bagajes, siendo enteramente inaccesibles a las ruedas.

Estas calzadas fueron obra del célebre obispo

---

10 Esta carretera de León a Oviedo empezó a construirse bajo la dirección del propio Jovellanos, que fué nombrado en 1792 subdelegado general de caminos en Asturias.

16 *pedreres, ast.*, plural de *pedrera*, "cantera".

de Oviedo don Diego Míguez de Vendaña, natural
de Muros, en Galicia, que gobernaba esta silla hacia los años de 1515, y dejó este monumento de
su caridad pública, haciéndose acreedor a un reconocimiento más durable que el mismo beneficio
que le produjo.

En el lugar de Campomanes se halla muy de-
cente posada, con cuyo auxilio y el de una muy
cuidadosa y limpia asistencia que se logra a poca
costa, empiezan a olvidarse las molestias de un
viaje y de un camino tan penoso. Allí tuvimos,
entre otras cosas, regaladísimas truchas, buena
leche y excelente fruta; y vea usted que nada nos
faltó para hacer una cena bucólica de las más
agradables de todo el viaje.

En el lugar de Santullano se encuentra ya la
nueva carretera que continúa hasta Oviedo, y de
la cual diré algo después, porque ahora me per-
mitirá usted que continúe la relación de mi viaje
con la misma priesa con que le hice, estimulado
del deseo de ver los amados lugares donde em-
pecé a respirar y donde pasé los dulces años de
mi niñez y primera juventud.

Desde Santullano a Oviedo, que dista tres y media leguas, sólo se encuentra el lugar de Mieres
del Camino, donde tiene su palacio el marqués de
Campo-Sagrado, y en él una curiosa colección de

---

1 Don Diego Míguez de Vendaña, conocido comúnmente con el nombre de Diego de Muros, fué obispo de Oviedo
de 1512 a 1525.

retratos de algunos caballeros del apellido Bernal-
do de Quirós, sus ascendientes, entre los cuales
hay algunos valientemente ejecutados; y el de
Olloniego, donde se estaba construyendo sobre el
río de este nombre un nuevo puente de cinco arcos,
obra de nuestro académico de mérito don Manuel
Reguera González, que ha acreditado en ella su
pericia en tan importante ramo de la profesión
arquitectónica.

A la legua de Olloniego se encuentra esta ciudad de Oviedo, hasta cuyas puertas llega el nuevo
camino. La obra es magnífica, singularmente a la
entrada de la ciudad, y diestramente ejecutada.
Hay en ella algunos trozos de muy difícil desempeño por la aspereza y altura del terreno, entre los
cuales es digna de memoria la célebre cuesta del
Padrón, que me pareció tomada con gran conocimiento, aunque será todavía algo agria para subir
y bajar en diligencia. Se echan menos en ella algunos pretiles, y con mayor razón el cuidado de
reparar las quiebras que empiezan a advertirse
en varias partes del camino, y que poco a poco
le arruinarán si se continúa mirándole con el mismo descuido que hasta aquí.

Ya dije a usted que este camino, cuyos puntos
extremos son la ciudad de León y la villa de Gijón,
debía pasar por la Robla, y seguir casi casi la

6-7 Don Manuel Reguera González, arquitecto asturiano,
discípulo de Ventura Rodríguez.

misma línea que acabo de describir. Las utilida-
des que ofrece esta comunicación son demasiado
grandes y ciertas para que yo intente reducirlas
a cálculo; pero cualquiera que conozca la fertilidad de Castilla en granos y vinos, y las pocas 5
proporciones que tiene de extraer sus frutos, especialmente en todos aquellos vastos y pingües territorios que por estar situados a su parte occi-
dental se hallan a grandes distancias del puerto
de Santander, y cualquiera que reflexione cuánto 10
ganaría Asturias en la introducción de sus ganados, pescados y frutos de que surte a ambas Cas-
tillas, y en llevar a ellas por medio de una comunicación libre y directa los frutos y géneros ultra-
marinos, y los de estanco de la Real Hacienda que 15
entran en el puerto de Gijón, se persuadirá fácilmente que ningún camino de cuantos se han
construído y construyen en España ofrece mayores ni menos disputables ventajas a la agricultura,
a la industria y al comercio de la nación. 20

Un solo artículo que acaso no se ha tenido en
consideración hasta ahora bastaría para estimular
al Gobierno a la conclusión de esta importante
empresa, y es el atraer a León el beneficio y comercio de las lanas. Usted sabe que nuestras me- 25
rinas esquiladas en las destempladas faldas del
Guadarrama, tienen que atravesar toda Castilla,
desnudas y expuestas a perecer con cualquiera alteración del tiempo, para buscar las montañas de
León, donde deben pasar el verano. Abierta la ca- 30

rretera de Asturias, vería usted establecer los es-
quileos en la vega misma de León: las ovejas
entrarían desde luego y sin peligro alguno en su
veraneo; las lanas se lavarían allí mismo aprove-
5 chando aquellas limpias y preciosas aguas, las mejores del mundo para el caso; y ensacadas al pie
del camino, pasarían por una travesía de sólo
veinte leguas hasta los puertos de Asturias, por
donde debieran extraerse a los países extraños.
10 No será para esto necesario estímulo alguno de
parte del Gobierno: ábrase el camino; el interés
verá su objeto y hará todo lo demás.

¿Y es posible, dirá usted, que una obra de tanta
importancia se mire con tanto descuido? Sí, amigo
15 mío; van a cumplir diez años que nada se adelanta en ella; pero su asombro de usted será harto
mayor cuando sepa que las dudas, que los recursos, que los enredos y los chismes de los mismos
naturales interesados en la conclusión de esta em-
20 presa, han opuesto los mayores obstáculos a su
continuación. Cada territorio, cada pueblo, cada
particular la ha querido convertir en su propia
utilidad. De aquí las emulaciones, de aquí los recursos, de aquí... pero me parece que voy saliendo
25 un poco de mis casillas.

Ya me tiene usted en Oviedo, donde estoy descansando de las fatigas del viaje, y esperando que
cedan un poco las aguas para pasar a Gijón. Desde allí escribiré a usted largo, informándole de lo
30 que una y otra población, que son las primeras

de la provincia, ofrezcan digno de la atención de
un curioso. Entre tanto cuide usted de pasarlo
bien, envíeme algunas noticias con que satisfacer
el ansia de los políticos de provincia, y mande
como puede, etc.

CARTA SEXTA

AGRICULTURA Y PROPIEDADES DE ASTURIAS

Amigo y señor: Habrá oído usted muchas veces
alabar el floreciente estado de la agricultura de
Asturias, la buena distribución de sus tierras, la
aplicación y laboriosidad de sus colonos, la benignidad del clima y la espontaneidad del suelo para
toda especie de producciones. No hay, ciertamente,
mucha ponderación en estas alabanzas; pero hay
no poca equivocación en el juicio de las ventajas
que suponen. Para que el de usted no caiga en ella,
le hablaré en esta carta del estado de nuestra agricultura, considerada solamente bajo de sus relaciones políticas, pues en lo demás estoy persuadi-
do a que, poco más o menos, en todas partes se
cultiva tan bien como se puede cultivar, atendi-
das las luces y conocimientos de cada provincia.

Con esta idea trataré ante todas las cosas del
principal obstáculo que se opone en este país, no
tanto a los progresos de la agricultura, cuanto al
bien de los que la profesan: obstáculo que se extiende también a otras provincias, que produce

en todas dañosas consecuencias, y cuya remoción
es digna sin duda de los desvelos del Gobierno.

Hablo de las vinculaciones a que por la mayor
parte están sujetas las tierras de este Principado.
Los mayorazgos y los monasterios e iglesias son
casi los únicos propietarios de Asturias.

El primer inconveniente que resulta de aquí es
la falta de circulación en las tierras, sin la cual
no florecerá jamás su cultivo en ninguna provincia. Es observación muy obvia que el que vende
un predio aspira a sacar mayor utilidad del uso
del dinero que recibe que del predio mismo, y que,
al contrario, el comprador espera más utilidad del
predio que de la cantidad que da en pago; y esta
observación es tan exacta, que se verificará siempre, aun sin exceptuar aquellas ventas que se hagan para acudir a alguna fuerte necesidad, porque supuesto el estado de urgencia en el vendedor,
es claro que la finca pasará siempre a manos de
un poseedor más acomodado y aun más inclinado
a hacerla producir, siendo constante que todo el
mundo compra con ánimo de sacar de su posesión
la mayor utilidad posible.

Otro inconveniente de esta general vinculación
de las propiedades es el desproporcionado valor
que da a las pocas tierras que quedan libres y co-
merciables; porque siendo muchos los que quieren
comprar en proporción del corto número que puede vender, la concurrencia produce infaliblemente
la carestía.

Crece este mal en Asturias por otra razón particular, derivada de su actual constitución, esto es, de que casi todo el dinero efectivo sobrante de la ordinaria circulación se destina a la compra de tierras.

Son muy frecuentes en este país las trasmigraciones a América, y aunque no lo son tanto las fortunas hechas allá, no es raro que entre un centenar de hombres que perecen de miseria en aquel continente, vuelvan de tiempo en tiempo dos o tres indianos cargados de oro a perpetuar el mal con el funesto ejemplo de su fortuna.

Todo el mundo los observa y los admira. Su vajilla, sus alhajas, sus dádivas a los templos, sus socorros y regalos a la parentela, su ostentación y el crédito de su opulencia, siempre aumentados y difundidos por la opinión hasta los últimos rincones, ofrecen en este país laborioso y sencillo un espectáculo que deslumbra, y cuya triste influencia no puede esconderse a la reflexión del patriotismo.

El primer objeto de estos indianos es arraigarse comprando tierras, labrando casas, fundando patrimonio y ligando a una vinculación perpetua los frutos y su trabajo.

Si alguna otra profesión conduce en este país a la riqueza (lo que rara vez sucede), como, por ejemplo, el comercio y las granjerías, los comerciantes y gentes de caudal no conocen mejor empleo de su fortuna que los indianos. Como hay falta de luces para erigir y promover con utilidad establecimientos industriales, todo el mundo se mete a terrazguero; profesión, si no la más útil, por lo menos la más dulce y cómoda de cuantas se conocen, y por lo mismo la más análoga a nuestra pereza y natural amor al regalo. Vea usted, pues, por qué camino, al mismo tiempo que mengua la cantidad de tierras circulables, crece la estimación y el precio de las que por alguna casualidad quedan aún en la circulación.

Pero es el caso que como esta carestía no sea un efecto del aumento del valor intrínseco de las tierras, esto es, del aumento de sus productos o de su mayor estimación, resulta que el rédito de la propiedad esté siempre en una horrible desproporción con su capital, pudiendo asegurarse que en Asturias todas las propiedades de terrazgos podrán escasamente producir el uno por ciento de de su valor actual.

Agréguese a esto que toda la extensión que va tomando el cultivo en Asturias queda sujeta al mismo inconveniente. Es muy común que los colonos vayan agregando a sus suertes las tierras incultas que se hallan adyacentes a ellas, y como sea necesario algún disimulo de parte de los dueños para no ser declarados infractores de la funesta ley de los cerramientos, el método común es ir sacando afuera las cercas (que aquí son de bardas, y llaman comúnmente sebes), hasta llegar al límite que la naturaleza o la necesidad les señalaron.

Estas agregaciones siguen siempre la condición de las suertes principales, y lo peor es que, aunque al principio causan algún alivio al colono, porque es el primero que las disfruta, al cabo dan al dueño un pretexto para la subida de la renta, y vienen a gravar la benéfica mano que las limpió de abrojos y de espinas.

Como sea preciso suponer que las fincas de mayorazgo caen de tiempo en tiempo en un poseedor desidioso, gastador o desgraciado, no deberá negarse que cuando llega este período las tales fincas, lejos de ser mejoradas, han de sufrir menoscabos, ruinas y atrasos que la desidia o ignorancia de sus dueños no repara. A este mal sucede naturalmente otro, y es que el dueño, sintiendo poca proporción entre el producto de sus rentas y los gastos a que su situación le arrastra, después de contraer empeños acá y allá, consigue gravar con algún censo su casa. Este hecho es tan notorio que no habrá acaso en toda la provincia dos mayorazgos enteramente libres de semejante gravamen.

Los empeños y los censos disminuyen la renta de los propietarios, y a esta disminución sigue siempre el abandono de las fincas, si ya no le ha precedido, como más regularmente sucede.

No se puede decir que están en igual caso las fincas de las comunidades eclesiásticas; pero como

no todos los encargados en su administración son
siempre buenos y vigilantes ecónomos, al cabo
obra el mal gobierno en ellas los mismos efectos
que los vicios de los propietarios en las suyas.

5   Es verdad que aquí los propietarios no labran
sus tierras, sino que las tienen dadas en arrenda-
miento; mas como sea de su cargo conservar y
reparar, sucede que la pobreza y el descuido de
los dueños tenga grande influencia en la prospe-
10 ridad de la labranza; y tanto más cuanto, dividida en suertes muy pequeñas, y debiendo constar
cada una de una casa para habitación de la familia rústica y custodia de sus ganados, de un
hórreo para la conservación de los frutos y de mu-
15 chas y buenas cercas para la división y defensa
de los varios frutos que se cultivan, no hay propietario que no se halle con frecuencia en la necesidad de rehacer o construir de nuevo muchas
de estas fincas, ni colono que pueda conducir útil-
20 mente su cultivo, si no se le dan separadas.

   Esta singular situación habría causado ya grandes males en la agricultura, si la laboriosidad de
los colonos no supliese la negligencia de los propietarios. Pero de aquellos infelices no se deben
25 esperar otras mejoras que las que son proporcio-
nadas a la esfera de su industria. Las obras sóli-
das y dispendiosas que sólo puede emprender la
fortuna de un opulento propietario: buenas cercas, cañerías de riego, desmontes costosos, gran-
30 des plantíos, paredones de retén, terraplenes, cor-

taduras y otras semejantes, se ven muy rara vez
en las tierras de este país.

Pues acabemos, dirá usted, acabemos de una
vez con los mayorazgos, y libremos para siempre
a nuestras provincias de un mal tan general y tan
funesto. ¡Bella idea si se pudiera realizar, si no la
resistiera nuestra respetable constitución, si una
libertad ilimitada y repentina no estuviese sujeta
a iguales inconvenientes, si en los mayorazgos no
se cifrase un sólido apoyo de la nobleza monárqui-
ca, un saludable estímulo al afán y a la industria
de los que aspiran a ella y un irrefragable testimonio de la protección que han concedido las leyes a la libertad del aplicado e industrioso ciudadano! Dios le libre a usted de los extremos en materia de reformas. El objeto la merece, sin duda,
y si usted quiere, la exige y necesita. Pocas leyes,
hechas despacio, ejecutadas de prisa y sostenidas
con un vigor inflexible, podrían prescribir a la
libertad de vincular un límite saludable y hacer
que tuviésemos mayorazgos, y que los mayorazgos fuesen tan provechosos al pueblo como son
necesarios a la nobleza.

¿Quiere usted que yo le dé un plan para esta
reforma? Pero una carta, y escrita de priesa, no
puede comprenderle. Sin embargo: 1.º Señalar un
límite bajo del cual no pudiera existir mayorazgo
alguno. 2.º Prescribir otro fuera del cual no pudieran poseerse como vinculados bienes algunos,
aunque heredados con esta calidad. 3.º Reducir por

una ley todos los mayorazgos existentes a esta
máxima. 4.º Prohibir la facultad indefinida de
vincular, concedida por las leyes a los que no tienen herederos forzosos, y la de sujetar a vínculo
5 las mejoras de tercio y quinto en los que los tienen. 5.º Cerrar la concesión de facultades de fundar mayorazgos, reduciéndolos a ser extraordinaria recompensa de altos, ilustres y señalados
servicios hechos a la nación. 6.º No concederlas ja-
10 más para gravar con censos de vínculos. 7.º Concederlas con justa causa para enajenar los bienes
mayorazgados. 8.º Dar la deducción de las mejoras a los herederos del poseedor... Pero yo me he
distraído mucho de mi propósito. Vuélvome a él,
15 y Dios le dé a usted paciencia para sufrir mis di-
gresiones.

De muy diversa especie son las vinculaciones
en manos muertas. Este punto está ya bien ilustrado en una excelente obra de nuestros tiempos,
20 y hay poco que añadir a lo dicho en ella. Bastará
prevenir que cualquiera reforma en materia de
vinculaciones deberá empezar por aquí, porque si
usted pone en circulación todas las tierras legas
y deja a las manos muertas la facultad de com-
25 prarlas y amortizarlas, ¿cuántas no se tragará
este abismo insondable?

Volvamos a observar la suerte de nuestros cultivadores asturianos, y dejemos los demás cuidados a nuestro vigilante Gobierno.

30 Otro obstáculo se opone en algunos concejos de

Asturias a la felicidad de los agricultores, y nace
de la división de las tierras, sobre lo cual me ha
de permitir usted que me detenga un instante.

Suponga usted primero que las tierras de este
Principado están por la mayor parte divididas en
las más pequeñas porciones que es posible, y si
usted exceptúa las famosas huertas y territorios
de regadío de Valencia, Murcia, Orihuela y Granada, no hallará en otra provincia algunas suertes tan reducidas como en Asturias.

La causa de esto es, por una parte, el aumento
que ha tomado la población, y por otra, el poco
empleo que ofrecen otras ocupaciones a sus sobrantes. Los padres, deseosos de establecer a sus
hijos, suelen tratar con el propietario la división
de la casería, y partir en dos o más porciones para
asegurar en ellas la subsistencia de uno o más hijos con sus nuevas familias.

Estas divisiones causaron primero un gran bien
a Asturias; pero de este gran bien va resultando
un mal que crece y debe agravarse por instantes,
si no se le pone límites. Yo hablaré a usted con
separación de uno y otro.

Causaron un gran bien estas divisiones de las
tierras cuando, siguiendo el natural progreso de
la población, no sólo aseguraron la subsistencia de
las familias que se iban estableciendo, sino también la esperanza de todos los establecimientos ul-
teriores.

Hubo un tiempo en que la población de Asturias era muy escasa. Cualquiera que lea las inmensas donaciones hechas a los regulares, cuerpos eclesiásticos y señores por los trece reyes que conservaron el trono en esta provincia, y aun por los posteriores, conocerá por una parte cuán pocas eran las tierras sujetas a dominio particular, y por otra parte cuán corto el número de colonos destinados a su cultivo.

Los antiguos monasterios rompían y cultivaban por sí alguna parte de ellas y daban en foro las demás a personas que las rompiesen y cultivasen. Otro tanto hacían las iglesias y los señores continuamente empleados en la guerra. Por este medio se fué estableciendo la primera división de las tierras de Asturias.

Pero los miembros o partes de esta primera división eran todavía muy grandes, lo que se convence por las antiguas constituciones de foros. Así que fué necesario pensar en subdividirlas para establecer en ellas familias sobrantes, que el aumento progresivo y natural de individuos producía en cada generación; porque es constante que la población siempre crece y va delante de las subsistencias. Empezaron, pues, a constituirse foros de menor cabida, y los mismos foristas de la primera división subforaban, por decirlo así, parte de sus tierras, haciendo de cada foro dos, tres o más partes; y vea usted aquí la segunda división de nuestro suelo.

No hay duda en que éste fué el estado más feliz de nuestra agricultura. Ya sabe usted cuán respetable es aquel *exiguum colito* de Virgilio. Esta máxima de que sólo se hace uso para persuadir que nunca el cultivo es más perfecto que cuando se hace en pequeñas porciones, puede probar otra 5 verdad más importante todavía, esto es, que nunca la población es mayor (hablo de la que vive y subsiste inmediatamente del cultivo) que cuando las tierras están más divididas.

La porción señalada a la posesión de un roma- 10 no después de expelidos los reyes, se proporcionó a la posibilidad de cultivo, y fué por entonces de solas siete yugadas. Curio Dentato, a quien el pueblo había señalado cincuenta en premio de la victoria que le había ganado, renunció esta suerte 15 como una fortuna superior a la dignidad consular y al mérito del triunfo. Aun después de haber hecho la República grandes conquistas y de haber desolado muchas provincias, era todavía delito que un senador poseyese más de cincuenta yugadas; 20 no tanto, dice Columela, porque pareciese demasiada grandeza exceder este límite, cuanto porque se creía indigno de la moderación de un romano extender el deseo de poseer adonde no podía llegar la facultad de cultivar. 25

2 "Laudato ingentia rura: exiguum colito", *Geórgicas*, II, 413: "Alaba la heredad grande: cultiva la pequeña."
13 Manio Curio Dentato (m. 270 a. de J. C.) derrotó a los samnitas y sabinos, incorporando a la República el territorio de éstos. Fué elegido cónsul en 290.

Todo se mudó con el tiempo. Después que el lujo asiático y los vicios que vinieron en pos acabaron con las virtudes republicanas, no se pudo ya sufrir este límite señalado por la frugalidad. Seis
5 dueños solos, dice Plinio, poseían la mitad del Africa cuando fueron víctimas de la crueldad de Nerón. Desde entonces los ciudadanos empezaron a cultivar grandes posesiones, el mal cundió a las provincias, y la pronta decadencia del Imperio ca-
10 nonizó con una funesta prueba la respetable máxima del poeta mantuano: *Latifundia,* dice el mismo Plinio, *perdidere Italiam, jam vero et provincias.*

En Asturias sucedió precisamente lo contrario,
15 si no en cuanto a la propiedad, por lo menos en cuanto al cultivo. Lejos de haberse incorporado, se aumentó cada día la división de las suertes, y éstas se fueron subdividiendo y multiplicando. Yo he visto dividida en cinco una casería que no mu-
20 chos años antes estuviera destinada a un solo labrador. Esto ha hecho muy miserable la suerte de no pocos colonos, porque todo el afán de un año no basta para dar a una familia subsistencia cómoda ni segura. Cualquiera de los comunes acci-
25 dentes que causan esterilidad o disminuyen las cosechas, cualquiera contratiempo, cualquiera atraso conduce al pobre agricultor a la miseria y la ruina. De aquí las emigraciones a otras provin-

---

11-13 "Los latifundios causaron la ruina de Italia y pronto [causarán] la de las provincias." *Hist. Nat.,* lib. XVIII, 6.

cias; de aquí el desamparo de las familias y otros males sobre que no puede dejar de llorar la humanidad.

Parecía tanto más necesario señalar un límite a esta excesiva reducción cuanto el progreso actual de la población conduce a ella. En algunos concejos de Asturias sobran muchos brazos, y ya la agricultura no puede ocuparlos.

La industria pudiera muy bien darles acogida; pero en esta parte es grande el atraso. Yo hablaré a usted separadamente de su estado en esta provincia, y lo que diga servirá para ilustrar más y más esta materia.

No negaré tampoco que a la misma causa se debe atribuir la prodigiosa extensión que ha tenido el cultivo en muchos terrritorios de este Principado. Los cerros, los montes, las cañadas, todo se ve en ellos roto y cultivado, y se puede decir que no hay un palmo de tierra que no haya reconocido la *fesoria* del labrador.

Pero así en moral como en política, el extremo del bien toca siempre en las orillas del mal, y usted entiende demasiado la materia para que yo me canse en ilustrarla.

Alguno creerá que la ilimitada multiplicación de los labradores es siempre conveniente; pero se engaña. No basta que una provincia aumente el nú-

---

20   *fesoria, ast.,* "azada' *(Dicc. Ac.).* En Rivad., *Fessonia* (diosa del cansancio). En la primera edic. (Habana, 1848) dice *fessoria,* que evidentemente hace mejor sentido.

mero de sus cultivadores; es menester que estos
cultivadores tengan una subsistencia cómoda, y
sobre todo segura. De otro modo, la menor desgracia les hará abandonar sus suertes, y este aban-
5 dono será siempre perjudicial no sólo a la familia
que le hace, sino también al propietario que sufre
sus consecuencias. Aun sin desgracia faltará muchas veces la constancia para continuar en el cultivo, porque trabajar mucho, comer poco y vestir
10 mal es un estado de violencia que no puede durar.

Podrá también decirse que es inútil señalar este
límite, porque la misma necesidad le señalará.
Pero hay una diferencia: que en el último caso,
el señalamiento va siempre precedido de una tri-
15 bulación, acompañado del exterminio de una familia, y seguido de un escarmiento que da más
desaliento que enseñanza a los que trabajan a vista del mismo riesgo; pero señalado el límite por
la ley, se pueden evitar estos males, y hacer que
20 nadie cultive una casería que no pueda librar sobre su sudor y trabajo la esperanza de su subsistencia.

Aun se seguirá otra utilidad, y es que en el límite señalado por la ley no sólo se tenga cuenta de
25 lo necesario, sino también de aquellas comodidades sin las cuales es intolerable el trabajo y amarga la vida; no señalándose suerte alguna que no
pueda dar al colono por fruto de su trabajo una
subsistencia cómoda y segura.

30 Esta operación, amigo mío, tendría muy prove-

chosas consecuencias: mejoraría desde luego la condición de nuestros labradores; fijaría su número y su cómoda subsistencia; señalaría los brazos que debían volverse a otras profesiones, y facilitaría maravillosamente los establecimientos de industria. Todo clama por una providencia tan saludable; pero singularmente la naturaleza misma del cultivo a que está dedicada esta porción estimable de nuestro pueblo.

No me atreveré yo a prescribir este límite, ni puede ser igual en todas partes, porque la situación y fertilidad de las tierras constituyen una gran diferencia; pero a los que viven en cada concejo no les sería difícil, y en verdad que éste era un objeto bien digno de la meditación de los amigos del país y de la atención del Gobierno.

Pero la ley, repondrá usted, la ley... Basta; lo entiendo. Usted me quiere reconvenir con mis principios. Yo no apetezco la intervención de la ley donde el interés puede hacer su oficio. Quiero que se deje a la libertad del propietario y del colono promover e igualar su interés recíproco. Establezca usted nuestro sistema de legislación económica sobre este saludable principio, y yo no clamaré por leyes. Pero mientras ellas sean las directoras de propietarios y colonos para todo, yo quiero una para detener la funesta subdivisión de las suertes de Asturias, así como quisiera otra para animar la división de los inmensos cortijos de Andalucía.

Mas ya que usted ha oído lo que es en perjuicio de nuestros labradores, oiga usted las ventajas de que gozan, y que no son comunes a otros, a
lo menos en las provincias que están al Mediodía
de Asturias. Débenlas, más que a la ley, a una costumbre del país, pero tan general y uniforme, que se
tendría por dureza e inhumanidad no respetarla.

Todas las tierras de dominio particular se entienden aquí cerradas, y en consecuencia a nadie
se prohibe cercarlas de piedra o várgano, culti-
varlas y disfrutarlas alzadamente. No han llegado por acá los alcaldes y jueces de la Mesta, ni
los duros privilegios del honrado concejo pasto-
ril. Tampoco han penetrado aquellas funestas leyes, nunca bien entendidas ni interpretadas, que
alzado el fruto, dan libre paso y forraje por todas partes a los ejércitos de Pentapolín. Estas tropas tienen sus cuarteles de verano sobre nuestras
fronteras, y aunque han hecho tal cual correría
dentro de nuestra línea, todavía por la misericordia de Dios no han llegado al centro ni apoderá-
dose de nuestros campos. Sólo se entienden aquí
abiertas las posesiones que llaman *erias*, sin duda
porque habiendo sido en el origen tierras comu-

---

17   *los ejércitos de Pentapolín.* Las ovejas y corderos
que alanceó Don Quijote en su famosa aventura. Part. 1.ª,
capítulo XVIII.

23   *eria*, "del latín *area. Ast.* Terreno de grande extensión, todo o la mayor parte labrantío, cercado y dividido
en muchas hazas correspondientes a varios dueños o llevadores" *(Dicc. Ac.)*

nales, y cultivándose por varios llevadores, sufren
todavía la servidumbre de paso. Sin embargo, aun
éstas se hallan cerradas, pero se aportillan, alzado el fruto, para dar paso a caminantes y ganados.

Debe contarse también entre las ventajas de
nuestros colonos que la constitución de su renta se
haga siempre en granos y frutos, porque, no obligados a reducirlos a dinero para pagar al propietario, no tienen jamás necesidad de malvenderlos
en la estación en que valen menos, como sucede 10
en los arrendamientos comunes. Falta, sin embargo, una circunstancia para perfeccionar este método, y es que la constitución de la renta no fuese
en cantidad determinada, sino en partes alícuotas
del producto, lo cual igualaría la suerte del pro- 15
pietario y del colono, tanto en la prosperidad como
en la desgracia.

Un ilustre ejemplo nos ofrece la antigüedad en
confirmación de este método. Plinio el Mozo, tan
buen ecónomo como elocuente orador, después de 20
haber meditado mucho acerca del mejor modo de
arrendar sus predios, se decidió por el que llevo
indicado. Había experimentado que sus colonos se
atrasaban más y más cada día, y que a pesar de
las frecuentes rebajas que solía hacerles de su 25
renta, constituída a dinero, continuaban contra-
yendo nuevos empeños, y al cabo se perdían y
abandonaban sus predios. En esta situación re-
solvió hacer todos sus arriendos a renta en frutos, y en partes alícuotas del producto, y dando 30

cuenta de ello a su amigo Paulino, le decía: *Occurrendum ergo augescentibus vitiis et mediendum est. Medendi una ratio, si non nummo sed partibus locem, ac deinde ex meis aliquos operis exactores custodes fructibus ponam, et alioqui nullum justius genus redditus, quam quod terra coelum annus refert.* Lib. 9, epíst. 37.

Ciertamente que este método es muy embarazoso, como confiesa el mismo Plinio, y desde luego muy contrario a la vida ociosa y regalona que los ricos propietarios quieren hacer en la corte y grandes capitales donde residen. Para tales gentes nada es más cómodo que las rentas constituídas en dinero, que cobran sin cuidado y administran sin fatiga. Nuestro orador, penetrado de este conocimiento, decía que semejante administración no era para señorones ni cortesanos; *sunt enim omnes* (decía escribiendo a Fabato) *togati et urbani; rusticorum autem praediorum administratio poscit durum aliquem et agrestem cui nec labor ille gravis, nec cura sordida, nec tristis solitudo videatur.* Lib. 6, epíst. 30. Pero a los propie-

---

1-7 "Hay, pues, que prevenir y remediar los males que van en aumento. Un medio de hacerlo es no cobrar en dinero, sino arrendar [el terreno] por parcelas, poniendo como administradores de mis frutos a algunos de mis colonos. Por lo demás, no hay renta más justa que la que dan la tierra, el clima y las estaciones."

17-22 "Son todos letrados y gente ciudadana; sin embargo, la administración del campo exige un hombre sufrido y duro para quien el trabajo no sea penoso, ni el cuidado humillante, ni la soledad triste."

tarios de Asturias, que viven por la mayor parte
en sus tierras, que tratan a todas horas con sus
colonos, y cuyas conversaciones recaen casi siempre sobre objetos de la profesión rústica, ¿cuál
otra ocupación les pudiera ser más fácil, más 5
agradable y provechosa?

Por la misma costumbre, los arrendamientos
son aquí indefinidos, y en cierto modo perpetuos;
se ve pasar una casería de generación en generación por los individuos de una misma familia, y 10
sería mirado como un tirano el dueño que sin causa justísima arrojase al casero del hogar de sus
ascendientes. De aquí es que el colono se crea, y
sea en efecto, un partícipe de la propiedad, y de
aquí también que no le duela hacer por su parte 15
algunas mejoras en los predios en que cree vincu-
lada la subsistencia de su posteridad. Por este medio se concilia su interés con el del propietario,
pues constituído el arriendo en frutos, y siguiendo el precio de éstos las vicisitudes ordinarias que 20
influyen en el valor de las cosas, jamás puede al-
terarse aquel equilibrio de utilidad que debe existir entre el dueño y el colono. Mejoras o agregaciones hechas por aquéllos, obligan alguna vez a
subir la renta. Alguna busca pretextos la codicia 25
para cohonestarla, pero esto es raro. Quiera Dios
preservarnos del lujo, único mal que puede multiplicar tan tristes ejemplos y robarnos una felicidad digna de la envidia de otros pueblos.

Entre tanto, merece ser alabada la humanidad 30

de nuestros propietarios. Los colonos que ocurren
a ellos con la mayor confianza en todos sus apu-
ros, hallan siempre pronta su protección en alivio
suyo. Yo los he visto consolar sus aflicciones, socorrer sus necesidades y componer sus desavenen-
cias, dirigirlos, acariciarlos; en una palabra, ser
sus protectores, sus jueces, sus amigos, sus padres. Oiga usted un estilo que, a mi ver, prueba
hasta qué punto merecen este último título los caballeros de Asturias.

El día de año nuevo u otro inmediato concurren
a casa del propietario todos los caseros, con sus
mujeres e hijos. Cada familia lleva un regalito de
aves, huevos o fruta, como en reconocimiento del
señorío y protección en que vive. Este día se destina particularmente al arreglo de los negocios e
intereses de los renteros entre sí y con el señor,
y en él se trata de mejoras, reparos, aumentos, divisiones de las caserías, ajuste de cuentas, ave-
nencia de discordias y encuentros entre vecinos y
confinantes, y en fin, de los intereses recíprocos
de dueños y colonos. Al mediodía se pone una mesa
común a lo largo de la mayor sala del palacio o
casa, a cuya cabecera se sienta el señor, después
su mujer e hijos, y en seguida todos los aldeanos,
a un lado los hombres y al otro las mujeres, sin
más distinción que la que dan los años. Sírvese a
todos a un mismo tiempo y de unas mismas viandas, que la libertad y el contento común hacen más
regaladas. Un buen propietario recibe en este día

indicados por la naturaleza, y casi descuidados por los asturianos.

Pero hay otro género de industria, no menos útil que la primera, y en la que se hallan más ejercitados estos naturales. Hablo de la industria doméstica, de aquella que se abriga en el seno de las familias, y que ya generalmente se conoce por el nombre de *industria popular*. En esta parte crea usted que Asturias puede apostárselas con la provincia más industriosa de España. Nada de cuanto es necesario para el uso de una vida sencilla y laboriosa deja de labrarse y construirse por estos naturales. Sus lienzos, sus estameñas, sus paños bastos y sayales, sus pieles, sus medias, y todo cuanto sirve para el vestido y calzado, sus muebles, sus vasos, sus instrumentos rústicos, fabriles y piscatorios, y en una palabra, cuanto puede necesitar un pueblo dado a la agricultura, a la pesca y a la cría de ganados, todo se fabrica en Asturias, y por lo común se fabrica bien. La importancia de tales artículos es muy grande, y en esta parte debemos confesar que la industria de los asturianos es una de las principales causas de su felicidad.

Sin embargo, no es este género de industria lo que da a los pueblos el nombre de industriosos, y los hace ricos y opulentos en calidad de tales. Hay otra a que andan unidas estas ventajas, y ciertamente que ésta se halla muy atrasada en Asturias. Hablo de aquella que sirve inmediata-

mente al lujo, que se ocupa en dar alimento al
comercio, que ofrece útil empleo a un increíble
número de manos, y que, finalmente, produce inmensas riquezas por representación de su trabajo.
⁵ Ésta es la que no sólo no está arraigada, pero ni
acaso introducida en Asturias, a pesar de su gran
población y de sus naturales propensiones.

En efecto, amigo mío, una provincia llena de
tantos y tan excelentes montes, ¿cuántos brazos
¹⁰ no pudiera ocupar preparando la materia para un
gran comercio de tablazón, de duelería y de muebles? Donde tanto abundan por una parte los robles, y por otra los ganados de todas clases, ¿cuántas tenerías, cuántas fábricas de curtidos no se
¹⁵ podrían establecer? La abundancia de hierro y
otros metales, ¿qué proporciones no ofrece para
las fábricas de quincalla? La copia y excelencia
de sus linos y cáñamos, la delicadeza de sus aguas,
y la variedad y abundancia de colores minerales,
²⁰ ¿cuánto no facilitaría el establecimiento de fábricas de pintado y tejidos de lienzo? Los mármoles,
el azabache, el succino, el amianto y tanto número
de raros y preciosos minerales y fósiles, ¿qué
abundancia en materias no ofrecen a muchos nue-
²⁵ vos y provechosos géneros de industria?

Por otra parte, la extensión de su población y
el bajo precio de las cosas necesarias para la vida,
¿qué ventajas no ofrecen en la mano de obra? Los
capitales ociosos que no se pueden dedicar al co-
³⁰ mercio porque no tienen materia suficiente, ni a

la compra de tierras porque están sujetas a vínculos, ¿en qué objeto más útil y productivo pudieran emplearse? Añada usted a todo esto que el genio de los naturales es también industrioso, pues se les ve buscar con ansia todos los medios de ocuparse y mejorar en fortuna, sin perdonar diligencia ni trabajo, y adelantar maravillosamente cuanto sus luces permiten las artes y ocupaciones a que una vez se dedican.

Si en medio de tantas proporciones preguntare usted por las causas de este atraso, yo le diré que hay una muy principal, a saber, la falta de conocimientos. Veo las tentativas que se hacen cada día para establecer nuevos ramos de industria, malogradas casi siempre por falta de luces y principios. Veo el interés, la aplicación y aun el ingenio haciendo y repitiendo vigorosos esfuerzos contra la ignorancia, y que sus tinieblas los frustran y destrúyen continuamente; veo, en fin, el celo predicando contra la ociosidad, porque él mismo no está bastante ilustrado para conocer que son otras las causas del atraso de la industria. Este es a lo menos mi dictamen, y ciertamente no le cambio por el de otros que piensan muy diversamente.

En efecto, ¿cómo se persuadirá usted a que sin matemáticas, sin física, sin química, sin dibujo, se pueden hacer grandes progresos en la industria? Permítame usted que vuelva a mis ejemplos,

porque no hallo otro camino más breve para probar mis proposiciones.

Asturias está llena de minerales de fierro, y
hasta ahora sus ferrerías se surten de la vena
5 o mineral de Somorrostro en Vizcaya. Asturias
abunda considerablemente de helecho y vela marina, y no hay quien sepa hacer una botella para
embotellar su sidra; con buenos linos y lanas, consumen los lienzos y paños finos, las bayetas y las
10 sargas labradas en otras partes; tiene muchos y
buenos cueros, y nadie sabe curtirlos, adobarlos
y teñirlos. En todos estos artículos hallará usted
que la falta de conocimientos es la principal, si
no la única causa del atraso.

15 Pero hay otra causa de grande influencia, y en
la cual acaso no ha parado otro alguno su consideración, y es la falta de capitales. No los tienen
los propietarios, porque siendo muy corto y no
menos expuesto a pérdidas el producto de su pro-
20 piedad, continua la necesidad de reparar los predios rústicos, muy altos los precios del pan, vino,
chocolate, aceite, sedas, paños, lienzos finos y
otros artículos de su indispensable consumo, y
sobre todo mayor el lujo y el gasto de la capital
25 o villas agregadas donde vivan, sucede que apenas
tengan lo necesario para subsistir con decencia.
No los tienen los comerciantes, porque ni los hay
ni puede haber en un país que no tiene artículos
de extracción, y cuyo comercio pasivo con otras
30 provincias es tanto más reducido, cuanto que la

mayor parte de su pueblo vive sólo de lo que cultiva y trabaja. Ya he dicho a usted en otra parte cuál es el destino que dan a la fortuna los indianos: ¿dónde, pues, se hallarán capitalistas? Y sin ellos ¿cómo se podrán erigir ni promover establecimientos industriales? ¿Cómo formar empresas grandes y dispensiosas? ¿Cómo atraer los instrumentos, las máquinas, las luces y conocimientos que faltan?

Las demás causas que retardan el progreso de la industria son hijas de las antecedentes. La pereza, que no se mueve sino a la vista de grandes y evidentes estímulos; la preocupación, que grita contra todo lo nuevo porque no lo conoce, y que prefiere una ignorancia que la lisonjee a una ilustración que la acusa; la envidia, que nada deja crecer ni madurar, y que lucha continuamente por sofocar en la cuna todos los establecimientos que pueden hacer la fortuna de su vecino, y sobre todo una cierta indolencia con que algunas gentes, que tienen aquí como en otras partes la primera influencia, miran todos los medios de hacer el bien que no están fiados a su mano, y sacrifican la felicidad común al interés de su clase, son sin duda causas muy ciertas, aunque parciales, de este atraso. Pero reflexione usted que la principal nace de la ignorancia, y por lo menos es incompatible con la verdadera ilustración.

2 Véase carta 6.ª, pág. 189.

La industria es natural al hombre, y apenas necesita otro estímulo de parte del Gobierno que la libertad de crecer y prosperar: déme usted esta
5 libertad, y crecerá la industria hasta lo posible. Pero la ilustración fijará siempre la medida de esta posibilidad. Un pueblo bárbaro sabrá solamente hacer sus cabañas y sus instrumentos de labor y pesca, y los progresos de su industria
10 irán al paso de sus conocimientos, hasta que llegando a lo sumo de ellos, sepa hacer relojes que dividan el día en instantes, o telescopios que descubran nuevas estrellas en el cielo.

Es, pues, indispensable traer la ilustración a
15 este país, y yo aseguro a usted que tardará muy poco en ser industrioso. Sobre este punto no puedo dejar de aplaudir a un ilustre patricio que convirtió hacia él todo su celo, como verá usted por el adjunto discurso. Como hallo en él copiadas mis
20 ideas, tengo una especie de vanidad en enviárselo para que le lea y enseñe a los amigos. Es verdad que este misionero ha hecho poco fruto entre sus paisanos; pero por ventura ¿no será ésta otra prueba de que la ilustración es el primer paso que
25 se debe dar hacia la felicidad de Asturias?

Bien sé que la ilustración por sí sola no puede

---

18 Según nota de Nocedal, *el adjunto discurso* era el pronunciado por el mismo Jovellanos en 1782 en la Sociedad de Amigos del País de Asturias: "Sobre la necesidad de cultivar en el principado el estudio de las ciencias naturales", publicado en Rivad., XLVI, págs. 302-304.

hacerlo todo; pero ella atraerá capitales, arrancará auxilios al Gobierno, y forzará, por decirlo
así, a toda la provincia a que se convierta a este
primer manantial de la prosperidad.

Ni crea usted que he dicho estas cosas por me- 5
terme a declamador; las digo únicamente porque
me duele mucho ver tantas ventajas desconocidas,
tantas proporciones malogradas, y tantos bienes
miserablemente menospreciados y perdidos. Esta
superabundancia de población de que he hablado a 10
usted, clama por el establecimiento de muchos nuevos ramos de industria; no ya para buscar la riqueza que es efecto suyo, sino para fijar tanto
número de familias sobrantes y desacomodadas
como produce esta provincia aplicada y laboriosa. 15
En otras partes se trata de fomentar la industria
para aumentar la población; aquí se la debe fomentar para no disminuirla. En otras partes se
buscan por medio de la industria la riqueza y la
felicidad de los pueblos; aquí se debe evitar por 20
medio de ella su infelicidad y su ruina. Oiga usted
si no sus consecuencias, y de camino desengáñese
de una preocupación con que regularmente se
juzga por allá de nuestras cosas.

Usted oirá decir muchas veces que Asturias y 25
las provincias sus confinantes son unos países miserables o infelices que tienen que arrojar de sí
a sus hijos porque no pueden alimentarlos, y de
aquí viene que se halle en otras provincias tanto
número de asturianos, gallegos y montañeses ocu- 30

pados en los más viles oficios y ministerios. Asi
se discurre por allá, y así poco más o menos dis-
curren aquí los que juzgan de las cosas por la
corteza y no saben subir a la indagación de sus
5 causas.

Ahora bien: si es verdad que la población de
un país es la medida de su riqueza, y si estas provincias, además de lo que necesitan para llenar
todas sus ocupaciones, tienen todavía un sobrante
10 para llenar el vacío de la población de otras provincias donde van a trabajar, ¿cuáles, pregunto,
de unas y otras se podrán decir más ricas? ¿Las
que no tienen habitantes que mantener, o las que
después de mantener los habitantes necesarios tie-
15 nen otros muchos mantenidos por sus vecinos?

Pero hablando solamente de Asturias, oiga usted
mis ideas acerca de este punto. Yo miro estas colonias emigrantes que pasan los montes y se derraman a buscar su vida por toda la Península,
20 como una exacta medida del sobrante de su población. Váyalos usted examinando uno a uno, y hallará que no hay entre ellos quien abandone una
subsistencia segura en su país por buscar fuera
de él una subsistencia arriesgada e incierta. Todos
25 pasan a buscar fuera de aquí una ocupación de
temporada en que puedan ganar lo necesario para
subsistir y mantener una familia dentro de su
misma patria, o bien a buscar una subsistencia
más durable que sólo encuentran fuera de ella,
30 pero sin perder jamás de vista el designio de vol-

ver a disfrutar en sus hogares la fortuna que
se hayan labrado en otra parte.

Y ¿cree usted que entre tanto queda el país abandonado o desierto? ¿O que sus campos desamparados por los colonos quedan yermos y sin cultivo? 5
Nada menos. Los que pasan allá, o no tienen casería, o la tienen de tan corta extensión y producto,
que no necesitando del trabajo del colono por todo
el año, le permiten que vaya a llevar una parte
de él a otra provincia, y a feriar por este medio 10
lo que le falta para sustentar su familia. Así se
nota lo primero, que la mayor parte de los que
van a residir por allá son de aquellos concejos
donde, destinadas muchas tierras a pastos y prados para la cría y granjería de mulas y otros 15
ganados, quedan menos tierras laborables, menos
número de caserías, y por consiguiente menos
proporción para aumentar el acomodo de nuevas
familias. Note usted lo segundo, que si de estos
u otros concejos vienen algunos vecinos de aquellos 20
que tienen a su cargo alguna renta, su venida es
siempre a trabajar en la siega u otra faena de
temporada en los campos de Castilla, y volverse
luego a mantener el resto del año su familia con
el fruto de su sudor y trabajo. Note usted lo ter- 25
cero, que los que permanecen allá por más largo
tiempo, no tienen por lo común otra ambición que
la de juntar algún caudalillo para volverse a su
casa, comprar alguna tierra, algún ganado, y proporcionar así un establecimiento en que puedan 30

mantener su familia. Todo lo cual prueba a mi
ver concluyentemente que estos emigrantes no
abandonarían su país si hubieran hallado en él una
subsistencia segura, y que por lo mismo deben
5 mirarse como el sobrante de su población.

Muchas veces he admirado como un error en
que han caído aun las gentes más cuerdas y avi-
sadas de este país, el lastimarse de tales emigraciones como de un mal grave y digno de remedio,
10 y más aún que se tratase seriamente de buscar alguno que las disminuyese o evitase del todo. Porque ¿qué sería del resto de la población si en el
estado actual se lograse retener dentro del país
estos individuos que ya no caben en él? ¿Es po-
15 sible que no se vea que, reducidos a vivir donde
ni la agricultura ni la industria les ofrecen ocupación ni subsistencia, o perecerían de necesidad, u
obligados a subsistir del producto del trabajo ajeno, menguarían el bienestar y la fortuna de las
20 demás familias laboriosas?

Que se erijan nuevas fábricas en que se puedan
emplear y ganar su subsistencia; que se aumente
por este medio el tráfico interior, la marina mercantil, el comercio activo; que se ofrezca ocupa-
25 ción a tantas manos como la piden y necesitan,
verá usted cesar las emigraciones por sí mismas,
y que nadie corre a buscar su suerte de la otra
parte de los puertos, abandonando la que tenga
segura dentro de casa.

30 Y advierta usted que no sólo es un error el em-

peño de reducir las emigraciones con respecto a
los mismos emigrantes, sino que lo es también
con respecto a todo el país. Las gruesas sumas que
traen o envían a él ganadas en otras provincias,
aumentan considerablemente su riqueza, y aunque
no son fáciles de reducir a cálculo, no por eso deben
ser objeto de nuestro desprecio o nuestro olvido.

Bien sé que las emigraciones tienen sus inconvenientes; pero no me parecen comparables al mal
que en el presente estado produciría su cesación.
Cuatro o seis jóvenes entregados al vino y al des-
reglo de los que van a trabajar por esos países;
cuatro o seis mujeres abandonadas porque sus es-
posos perecieron por allá a manos de la enferme-
dad, de las fatigas extraordinarias o de la corrupción, son seguramente un mal ocasionado por estas
emigraciones; pero ¿qué bien político no halla
usted mezclado con semejantes inconvenientes?

Harto más digna de consideración es la influencia que tienen estas emigraciones en las costumbres generales. Cuando vuelven de ellas algunos
de estos mozuelos que habían salido de su país inocentes y bozales, suelen traer ya toda la tintura
de la picaresca castellana, y el trato con ellos no
deja de alterar algún tanto la sencillez e inocencia de las costumbres originales de sus paisanos.
Pero ni estos ejemplos son muy frecuentes, porque la pobreza y el trabajo son en todo lugar un
gran preservativo contra la corrupción, ni por otra
parte sabré yo decir a usted cómo podría un go-

bierno evitar esta especie de males, que andan
siempre unidos con las mismas ventajas que busca.

Es ciertamente innegable que la multiplicación
de los hombres engendra nuevas pasiones; que su
asociación aumenta el fuego y la actividad de
ellas; que del fomento de la industria debe nacer
precisamente el comercio, del comercio la riqueza,
y de la riqueza el lujo, enemigo y corrompedor de
las costumbres. Sea, pues, un problema digno de
la especulación de los filósofos saber si un cuerpo
político debe renunciar a todas las ventajas que
son incompatibles con la conservación de las pu-
ras y primitivas costumbres de un pueblo, o si
cuando trata de aumentar la población por el único
medio que ofrece la economía, esto es, aumentando
los medios de subsistir, debe prescindir de tales
inconvenientes. Pero entre tanto oigamos nosotros
la voz de la humanidad y aun de la religión, que
nos dicen que el cuidar de que los hombres se mul-
tipliquen, vivan y no perezcan, es el primero de
todos sus preceptos.

De lo dicho hasta aquí no debe usted inferir
que nuestro país desconoce enteramente esta última clase de industria. No por cierto; antes por el
contrario, se debe a la aplicación de sus naturales
esfuerzos, de que hay pocos ejemplos en otros países. No hace muchos años que don Juan Cónsul,
sin otro auxilio que su especulación y su industria,
logró establecer en su casa del Villar, concejo de
Sierra, una fábrica de loza fina en que se traba-

jaron piezas admirables, tanto por su forma como
por su color y vidriado o baño. D. N. Dóriga
acaba de establecer otra en las cercanías de Oviedo a imitación de la de Bristol, dirigida por un
hábil fabricante inglés, que desde los primeros en- 5
sayos ha logrado igualar sus mejores modelos, y
camina rápidamente a la perfección. Se ha ade-
lantado bastante el tejido de lienzos, y he visto
bellas colonias, colchas, mantelerías, panas y otros
géneros de excelente calidad y apariencia fabri- 10
cados en Oviedo.

Don Francisco Clabell y Vellet beneficia con conocida utilidad la excelente mina de kárabe o succino de las Guerrías, y piensa en establecer varias
manufacturas de esta misma materia. Oigo hablar 15
de nuevas tenerías, de fábricas de botellas y de
otros varios establecimientos que prueban la fermentación en que se halla aquí el espíritu de industria y aplicación. La Sociedad Económica fomenta

13   *cárabe*, del árabe *cáhrabe*, 'ámbar' *(Dicc. Ac.)*
14   *Guerrías*, aldea en el término municipal de Piloña.
15   Hemos sabido después de escrita esta carta, con no
poco sentimiento y admiración, que esta mina de succino
se halla abandonada. ¿Es posible que un fósil que se compra de los extranjeros a tan alto precio, que tiene tanto
consumo en esa corte y todo el reino, y que es de uso tan
conocido en la farmacia por los aceites, y en la industria
por los excelentes charoles que produce, y en fin, que se
puede extraer en tanta abundancia, y dar a tan cómodos
precios, se abandone y menosprecie entre nosotros? ¿Quién
podrá resolver este problema sin culpar la inconsideración
de los que acometen semejantes empresas sólo para meter
bulla? Véase el discurso de Riego en 1788 sobre los trabajos de la Sociedad. *(Nota del autor.)*

con infatigable celo estas útiles ideas, y todo al
parecer anuncia una feliz revolución en este ramo.
Pero recelo mucho que se adelante poco mientras
no se empiece a curar el mal en la·raíz. Cuando
5 mis paisanos tengan matemáticos, físicos, químicos, mineralogistas y dibujantes; cuando apren-
dan a emplear más útilmente los fondos; cuando
sepan alcanzar del Gobierno los auxilios que nunca
niega a los que le buscan con justicia y oportuni-
10 dad, entonces tendrán fábricas y artefactos, podrán emplear en ellos un doble número de familias, y la población y la riqueza crecerán como la
espuma; pero mientras falten tales auxilios, los
progresos serán muy perezosos. Algo adelantarán
15 la imitación y el ingenio, pero nada inventarán
de sólido ni de nuevo; nada lograrán cuya subsistencia no sea precaria y dependiente de favora-
bles y pasajeras circunstancias. Basta por este correo: el adjunto discurso acabará de·ilustrar la
20 materia. Entre tanto salude usted a los amigos,
y mande a quien lo es suyo muy de veras, etc.

CARTA OCTAVA

ROMERÍAS DE ASTURIAS

Amigo y señor: Habiendo hablado de tantas co-
25 sas serias, permítame usted que le hable una vez
siquiera de cosas alegres y entretenidas, y le dé
alguna idea de las únicas diversiones que conoce

el pueblo de este país. Tengo indicado mi dictamen acerca de la escasa suerte de nuestros labradores, y es justo que ahora diga algo de la única recreación que se la hace llevadera.

Ya inferirá usted que no le voy a hablar de teatros o espectáculos magníficos, pues por la misericordia de Dios no se conocen en este país. Las comedias, los toros y otras diversiones tumultuosas y caras, que tanto divierten y tanto corrompen a otros pueblos reputados por felices, son desconocidas aun en las mayores poblaciones de esta provincia.

Se puede decir que el pueblo no tiene en Asturias más diversiones que sus *romerías,* llamadas así porque son unas pequeñas peregrinaciones que en días determinados y festivos hace a los santuarios de la comarca, con motivo de la solemnidad del santo titular que se celebra en ella.

De estas romerías voy a hablar a usted, o por mejor decir, se las voy a describir, para darle de ellas la más viva idea que me sea posible. ¡Ojalá pudiese inspirarle también alguna parte de aquellas deliciosas sensaciones, que tantas veces excitó en mi alma el espectáculo de la inocencia pura y sencilla, entregada al esparcimiento y alegría! Espectáculo tanto más digno de la atención de la filosofía, cuanto más relación tiene con el interés general de estos pueblos, y cuanto más influye en la felicidad personal de sus individuos.

Por lo común se escoge para escena de estas re-

ligiosas concurrencias el sitio más llano, frondoso
y agradable de las inmediaciones de la ermita, y
en él se colocan a la redonda las tiendas, los comestibles, los toneles de sidra y vino, y todo el
5 restante aparato de regocijo y fiesta.

Como el mayor número de estas romerías es por
el verano, desde la víspera empiezan a concurrir
al sitio acostumbrado todos los buhoneros, tende-
ros y vendedores de frutas y licores, y aun algunos
10 de los romeros, que forman debajo de los árboles
sus pabellones para pasar la noche y guarecerse
en el siguiente día de los rayos del sol, o bien de
las lluvias, que aquí son frecuentes y repentinas
en todas las estaciones.

15 Se pasa toda la noche en baile y gresca a orilla
de una gran lumbrada que hace encender el ma-
yordomo de la fiesta, resonando por todas partes
el tambor, la gaita, los cánticos y gritos de algazara y bullicio, que son los precursores de la di-
20 versión esperada.

Con el primer rayo de la aurora, salen a poblar
los caminos los que vienen a la ermita atraídos de
la devoción, de la curiosidad o del deseo de divertirse. La mayor parte de esta concurrencia ma-
25 tutina es de gente aldeana, que viene lo mejor ata-
viada que su pobreza le permite; pero con una
gran prevención de sencillez y buen humor, que
son los más seguros fiadores de su contento.

Sobre todo, la gente moza echa en estos días el
30 resto, y se adereza y engalana a las mil maravi-

llas; porque ha de saber usted que suelen ser estas las únicas ocasiones en que se ven y se hablan los amantes, y aun en las que se suelen zurcir y apalabrar muchas bodas.

Cuantos vienen a la romería, entran luego que llegan y pueden a la ermita a hacer sus preces, y es sin duda admirable la sencilla devoción que se nota en estas pobres gentes. Porque siendo así que la efigie que representa al santo titular suele ser una figura enana o extremadamente lánguida o esbelta, de forma y escultura gótica, mal estofada y corroída por todas partes de la polilla y la carcoma, vería usted (y lo vería con edificación) cómo nuestras buenas y devotas aldeanas, postradas en su presencia, la cabeza inclinada, y cruzadas las manos, imploraban de ella el alivio de sus necesidades y aflicciones con su fervor y confianza.

Después de rendido este culto, todo el mundo se da a la negociación y al tráfico. Cada romería viene a ser una feria general, donde se venden ganados, ropas y alhajas, cifrándose en ella casi todo el comercio interior que se hace en este país fuera de los mercados semanales; y en ello gozan de un gran beneficio sus moradores, porque estando su población dispersa y dividida en pequeños caseríos, sería muy gravosa a la gente aldeana la necesidad de ocurrir a los pueblos agregados, que son muy pocos y distantes entre sí, para surtirse de los objetos de consumo que no se venden en

sus comarcas. Reservan, pues, para el tiempo de
las romerías el tráfico y surtimiento de sus necesidades, uniendo así la utilidad y regocijo, que
son los dos primeros objetos de la felicidad de un
5 pueblo.

En fin, las visitas a la ermita, la misa, la pro-
cesión y la compra de géneros comestibles llenan
el espacio de la mañana, y van acercando la hora
de la comida, que no es como entre nuestros pe-
10 rezosos cortesanos muy entrada la tarde, sino precisamente cuando el sol subido a lo más alto del
cielo, señala la mitad de su carrera luminosa.

Entonces sí que es ver aquel gran concurso, dividido en diferentes ranchos, colocarse a la som-
15 bra de algún árbol frondoso a orilla de un río, de
un arroyo o fuente cristalina para hacer sus comidas. La frugalidad y la alegría presiden a ellas.
La leche, el queso, la manteca, las frutas verdes
y secas, buen pan y buena sidra son la materia
20 ordinaria de estos banquetes, y los hacen tan regalados y sabrosos, que no hay alguno de los convidados que no pudiera cantar con el Horacio español:

> A mí una pobrecilla
25 > mesa de amable paz bien abastada
> me basta, y la vajilla
> de fino oro labrada
> sea de quien la mar no teme airada.

Después de haber sesteado un rato por los lu-
30 gares amenos y sombríos de aquel contorno, se

empiezan a disponer las danzas, que sirven de ocupación al resto de la tarde. Estas danzas no son menos sencillas y agradables que los demás regocijos del día. Cada sexo forma las suyas separadamente, sin que haya ejemplar de que el desarreglo o la licencia los hayan confundido jamás. El filósofo ve brillar en todas partes la inocencia de las antiguas costumbres, y nunca esta virtud es más grata a sus ojos que cuando la ve unida a cierta especie de placeres, que la corrupción ha hecho en otras partes incompatible con ella.

Aunque las danzas de los hombres se parecen en la forma a las de las mujeres, hay entre unas y otras ciertas diferencias bien dignas de notarse. Seméjanse en unirse todos los danzantes en rueda, asidos de las manos, y girar en rededor con un movimiento lento y compasado, al son del canto, sin perder ni interrumpir jamás el sitio ni la forma. Son una especie de coreas a la manera de las danzas de los antiguos pueblos, que prueban tener su origen en los tiempos más remotos y anteriores a la invención de la gimnástica. Pero cada sexo tiene su poesía, su canto y sus movimientos peculiares, de que es preciso dar alguna razón.

Los hombres danzan al son de un romance de ocho sílabas, cantado por alguno de los mozos que más se señalan en la comarca por su clara voz y por su buena memoria; y a cada copla o cuarteto del romance responde todo el coro con una espe-

cie de estrambote, que consta de dos solos versos
o media copla. Los romances suelen ser de gua-
pos y valentones, pero los estrambotes contienen
siempre alguna deprecación a la Virgen, a Santiago, a San Pedro u otro santo famoso, cuyo nombre sea asonante con la media rima general del
romance.

Esto me ha hecho presumir que tales danzas
vienen desde el tiempo de la gentilidad, y que en
ellas se cantarían entonces las alabanzas de los
héroes, interrumpidas y alternadas con himnos a
los dioses. Lo cierto es que su origen es muy remoto; que el depravado gusto de las jácaras es
muy moderno, y que la mezcla de ellas con las
súplicas a los santos es tan monstruosa, que no
pudieron nacer en un mismo tiempo, ni derivarse
de una misma causa.

Tampoco sería extraño presumir que estas danzas eclesiásticas, y que tienen cierto sabor a los
usos y estilos litúrgicos de la media edad, pudieron ser traídas acá por los romeros que en ella
venían a peregrinar por este país; pues ya sabe
usted que las romerías de San Salvador, en Oviedo, fueron en algún tiempo muy frecuentadas, y
aun de ellas dura todavía algún resto. Lo cierto
es que esta mezcla de devoción, regocijo y fran-
cachela tiene parecer muy conforme al espíritu de
los siglos supersticiosos, y al carácter de aquellos
devotos vagamundos, que con título de piedad an-
daban por entonces de santuario en santuario,

dados a la vida libre y holgazana, comiendo, be-
biendo y saltando por el rey de Francia.

Como quiera que sea, estas danzas varoniles
suelen rematar muchas veces en palos, única arma
de que usa nuestro pueblo; y como nunca la suel- 5
tan, vería usted a todos los danzantes con su ga-
rrote al hombro, que sostienen con dos dedos de
la mano izquierda, libres los otros para enlazarse
en rueda, seguir danzando en ella con gran me-
sura y seriedad. Sucede, pues, frecuentemente que, 10
en medio de la danza, algún valentón caliente de
cascos empieza a victorear a su lugar o su concejo.
Los del concejo confinante, y por lo común rival,
victorean al suyo; crece la competencia y la gritería, y con la gritería la confusión; los menos va- 15
lientes huyen; el más atrevido enarbola su palo;
le descarga sobre quien mejor le parece, y al cabo
se arma tal pelea de garrotazos, que pocas veces
deja de correr sangre, y alguna se han experimentado más tristes consecuencias. 20

Para remediar estos abusos, alguna vez ha pen-
sado el Gobierno en prohibir el uso de los palos;
pero ¡pobre país si esto sucediera! Los hombres,
naturalmente tímidos y amantes de su conservación, gustan de llevar consigo alguna prevención, 25
alguna defensa contra los insultos que les amena-

---

2 *Saltar por el Rey de Francia.* "Tómase por hacer
violencia y dar pesadumbre, a semejanza de los perrillos
de ciego, que los hacen saltar por un aro, diciendo: Salta
por el Rey de Francia." (CORREAS: *Vocabulario.*)

zan. Prohibido el uso de los palos, entrará sin
duda el de las navajas y cuchillos, armas mortí-
feras que hacen a otros pueblos insidiosos y ven-
gativos, y enervan y extinguen el valor y la verdadera bizarría.

Ni por este uso debe usted de tachar de bárbaros a mis paisanos. Semejantes escenas, además
de interesar en gran manera la curiosidad por
cuanto hieren fuertemente la imaginación de los
espectadores, son muy del gusto de los pueblos no
corrompidos por el lujo, y en cierto modo están
unidas a la condición misma de nuestra humanidad. "El hombre, dice el sabio Ferguson, es demasiado propenso a las lides y a emplear sus facultades naturales contra cualquiera enemigo:
gusta de ensayar su razón, su elocuencia, su constancia, y aun su vigor y fuerzas corporales. Sus
recreos son muchas veces imagen de la guerra:
el sudor y la sangre suelen correr en sus juegos,
y las fracturas y aun la muerte dan término alguna vez a las fiestas y pasatiempos de su ociosidad. Nacido para morir, hasta en su diversión
halla su camino para el sepulcro..."

Dejemos, pues, a los pueblos frugales y labo-
riosos sus costumbres, por rudas que nos parezcan, y creamos que la nobleza del carácter en que

---

13 ADAM FERGUSON (1723-1816): *An Essay on the His-
tory of Civil Society,* Edinburgo, 1767, seccion IV: "Of
the principles of War and Discusion".

tienen su origen merece por lo menos esta justa condescendencia.

Pero las danzas de las asturianas ofrecen ciertamente un objeto, si no más raro, a lo menos más agradable y menos fiero que las que acabamos de describir. Su poesía se reduce a un solo cuarteto o copla de ocho sílabas, alternando con un largo estrambote, o sea estribillo, en el mismo género de versos, que se repite a ciertas y determinadas pausas. Del primer verso de este estrambote que empieza:

Hay un galán de esta villa,

vino el nombre con que se distinguen estas danzas.

El objeto de esta poesía es ordinariamente el amor, o cosa que diga relación a él. Tal vez se mezclan algunas sátiras o invectivas, pero casi siempre alusivas a la misma pasión, pues ya se zahiere la inconstancia de algún galán, ya la presunción de alguna doncella, ya el lujo de unos, ya la nimia confianza de otros, y cosas semejantes.

Lo más raro, y lo que más que todo prueba la sencillez de las costumbres de estas gentes, es que tales coplas se dirigen muchas veces contra determinadas personas; pues aunque no siempre se las nombra, se las señala muy claramente, y de forma que no pueda dudarse del objeto de la alabanza o la invectiva. Aquella persona que más sobresale en el día de la fiesta por su compostura, o por algún caso de sus amores; aquel suceso que

es más reciente y notable en la comarca; en fin,
lo que en aquel día ocupa principalmente los ojos
y la atención del concurso, eso es lo que da materia a la poesía de nuestros improvisantes asturianos. Ya ve usted si les será fácil indicar las personas sin nombrarlas expresamente.

Supongo que para estas composiciones no se
valen nuestras mozas de ajena habilidad. Ellas
son las poetisas, así como las compositoras de los
tonos, y en uno y otro género suele su ingenio,
aunque rudo y sin cultivo, producir cosas que no
carecen de numen y de gracia. Pondréle a usted
dos ejemplos, entre mil que pudiera señalar, y si
no entiende el dialecto, tenga paciencia, que otros
le entenderán.

En una de estas romerías a que concurrió cierto amigo mío, se había presentado una fea que,
entre otros adornos, llevaba una redecilla muy ga-
lana y color muy sobresaliente. Al instante fué
notada de las mozas, que le pegaron esta bande-
rilla:

Quítate la rede negra
y ponte la colorada
para que llucia la rede
lo que non llu la tó cara.

En otra romería corrían muchos rumores acerca
del susto que daba a un recién casado el galanteo

---

24 *Lucia*, por "luzca', y *llu* por '*luce*', con la *ll* inicial
característica del asturiano.

que con su mujer traía cierto caballerete de la
Quintana. El marido, que por la cuenta era espan-
tadizo, andaba no poco cabizbajo con esta sospe-
cha. Se hizo público su cuidado, y al punto mis
trovadoras soltaron su vena, y le consolaron con 5
esta copla:

> El que tien la muger guapa
> cabo cas de los señores,
> más trabajo tien con ella
> que en cabar v fer borrones 10

También este uso puede tener muy fundada apología. En ninguna parte hiere tanto la sátira como
donde es grande la corrupción de las costumbres,
o porque allí se aguzan más sus dardos, o porque
allí está el hombre más necesitado de tener co- 15
rrido el velo de sus imperfecciones. Al contrario,
la inocencia es tan tarda en sospechar el mal,
como pronta y franca en decirle. Pero cuando le
dice no le insulta, no le acrimina, ni, por decirlo
así, le condena. Pudiera creerse que no le publica 20

---

10 *borronar*. "Uno de los modos de abonar las tierras
en Asturias. Consiste en juntar en montones las plantas y
raíces secas, y mezcladas con céspedes y terrones, quemar-
lo todo junto, esparcir después las cenizas sobre la tierra.
A estos montones llaman *borrones*, origen latino del verbo
uro, is, que significa quemar, y que en lo antiguo se dijo
buro, según Vosio (véase *uro*), y de ahí *bustum*, quemado.
Burones, borrones y borronar o aborronar." Papeleta de
Jovellanos que, según CEÁN (*Memorias*, págs. 230-231), se
encontraba entre las recogidas para la formación del vocabulario asturiano.

para castigarle, sino que le zahiere para descu-
brirle. Otra coplita bien singular probará a usted
la sencillez de corazón con que nuestras asturianas cometen esta especie de imprudencia.

5   Era yo bien niño cuando el ilustrísimo señor don
Julio Manrique de Lara, obispo entonces de Oviedo, se hallaba en su deliciosa quinta de Contrueces, inmediata a Gijón, el día de san Miguel. Ce-
lebrábase allí aquel día una famosa romería, y las
10 mozas, como para festejar a su ilustrísima, formaron su danza debajo de los mismos balcones
de palacio. El buen prelado, que estaba en conversación con sus amigos, cansado del guirigay y la
bulla de las cantiñas, dió orden para que hicieran
15 retirar de allí las danzas: sus capellanes fueron
ejecutores del decreto, que se obedeció al punto;
pero las mozas, mudando de sitio, bien que no tanto que no pudiesen ser oídas, armaron de nuevo
su danza, cantando y recantando esta nueva letra,
20 que su ilustrísima celebró y oyó con gusto desde
su balcón gran parte de la tarde:

> El señor obispo manda
> que s'acaben los cantares;
> primero s'an d'acabar
25 > obispos y capellanes.

Los estribillos con que se alternan estas coplas
son una especie de retahila que nunca he podido
entender; pero siempre tienen sus alusiones a los
amores y galanteos, o a los placeres y ocupacio-
30 nes de la vida rústica. Los tonos son siempre tier-

nos y patéticos, y compuestos sobre la tercera menor. Llevan la voz de ordinario tres o cuatro mozas
de las de más gallarda voz y figura, colocadas a
la frente del coro, y las otras van repitiendo ya
la mitad de la copla, ya el estribillo, a cuyo compás 5
giran todas sin interrupción sobre un mismo
círculo, pero con lentos, uniformes y bien acordados pasos. Entre tanto resuena en torno una dulce
armonía, que penetrando por aquellos opacos y
silenciosos bosques, no puede oírse sin emoción ni 10
entusiasmo.

No constan estas danzas, como nuestros modernos bailes, de fuertes y afectadas contorsiones,
propias para expresar unas pasiones violentas y
artificiosas, sino de movimientos lentos y ordena- 15
dos, que indican las tranquilas afecciones de un
corazón inocente y sensible. Si ésta es o no una
ventaja para los pueblos que la melindrosa corrupción tiene por bárbaros, no parece un problema
difícil de resolver. 20

En estos entretenimientos se va pasando la tarde, y ya cerca de su fin, llegan de refresco a la
romería las damas y caballeros del contorno; que
jamás dejan de participar de estas fiestas populares. 25

No saldrá de su casa una señora sin el séquito
de muchos caballeros acompañantes que para el
caso tienen o buscan los mejores caballos y ata-
víos, y forman una vistosa y lucida comitiva. De
estas cuadrillas, a que dan el nombre de tropas, 30

suelen acudir algunas veces cuatro o seis, y aumentan a un mismo tiempo el concurso, la curiosidad y la diversión del día.

Éste es precisamente el punto en que más hierve el bullicio y la alegría de los concurrentes. Por todas partes se descubren objetos varios, y a cual más agradables a la vista. A una parte se canta y se danza, a otra se tira a la barra, se juega y se retoza; aquí se trata de amores, allí se habla de intereses y contratos; éstos beben, aquéllos riñen, los otros corren, y en fin, reina sobre toda la escena un espíritu de unión, de alegría y de júbilo que todo lo anima, todo lo pone en movimiento, y se entra sin arbitrio en los más fríos y desprevenidos corazones.

¿Y creerá usted que no faltan censores de tan amargo celo, que declamen contra estas inocentes diversiones? Ellas ofrecen el único desahogo a la vida afanada y laboriosa de estos pobres y honrados labradores, que trabajan con gusto todo el año con la esperanza de lograr en el discurso del verano tres o cuatro de estos días alegres y divertidos. Si se quitan al pueblo estas recreaciones en que libra todo su consuelo, ¿cómo podrá sufrir el peso de un trabajo tan rudo, tan continuo y tan escasamente recompensado? En otras partes se disponen a toda costa espectáculos suntuosos y magníficos para entretener a unos pueblos libres y corrompidos, y aquí ¿se privará a un pueblo inocente y laborioso de la única recreación que conoce, y que es tan inocente y tan sencilla como su mismo carácter?

Líbreme Dios de ser patrono de la licencia y el desorden. Yo no movería mi pluma en favor de estas diversiones si los hallase introducidos en ellas. Sé muy bien que a la sombra de estos regocijos suele andar alguna vez embozada la disolución, tendiendo sus lazos y acechando sus presas; pero ¿están libres de este peligro las concurrencias más santas? ¡Cuántas veces el libertinaje arma sus emboscadas en los ángulos de los templos! ¡Cuántas contrahace la devoción para combatirla! ¡Cuántas se cubre del santo velo de la virtud para disfrazar los designios del vicio! ¿Y por esto pondremos un entredicho a las casas del Señor? ¿Cerraremos sus puertas a un pueblo entero de corazones fervorosos, para negar la entrada a un solo libertino?

Sé que entre los reprobadores de las romerías se encuentra al sabio Feijóo; pero ¿me atreveré a decir a usted lo que siento de su declamación? ¿Y por qué no? Léala, y si comparando su estilo pedantesco, su mala lógica y sus frívolos argumentos con sus otros escritos, no juzgase usted, como yo, que aquel discurso es un trozo de sermón tra-

---

19-20 "Peregrinaciones sagradas y romerías", *Teatro crítico*, t. IV, disc. 5.º También habla de las romerías en la carta 15 del t. V de sus *Cartas eruditas:* "Al asunto de haberse desterrado de la provincia de Extremadura y parte del territorio vecino el profano rito del toro, llamado de San Marcos."

bajado en los primeros años, cuando no estaba
aún ilustrada su razón crítica, ni formado su gusto, téngame usted por temerario. Pero entre tanto
puedo oponer el dictamen de otro sabio benedic-
5 tino, el de su mismo maestro el doctor Sarmiento.
Vea usted lo que dice acerca de las romerías de
Galicia, en un excelente tratado (*en mi MS.* 417),
y comparando sus razones con las de su discípulo,
decida por sí mismo.

10   Acaso me hará usted un argumento de mayor
peso alegando las prohibiciones de las romerías
por el último sínodo de Oviedo (tít. 12, curso 1.º).
Esta autoridad es demasiado respetable para que
yo me atreva a combatirla, pero sí diré que este
15 sínodo sufrió varios retrasos en la aprobación, y
aun está reclamado en varios puntos; que en éste
no ha sido ejecutado ni admitido, y por último,
que perteneciendo esta materia en todas sus partes a la autoridad civil, ella sola es quien deberá
20 regularla en todo tiempo. Quísolo hacer en el pro-

---

5   Se halla en el vol. XLVIII de los manuscritos del
Instituto y es una carta dirigida por el padre Sarmiento
al conde de Aranda, fechada el 25 de julio de 1757 y que
lleva el título *Sobre caminos.* Cf. SOMOZA: *Catálogo de manuscritos e impresos notables del Instituto de Jovellanos
de Gijón,* págs. 94-96.

12   Se celebró del 24 al 30 de septiembre de 1769, siendo
obispo don Agustín González Pisador, publicándose las
constituciones más tarde: *Constituciones synodales del obispado de Oviedo hechas... por el ilustrissimo Sr. Don Agustín González Pisador, Obispo de dicha diócesis...* En Salamanca, por Andrés García Rico. 1786.

yecto de nueva ordenanza del Principado: no accedió a la prohibición sinodal; quiso, sin embargo, dar leyes a estas diversiones; pero ellas son tales, que si por desgracia hubiesen obtenido la aprobación, hubieran por esta y otras razones hecho la ruina del Principado.

La música, la danza, los regocijos estaban de algún modo unidos a la religión de los antiguos pueblos. La misma nación santa, la única que en la antigüedad daba culto al Dios verdadero, los mezclaba a sus ritos y ceremonias. Vea usted las mujeres de Israel saliendo al encuentro de David y Saúl, vencedores del Filisteo. *Cantantes choreasque ducentes... in tympanis laetitiae etc. etc. precinebant ludentes.* Vea usted el mismo Rey Profeta formando su coro de danzantes en la solemne traslación del Arca desde la casa de Obededón al palacio (2, Bam., c. 6, 5).

Este pueblo escogido, según la observación de

11-15   "Y aconteció que como volvían ellos, cuando David tornó de matar al Filisteo, salieron las mujeres de todas las ciudades de Israel cantando y con danzas, con tamboriles, y con alegrías y sonajas, a recibir al rey Saúl." I, Samuel, 18, 6.

15-18   Jovellanos, según la edición de Rivad., da esta referencia equivocada (3 Reg., c. 5, 23). Nosotros la hemos corregido poniendo el lugar exacto donde se halla, es decir, el segundo libro de Samuel, cap. 6, donde se narra la traslación del Arca desde la casa de Abinadab a la de Obededón y no desde ésta, como erróneamente dice Jovellanos. Véase el vers. 5 en la versión de Cipriano de Valera: "Y David y toda la casa de Israel danzaban delante de Jehová", etc.

Calmet, no conocía especie alguna de juegos, ni
escénicos, ni de suerte, ni carreras, ni luchas de
hombres y fieras. Un campo fértil y bien cultivado, donde cada uno reposaba contento a la sombra de su parra y de su higuera; los viejos sentados en la plaza, hablando de los negocios del
común; los mozos corriendo alegres y vestidos de
gala a sus fiestas y ceremonias públicas. Tal es
la pintura de la felicidad del pueblo de Dios, cuyas peregrinaciones, solemnidades y convites eran
siempre a los templos y en los templos. Dichoso
el pueblo cuyas sencillas costumbres representan
todavía al mundo corrompido una imagen de esta
envidiable y primitiva felicidad que ha desapare-
cido casi de su superficie.

Si buscamos otros ejemplos en la antigüedad,
hallaremos en los juegos de los egipcios, de los
griegos y de los romanos mezclada siempre la religión, y rara vez introducido el desenfreno a la
sombra de ella. Sin embargo, una razón política
los fomentaba y sostenía, porque se juzgaban necesarios para la quietud y entretenimiento de los
pueblos. Del romano, del pueblo que había dado
la ley al mundo, decía Juvenal que estaba contento
con que le diesen pan y juegos de Circo.

---

1 Dom Agustín Calmet (1672-1757), benedictino francés y sabio comentador de la Biblia, autor de *Commen-
taire littéral sous tous les livres de l'Ancien et du Nou-
veaux Testament*, 1707-1716, 23 tomos en 22 vol. en 4.°

Pero entre nosotros... no más. No quiero me-
terme a declamador: creo que lo dicho basta para
poner a usted de mi partido.

Manténgase usted bueno, etc.

CARTA NOVENA

SOBRE EL ORIGEN Y COSTUMBRES DE LOS VAQUEROS DE ALZADA EN ASTURIAS

Amigo y señor: Si yo hubiese de hablar a usted de los vaqueros de alzada, que han de ser objeto de esta carta, según las ideas y tradiciones
populares recibidas acerca de ellos, o si pudiese
conformarme con lo que el vulgo cree de su origen, carácter y costumbres, pudiera ciertamente
hacerle una pintura muy nueva y agradable de
estas notables gentes; pero no lograría fijar, como
deseo, las opiniones que las ensalzan o envilecen.
Tal suele ser la fuerza de todas las creencias populares: corren sin tropiezo largos años, sostenidas por la común preocupación, hasta que la buena o mala crítica de los escritores las desvanece
o las autoriza. Mas cuando las plumas callan, como
en esta materia, el tiempo las fortifica y perpetúa,
y entonces el que quiera ser creído no tiene más
que adoptarlas e irse tras ellas.

Sin embargo, usted puede haber conocido que

mi correspondencia dista igualmente del deseo de
adquirir gloria por medio de relaciones vanas y
portentosas que de la ridícula pretensión de agradar, temporizando con los errores y falsos principios. Mi método se ha reducido hasta aquí a
observar cuanto puedo, según la rapidez de mis
correrías, y a exponer a usted mi modo de pensar sin sujeción ni disimulo; y si alguna vez alabo o vitupero, es sólo cuando la vista del bien o
el mal hacen que el corazón gobierne la pluma y
le dicte sus sentimientos. Sin embargo, esta carta no dejará por eso de ser curiosa, porque ni
callaré lo que comúnmente se cree de los vaqueiros, ni dejaré de exponer mi sentir acerca de ellos,
por más que se aleje del de muchos que los tratan y observan continuamente más de cerca. Ello
es que hay hartos puntos en que su modo de vivir y sus usos no se conforman con los del restante pueblo de Asturias; pero las señales que los
distinguen no bastan para atribuirles remoto ni
diferente origen. Veamos, pues, de dónde dima-
nan, y por qué, teniendo una misma derivación,
tienen tan diferentes costumbres. Semejantes indagaciones, hechas sobre objetos propios y vecinos, deben ser preferidas a las que se emplean
sobre tantos otros extraños y remotos: yo veo que
decía muy bien un elocuente escritor que los españoles habían sido más curiosos de conocer las
cosas ajenas que diligentes en ilustrar las propias.

*Profecto dum nostra fastidimus aut negligimus,
inniamus alienis.*

Otro empezaría informando a usted de lo que es
este pueblo en la opinión, para examinar después
lo que parece en la realidad. Yo seguiré el método
contrario: diré primero lo que son, y de ahí podrá
usted inferir lo que fueron.

Vaqueiros de alzada llaman aquí a los moradores de ciertos pueblos fundados sobre las montañas bajas y marítimas de este Principado, en los
concejos que están a su ocaso, cerca del confín de
Galicia. Llámanse *vaqueiros* porque viven comúnmente de la cría de ganado vacuno; y de alzada,
porque su asiento no es fijo, sino que alzan su
morada y residencia y emigran anualmente con
sus familias y ganados a las montañas altas.

Las poblaciones que habitan, si acaso merecen
este nombre, no se distinguen con el título de villa,
aldea, lugar, feligresía ni cosa semejante, sino con
el de braña, cuya denominación peculiar a ellas
significa una pequeña población habilitada y cultivada por estos vaqueiros.

La palabra braña pudiera dar ocasión a muchas reflexiones, si buscando su origen en alguna
de las antiguas lenguas, quisiésemos rastrear por
ella el de los pueblos que probablemente la traje-

1-2 Alfonsus Santius, *de Rebus Hispaniae*. L. 7, C. 5.
(Nota del autor.)
En verdad que mientras descuidamos y sentimos des-
dén por lo nuestro, sentimos la atracción de lo ajeno.

ron a Asturias. Pero este modo de averiguar los orígenes de gentes y naciones es muy falible y expuesto a grandísimos errores. Bástele a usted saber que *braña* vale tanto en el dialecto de Asturias como en la media latinidad *brannam*, lugar alto y empinado, según la autoridad de Ducange.

El vecindario de cada braña es por lo común muy reducido, pues fuera de alguna otra que llega a 50 hogares, están, por lo común, entre 20 y 30, y aun las hay de 16, 14, 8 y 6 vecinos solamente.

Se hallan brañas en los concejos de Pravia, Salas, Miranda, Coto de Lavio, Tineo, Valdés y Navia; y aunque en otros más interiores se conocen también, son allí raras, no permitiéndolas la naturaleza del suelo ni el género de vida y cultivo a que son dados sus moradores, o bien por haberse convertido éstos en labradores al uso común del país, perdiendo el nombre de brañas y vaqueiros, como hoy se ve en las de Ordereies y Corollos, del concejo de Pravia.

Los vaqueiros viven, como he dicho, de la cría de ganados, prefiriendo siempre el vacuno, que les da su nombre, aunque crían también alguno lanar y caballar. Las demás ocupaciones son subsidiarias, y sólo tomadas para suplemento de su subsistencia. Tan cierto es que el interés, este gran

---

6 Tomando la voz del plural *branna*, así como las antiguas palabras *buena*, *otuebra*, *seña* y *claustro*, que no se derivaron de *bonus*, *opus*, *signum*, *claustrum*, sino de los plurales *bona*, *opera*, *signa*, *claustra*. (*Nota del autor.*)

móvil a que obedece el hombre en cualquiera situación, no ha inspirado todavía a estas gentes
sencillas otro deseo que el de suplir a sus primeras y menos dispensables necesidades.

La riqueza, pues, cifrada en esta granjería pe- 5
cuaria, no proveería a una gran multiplicación de
estos vaqueiros, si no buscasen el aumento de sus
ganados, origen de su subsistencia, por dos medios igualmente seguros: uno, el de trashumar con
ellos por el verano a las montañas altas del mismo 10
Principado y del reino de León, y otro, el de cultivar prados de guadaña para asegurar con el
heno que producen el alimento de sus ganados durante el invierno.

En este punto son nuestros vaqueiros muy dig- 15
nos de alabanza, pues con laudable afán abren sus
prados, aunque sea en las brañas más ásperas, los
cercan de piedra, los abonan con mucho y buen
estiércol, divierten hacia ellos todas las aguas que
pueden recoger y siegan y embolagan su heno con 20
grande aseo y perfección. No hay, créalo usted,
no puede presentarse objeto más agradable a la
vista de un caminante que esta muchedumbre de
pequeños prados, presentados a ella como otras
tantas alfombras de un verde vivísimo, tendidas 25
aquí y allí sobre las suaves lomas en que están situados los pueblecitos, interrumpidas por las cer-

---

20 *embolagar*, *ast.*, igual que 'balagar' y 'embalagar':
hacer montones de bálago o de heno en este caso.

cas y chozas, y pobladas de variedad de ganados que pastan sus yerbas y cruzan continuamente por ellas.

Es verdad que estos ganados son pequeños; sus
5 ovejas me parecieron un medio entre las merinas y las churras comunes, acaso porque la corta emigración que hacen anualmente, o bien la sola excelencia de las yerbas que pastan, puso la finura de sus lanas en medio de las otras dos clases. Sus
10 bueyes y caballos son también de corto tamaño y valor, cifrándose éste, más que en la calidad, en el número, y pudiendo aplicárseles muy bien lo que Tácito dijo de los que criaban los antiguos pueblos del Norte:

15 *Pecorum foecunda (terra) sed plerumque improcera: ne armentis quidem suus honor aut gloria frontis: numero gaudent, eaeque solae, et gratisimae opes sunt.*

Sus casas, si es que cuadra este nombre a las
20 chozas que habitan, son por la mayor parte de piedras, y aunque pequeñas, bien labradas y cubiertas. Sin división alguna interior, sirven a un mismo tiempo de abrigo a los dueños y a sus ganados, como si estas gentes se hubiesen empeñado en re-
25 medar hasta en esto a los de aquella dichosa edad.

15-18 "Tierra abundante en ganado, pero por lo común es pequeño: ni los bueyes mismos tienen su acostumbrada grandeza ni la noble y orgullosa frente: gózanse en tener gran número, y ésta es su única riqueza y la que les es más grata." *Germania*, V.

Cum frigida parvas
Proeberet spelunca domos, ignemque, laremque,
Et pecus, et dominos communi clauderet umbra.

En estas casas o chozas pasan el invierno los
vaqueiros y las vacas, mantenidas con el heno que
tienen recogido, mientras cubren todo el suelo las
nieves, que ni son abundantes, ni durables en él;
porque la mayor parte de las brañas, sobre ser
bajas, están cercanas a la costa; los aires marí-
timos templan considerablemente la atmósfera, y
la humedad del vendaval las deshace en un punto.

A la venida del verano, y éste es el segundo medio para la multiplicación de sus ganados, se ponen en movimiento todos estos pueblos para buscar los montes altos de León y sus frescas yerbas. Estuvo en algún tiempo arreglado el día de
la partida y de la vuelta de san Miguel a san Miguel, esto és, desde el 8 de mayo al 29 de setiem-
bre. Ya en esto, como en todo, son libres, y así
como atrasan su vuelta hasta san Francisco, suelen retardar su partida hasta san Antonio. Llegado este plazo, alzan y abandonan del todo sus
casas y heredades, y cada familia entera, hombres
y mujeres, viejos y niños, con sus ganados, sus
puercos sus gallinas y hasta sus perros y sus ga-

1-3   Juvenal, Satyr. 6. "Cuando una fría caverna les
servía de modesta morada y fuego, lares, ganado y dueño
se cobijaban bajo una sombra común."
20   El 4 de octubre.
21   El 13 de junio.

tos, forma una caravana y emprende alegremente su viaje, llevando consigo su fortuna y su patria, si así decirse puede de los que nada dejan de
cuanto es capaz de interesar a un corazón no co-
5 rrompido por el lujo y las necesidades de opinión.
Otra cosa bien digna de notarse en estas expediciones es que el ganado vacuno sirve también para
el transporte, aun con preferencia a los caballos o
rocines. Vería usted que sobre las mullidas y en-
10 tre los mismos cuernos de los bueyes y vacas, suelen ir colocados no sólo los muebles y cacharros,
sino también los animales domésticos y hasta los
niños, inhábiles para tan largo camino. No conociendo el uso de los carros, ni permitiéndolos la
15 aspereza de los lugares que habitan ni la altura
de los vericuetos que atraviesan, fían sus prendas
más caras a la mansedumbre de aquellos animales
que la providencia crió para íntimos compañeros
del hombre, y en cuya índole dócil y laboriosa co-
20 locó la naturaleza el mejor símbolo de la unión y
felicidad doméstica.

En las montañas, su vida se acerca más al estado primitivo, pues ni tienen casas, haciendo la
estación menos necesario el abrigo, ni se afanan
25 mucho por su subsistencia, hallando en la leche
de sus ganados un abundante y regalado alimento.

Sin embargo, como el principal motivo de esta
emigración sea la escasez de pastos, las familias
de aquellas brañas cuyos términos son más anchos
30 y fecundos no mudan sus hogares, o tal vez se

parten quedando algunos individuos con cierto número de cabezas, y trashumando los demás a las montañas con el restante *armentio*, que así llaman a la colección de sus ganados. En ambos casos, llegado al sitio, se adelantan los más robustos, vuelven a hacer la siega de los prados y ponen en bálagos la yerba, en lo que tienen muy grande esmero, como he podido observar por mí mismo.

A la entrada de octubre vuelve la caravana con su fortuna y penates, y colocándolos en el hogar primitivo, pasan allí la cruda estación más guarecidos y no menos libres y dichosos.

Créame usted, amigo mío, estas gentes lo serían del todo, y su independencia sería la medida de su felicidad, si con tantas precauciones no los forzase todavía la necesidad a buscar en otros medios de subsistir una fortuna más amarga y ganada con mayor afán.

Hay algunos que a la cría de ganados juntan el cultivo de las patatas, y los que así lo hacen, apenas conocen otro alimento que este fruto y la leche; mas como no sea dado a todos los vaqueiros la proporción de este cultivo, porque o la esterilidad o la estrechez del suelo lo rehusa, los que carecen de tan buen auxilio tienen que comprar maíz, pues viven de boroña o de una especie de polentas hechas con la harina de este grano. Para hacer estas compras es indispensable poseer algún sobrante del producto de sus granjerías; y vea usted aquí el origen del continuo afán en que viven y el estímulo de un rudo e incesante trabajo.

Sea, pues, por la fuerza de esta necesidad, o tal vez por codicia, que suele tardar poco en ganar los corazones de los hombres, nuestros vaqueiros se meten en el invierno y aun en el verano a traficantes, comprando en los puertos y mercados de la costa pescados, frutas secas, granos y legumbres para venderlas en otros de tierra adentro. Para esto sólo apetecen, y apenas tiene otro uso, su ganado caballar. Entre tanto, el cuidado de prados y *armentio* queda al cargo de viejos y mujeres. De aquí viene que algunos hayan juntado mayores conveniencias. De aquí la tal cual desigualdad de fortuna que hay entre ellos. De aquí la mutua dependencia, el orgullo, la pobreza y otros vicios de que acaso habrá ocasión de hablar más adelante.

Sin embargo, es menester confesar que si hay un pueblo libre sobre la tierra, lo es éste sin disputa, no porque no esté, como los demás, sujeto a las leyes generales del país, sino porque su pobreza le exime de las civiles, y su inocencia de las criminales. Aun los reglamentos económicos no tienen jurisdicción sobre él, porque cultiva sólo para existir, y trafica con el mismo fin, y sólo en los mercados libres.

La aspereza de sus poblaciones aleja de él los molestos instrumentos de la justicia, y su rudeza natural los sorteos y los enganchadores para la

guerra. Considerado como una gran familia acogida a la sombra del gobierno, vive en cierta
especie de sociedad separada, sin ser a nadie molesto ni gravoso, y si no parte las miserias, tampoco los honores, comodidades y recreos del res- 5
tante vecindario. ¡Dichoso si fuese capaz de conocer la libertad que debe al cielo!, y mucho más
dichoso si supiese apreciar este bien que el lujo
va desterrando de la superficie del mundo!

Yo he pretendido rastrear si estos pueblos, en 10
sus bodas, bautismos y funerales, tenían algunos
ritos y ceremonias domésticas que, abriendo campo a la conjetura, me guiasen hasta su origen;
mas nada hallé que despertase mi razón. Ello es
que, profesando una religión que no ha fiado al 15
arbitrio de sus creyentes el rito ni la forma de
sus misterios, no podía parecer el mío un empeño
muy vano. Sin embargo, no es raro que en semejantes pueblos se descubran algunos vestigios de
su antigua religión y costumbres; indicios de que 20
suele sacar gran partido la filosofía, pero que a
mí me dejaron en la misma oscuridad.

Los matrimonios de los vaqueiros, más que al
bien de las familias, parecen dirigidos al de los
mismos pueblos. Cuando alguno se contrae, todos 25
los moradores concurren alegres a la celebridad,
acompañando los novios a la iglesia y de allí a su
casa, siempre en grandes cabalgatas, y festejando
con escopetazos al aire y gritos y algazara aquel
acto de júbilo y solemnidad públicos, como si el 30

interés fuese común y dirigido a la prosperidad de una sola y gran familia.

Hay quien diga que en el convite general de este día se sirve un pan o bollo que, a manera de
5 eulogia, se reparte en trozos a los convidados, y reservándose una parte muy señalada para la novia, se le hace comer en público, graduando de melindre las resistencias de la honestidad. Grosera e indecente costumbre, si la fama es cierta, que
10 no supone grande aprecio de la modestia y el pudor, pero que por lo mismo dista mucho de la primitiva inocencia, y hace sospechar que a la sombra del regocijo pudo introducirla el descaro entre los brindis y risotadas del convite.

15 Para solemnizar los entierros se congrega también toda la braña; otro general convite reúne a sus vecinos en el oficio de consolar a los dolientes. Colocado el cadáver al frente de la mesa, recibe en público la última despedida, y en ella el último
20 de los obsequios inventados por la humanidad. Todos asisten después a presenciar el funeral, y dicho el último responso, los concurrentes, empezando por los más allegados, van echando en la huesa un puñado de tierra, y dejando al sepulturero
25 la continuación de este oficio, se vuelven a sus casas pausados y silenciosos. En los días próxi-

---

5 *eulogia.* Así se llama en la liturgia griega al pan consagrado. De ahí que se dé el mismo nombre a las ofrendas de manjares o vino benditos que se hacían en las fiestas solemnes.

mos llevan los parientes y dejan sobre la sepultu-
ra algunas viandas, prefiriendo aquellas de que
más gustó en vida el soterrado. Costumbre antigua, derivada de la gentilidad y común a otros
pueblos, y que se tolera mirando estos dones como 5
ofrendas echas a la iglesia por vía de sufragio.
Tal es el modo que tienen estas gentes de llorar sus
finados; y si entre ellos son prolongados el dolor
y la tristeza, verdaderas pruebas de su sensibilidad, son al mismo tiempo muy breves los lamentos 10
y las lágrimas que tan mal se componen con la
constancia varonil.

También son públicos sus bautismos, como si en
ellos se solemnizase el nacimiento y la regeneración espiritual de un hermano común; así es que 15
estos pueblos representan a cada paso la imagen
de aquellas primitivas sociedades que no eran más
que una gran familia, unida por vínculos tan estrechos, que hacían comunes los intereses y los
riesgos, los bienes y los males. 20

Preténdese, finalmente, que para experimentar
la robustez y sanidad de sus jóvenes destinados
al matrimonio, para asegurar la recíproca fe de los
contratos, para prevenir o alejar los males y desgracias y para indagar y predecir los tiempos con- 25
venientes a sus faenas rústicas, se valen estos
pueblos de ciertas fórmulas y signos, de cierta
observación de los astros y de ciertas palabras mis-
teriosas que el vulgo tiene por ensalmos y malas
artes, y en que acaso ellos mismos, ilusos, creen 30

encerrada alguna virtud desconocida y poderosa.
Pero ¿qué vale todo esto a los ojos de la filosofía?
La superstición ha sido siempre la legítima de la
ignorancia, y los pueblos tienen más o menos en
razón de su mayor o menor ilustración. Yo no
veo aquí otra cosa que aquella especie de vanas y
supersticiosas creencias de que también abundan
otros pueblos de nuestras más cultas provincias,
modificadas de este o el otro modo, pero siempre
derivadas de un mismo origen, esto es, de costumbres tan antiguas, que tocan en los tiempos más
oscuros y bárbaros, y que no ha podido borrar del
todo la luz de la verdadera fe, o porque, bebidas
en la niñez, es muy difícil deshacer su impresión,
o acaso porque, familiarizados con tales objetos,
ni echamos de ver su fealdad, ni aplicamos a su
remedio todo el desvelo que merecen. Tanta unión,
tan fraternal concordia como se advierte entre los
individuos de cada braña, debiera persuadir que
su espíritu común las unía y enlazaba a todas muy
estrechamente. No es así: cada pueblo, reducido
a sus términos y contento con su sola sociedad,
vive separado de los demás, sin que entre ellos se
advierta relación, inteligencia, trato ni comunicación alguna. Acaso por esto no han podido hasta
ahora vencer la aversión y desprecio con que generalmente son mirados. Nunca se congregan, jamás se confabulan, no conocen la acción ni el interés común; y de ahí es que, defendiéndose por
partes, siempre separados y nunca reunidos, la re-

sistencia de cada uno no puede vencer el influjo
de los aldeanos, que conspiran a una a menospre-
ciarlos y envilecerlos.

Esto, amigo mío, esto son los vaqueiros en sí
mismos; ahora debe usted ver qué cosa sea esta
desestimación en que los tiene el restante pueblo
de Asturias. Pero acaso ¿necesita usted que le
diga yo su origen para inferirle? Separados de
los demás aldeanos por su situación, su género de
vida y sus costumbres, tratándolos allí como vendedores extraños, que sólo acuden a engañarlos y
llevarlos el dinero, era infalible que hubiesen de
empezar aborreciéndolos y acabar teniéndolos en
poco. Cierto aire astuto y ladino en sus tratos,
cierto tono arisco en sus conversaciones, cierta rudeza agreste, efecto de una vida montaraz y soli-
taria, debieron concurrir también a aumentar el
desprecio de los aldeanos, que al cabo han venido
a mirarlos y tratarlos como a gentes de menos
valer y poco dignas de su compañía.

Un abuso bien extraño nació de esta aprensión,
y es que en algunas parroquias se haya dividido
la iglesia en dos partes por medio de una baran-
da o pontón de madera, que la atraviesa y corta
de un lado a otro. En la parte más próxima al
altar se congregan los parroquianos de las aldeas,
como en la más digna, a oír los oficios divinos, y
en la parte inferior los de las brañas: distinción
odiosa y reprensible entre hijos de una misma ma-
dre y participantes de una misma comunión, pero

que la vanidad ha llevado más allá de la muerte,
no concediendo a los vaqueiros difuntos otro lugar que el que pueden ocupar vivos, y notándolos
como de infames hasta en el sepulcro. Gracias a
5 la simplicidad de estas gentes, que les hace menos-
preciar tan vanas distinciones, y de quienes pudiera también decirse lo que Tácito de los Ger-
manos: *Monumentorum arduum et operosum ho-
norem ut gravem defuntis adspernantur*. Tan bár-
10 bara costumbre era digna por cierto de desterrar-
se del país culto, a quien infama harto más que
a las familias que la sufren, pues la razón, llamada a pronunciar su voto, no podrá vacilar un punto entre el vano orgullo que la inventó y la sencilla
15 generosidad que la desprecia.

Como quiera que sea, esta y semejantes distinciones han levantado otra barrera más insupera-
ble entre los dos pueblos, que será eterna mientras
la religión y la filosofía no venzan el desprecio de
20 los que ofenden y el desvío de los ofendidos. Entre tanto, toda alianza, toda amistad, todo enlace
están cortados entre unos y otros. Los vaqueiros
no tienen más mujeres a que aspirar que las de
sus brañas, y la virtud, la belleza y las gracias
25 de la mejor de sus doncellas no serán jamás me-
recedoras de la mano de un rústico labriego. Vie-

8-9 "Menosprecian la pompa de los monumentos eleva-
dos y costosos, como injuriosa a los difuntos." *Germania*, XXVII.

ne de aquí que apenas haya matrimonio a que no
preceda una dispensa, ora la hagan necesaria los
antiguos vínculos de la sangre, ora los recientes
parentescos, que suelen hacer comunes el uso an-
ticipado de los derechos conyugales. ¿Quién di- 5
ría que entre unos pueblos tan pobres, tan distantes y desconocidos había de hallar una pingüe hipoteca la codicia de los curiales?

Esta necesidad va estrechando más y más entre sí el amor recíproco de los vaqueiros de cada 10
braña, y alejándolos más y más cada día de los
aldeanos. Por eso la misma separación, hecha ya
de necesidad en la iglesia, se observa por sistema
recíproco en toda clase de concurrencias, donde
los vaqueiros que junta el acaso hacen rancho 15
aparte, formando en aquel solo punto causa común en los acaecimientos de cada particular, unidas entonces por la necesidad las fuerzas, cual si
estuviesen en una guerra abierta y con el enemigo al ojo. Triste argumento de lo que puede entre 20
los hombres la preocupación cuando, recibida en
la niñez, ha pasado a idea habitual y borrado
aquella natural simpatía con que los hombres, y
hasta los animales de una especie, se atraen, se
buscan y se complacen en tratarse y solazarse 25
juntos.

La gente aldeana, acaso para cohonestar su desprecio, ha atribuído a estos vaqueiros un origen
infecto, y los malos críticos, menos disculpables en
su ignorancia, han pretendido autorizar este ru- 30

mor fijándole. Pero ¡cuán vanas, cuán infundadas son las opiniones en que se han divididó!

Dicen algunos que estos hombres descienden de unos esclavos romanos fugitivos, apoderados de las brañas de Asturias; pero la historia no sólo no conserva rastro alguno de esta emigración, sino que la resiste. Los esclavos que tan valerosamente pelearon bajo la conducta de Espartaco en los últimos tiempos de la república, fueron por fin vencidos y muertos por Licinio Craso. De su ejército, que había crecido hasta 120.000 combatientes, sólo escaparon vivos 5.000, que al fin exterminó Pompeyo. Floro describe su fin con su elegancia acostumbrada, diciendo: *Tandem eruptiene facta, dignam viris obiere mortem, et quod sub gladiatore duce oportuit, sine missione pugnatum est. Spartacus ipse in primo agmine fortissime dimicans quasi imperator occisus est.* L. 3, cap. 20. Con que no pudieron ser estos esclavos los que vinieron a poblar nuestras brañas. Por otra parte, es constante que los astures no fueron sujetados hasta el tiempo de Augusto, y aun entonces la victoria sólo pudo comprender a los augustanos, esto es, a los que estaban de montes allende, en lo que hoy es reino de León, hasta la villa de Ezla, que es, sin

---

14-18 *Epitomae rerum romanorum:* "Finalmente haciendo una salida impetuosa encontraron una muerte digna de hombres, y donde era necesario un jefe, se luchó sin órdenes de mando. El mismo Espartaco sucumbió como un héroe luchando denodadamente en primera fila."

disputa, el Astura de que habla Floro. Si, pues, los trasmontanos no cedieron al ímpetu de los ejércitos de Augusto, menos podrían ceder a un corto número de esclavos. Aunque se quiera considerarlos como acogidos por humanidad, esta emi- 5 gración no puede suponerse anterior a aquel emperador, porque entonces los esclavos habrían hallado un asilo más próximo en los astures cimontanos no subyugados todavía, ni posterior, porque después fueron unos y otros amigos de los ro- 10 manos, unos rendidos a sus armas y otros a sus negociaciones. Fuera de que Plinio supone en unos y otros astures 240.000 habitantes, todos libres e ingenuos, y esto prueba que no había entre ellos tales colonias de esclavos. No tiene, pues, la menor 15 verosimilitud esta opinión acerca del origen de los vaqueiros.

Menos inverosímil sería, aunque no menos infundada, la que derivase estos pueblos de aquellos esclavos moros que se rebelaron contra sus due- 20 ños en tiempo del rey de Asturias Don Aurelio. Ya sus antecesores habían hecho grandes conquistas, y los esclavos por entonces no era la riqueza menos apreciable del botín. Debía, por consiguiente, haber en Asturias gran número de esclavos mo- 25 ros, y esto mismo convence el arrojo de conspirar contra sus dueños y emprender una guerra servil, que el príncipe hubo de refrenar por sí mismo. Pero al fin en esta guerra venció Don Aurelio, y los esclavos que salvasen la vida no recibirían cier- 30 tamente la libertad en premio de su conspiración. Agrégase a esto que el Cronicón de Don Alfonso, llamado de Sebastiano, no asegura que los esclavos fueron vencidos, sino que los redujo a su primitiva esclavitud. No es, pues, posible que estos esclavos saliesen de su condición a ser fundadores de nuevas colonias.

Pero yo confieso de buena fe no ser éstas las opiniones más válidas acerca del origen de los vaqueiros; que descienden de árabes o de moriscos es lo que cree el vulgo, y lo que algunos han pretendido persuadir como más probable; mas ¡cuán varios, cuán inconstantes están en señalar la ocasión y la época de esta emigración!

Dicen unos que al tiempo de la conquista de Granada vinieron a refugiarse a Asturias muchos de aquellos moros; pero la historia enseña que a los que se sometieron a los pactos del vencedor, que fueron por cierto muchos, se los dejó tranquilos en sus mismos hogares, y es increíble que los no sometidos, en lugar de seguir a sus jefes y de pasar a Africa, corriesen tantas leguas por un país enemigo a buscar en los montes de Asturias una suerte más áspera e incierta que la que perdían. Otro tanto se puede decir a los que suponen que los moros de esta emigración eran de los levanta-

---

2-7 *Sebastiani Chronicon nomine Alfonsi Tertii recens vulgatum.* Véase el pasaje a que alude Jovellanos en *España Sagrada*, t. XIII, ap. VII, pág. 486.

dos en la Alpujarra en tiempo de Felipe II, cuyas
circunstancias hacen todavía más increíble su retirada a Asturias; pues aunque al fin de aquella
guerra civil consta que fueron muchos expelidos
de sus pueblos y dispersos por las provincias in- 5
teriores, nadie ha dicho hasta ahora que viniesen
a estas montañas, ni hay razón alguna de autoridad ni de analogía que pueda favorecer a esta opinión. Así que no es creíble que de estos moriscos
hubiese venido uno siquiera a refugiarse a este 10
país.

La última de todas las opiniones supone que una
porción de moriscos huídos al tiempo de la general expulsión que se hizo de ellos en el principio
del siglo pasado fueron los que poblaron las bra- 15
ñas; pero ¿cuánto tiempo antes había en Asturias
brañas y vaqueiros? Muchedumbre de escrituras
de arriendo y foro anteriores a aquella época lo
atestiguan. Por otra parte, ¿qué conveniencia hay,
qué analogía entre el genio, las ocupaciones, el 20
traje, los usos y costumbres de estos dos pueblos?
Por fortuna, la historia de esta cruel e impolíti-
ca expulsión está escrita con el mayor cuidado;
sin lo que dicen de ella los historiadores generales
y provinciales, la describieron con gran exactitud 25
Bleda y Aznar. No hay un rastro, no hay un solo

---

26 JAIME BLEDA: *Defensio fidei in cavsa neophytorvm,
siue Morischorum Regni Valentiae, totiusq. Hispaniae...
(Et) Tractatus de iusta Morischorum ab Hispania expul-
sione...* Valentiae, 1610.

indicio de que se hubiese escapado a Asturias ninguno de estos infelices expatriados. Y ¿qué bus-
carían en Asturias? Forzados a dejar su patria y
sus hogares, cualquiera región del mundo les de-
5 bía ser más dulce que el suelo ingrato que los arro-
jaba de sí. La época es reciente: ¿por qué no se
señala una memoria, un documento escrito del establecimiento de estos advenedizos? Las brañas
son muchas en número, sus moradores muchísi-
10 mos; pero probablemente son, pocos más o menos, los que fueron muchos años ha; porque los
pueblos que no aran ni siembran, que no conocen
manufacturas ni artefactos, que viven sólo de la
cría de sus ganados, no pueden multiplicarse como
15 otros donde la población crece en razón de lo que
se aumentan las subsistencias.

¿Cómo, pues, es posible que un país hubiese admitido tantas bandadas de gentes extrañas sin que
quedase alguna memoria de su establecimiento?
20 Si se admitieron por lástima y humanidad, ¿quién
lo hizo, dónde se firmaron, donde se encierran los
pactos de su admisión? Y si ganaron sus brañas
a punta de lanza, ¿cómo es que no ha quedado
vestigio, memoria ni tradición alguna de este su-
25 ceso? Desengañémonos: el intento de dar a estas
gentes un origen distinto del que tienen los demás
pueblos de Asturias es tan ridículo, que me haría

---

1 PEDRO AZNAR CARDONA: *Expulsión iustificada de los
moriscos españoles y suma de las excelencias de... Felipe...
Tercero.* Huesca. 1612.

serlo también si me detuviese más de propósito a desvanecerle.

No se me oponga lo que se ha escrito pocos años ha sobre el origen de los maragatos. El nombre, el traje, la ocupación y el círculo preciso en que están confinados estos pueblos ofrecían un campo vastísimo a las conjeturas, y tentaban, por decirlo así, la erudición de los literatos para que se ocupase en ordenarlas. Y al cabo, ¿cuál ha sido el efecto de esta investigación, aunque emprendida por uno de nuestros mayores sabios? Fuera de la etimología del nombre, ¿qué hay de probable en la curiosa disertación del reverendo Sarmiento? Harto más fruto puede esperarse del defensor de los chuetas, agotes y vaqueiros, que dirigiendo sus raciocinios contra la bárbara preocupación que los envilece, siguió principios más conocidos y seguros, e hizo un servicio más importante al público y más grato a la humanidad.

Algunos han querido inferir del traje y lengua de los vaqueiros la singularidad de su origen, pero con igual extravagancia. Su traje, compuesto de montera, sayo, jubón, cinto, calzón ajustado, medias de punto o de paño y zapatos o albarcas, llamadas *coricies*, por ser el cuero su materia, es en todo conforme al de los demás aldeanos, fuera de la casaca o sayo; éste tiene la espalda cortada en

---

13 *Discurso crítico sobre el origen de los maragatos,* por el M. R. P. Fray Martín Sarmiento, publicado en el *Semanario Erudito* de Valladares, t. V, págs. 175-214.

cuchillos, que terminan en ángulo agudo al talle,
y el de los aldeanos se acerca más a la forma de
nuestras chupas. Pero reflexiónese que el corte de
este último, que no es otro que el de una casaca o
chupa a la francesa, es de reciente introducción,
e infiérese de ahí que el de los vaqueiros es el primitivo, nunca alterado por el uso, y probablemente el que llevaron generalmente en lo antiguo todos los labradores asturianos.

La lengua de los vaqueiros es enteramente la
misma que la de todo el pueblo de Asturias: las
mismas palabras, la misma sintaxis y mecanismo
del dialecto general del país. Alguna diferencia en
la pronunciación de tal o cual sílaba, algún otro
modismo, frase o locución peculiar a ellos, son señales tan pequeñas, que se pierden de vista en la
inmensidad de una lengua, y no merecen la atención del curioso observador. Lejos de ayudar este
artículo para probar lo que se quiere, yo aseguro
que él solo basta para establecer sólidamente la
identidad del origen con los demás pueblos, cuyo
dialecto, derivado de unos mismos y comunes orígenes, hablan y conservan.

No negaré yo que es muy posible que estas familias establecidas en las brañas sean ramas de
las que ocupan hoy la maragatería. Los vaqueiros
van por el verano hacia el país de Leitariegos,
vecino al de los maragatos, y las montañas que
habitan por el invierno son una serie derivada del
monte de Leitariegos, que caminan siempre en de-

clive hacia el mar. En el género de vida y ocupaciones distan poco entrambos pueblos: uno y otro vive de la cría de ganados; uno y otro se ocupa en la arriería; uno y otro aborrece los enlaces de los restantes aldeanos, y es tenido en poco de ellos. La diferencia del traje y nombre es lo único que los distingue, y en cuanto al primero nada prueba, por ser la cosa más expuesta a vicisitudes y mudanzas, y menos el segundo, pues pudieron unos conservar el nombre del país que habitan, y los otros tomar el de la profesión en que se ocupan. Vea usted aquí la única conjetura que puede formarse, y con la cual acabaría mi carta, si no creyese que una observación que voy a añadir puede confirmar poderosamente mi modo de pensar.

He dicho a usted que hay también vaqueiros en los concejos interiores de Asturias, y tales son los que viven en la Focella, Salienza, Torrestio y Cogollo. En todo parecidos a los otros, dados como ellos a la cría de ganados, trashumando como ellos por el verano a los puertos altos, y vistiendo y viviendo en todo como ellos, la única diferencia que los distingue es que ni trafican ni son tenidos en tan poco de los aldeanos sus vecinos, con quienes no sólo tratan, sino que alternan en el goce de oficios públicos, honores y derechos sin distinción alguna. Son también empadronados por nobles, cosa que no sucede a los de la costa, si se exceptúa a la familia de los Gayos, única que tiene ejecutoriada su hidalguía en las brañas de hacia el mar.

Prescindiendo, pues, de estas distinciones, que son
puramente accidentales y de opinión, es claro que
unos y otros deben tener un mismo origen, pues
son esencialmente tan parecidos. Cae, pues, de una
vez todo el principio de las conjeturas y de las
preocupaciones, y cae por sí mismo. Yo creo que
la diferencia entre unos y otros vaqueiros nace
de la diferencia del suelo que unos y otros habitan. El de estos últimos es todo igual y montuoso,
y, por consiguiente, distan menos en su situación,
en sus ocupaciones y en su trato de los aldeanos
que en el de las otras brañas, donde hay tierras
altas y bajas, y los aldeanos, dados sólo al cultivo,
viven más separados de los vaqueiros. Pero sea la
que quiera la causa, ello es que conociéndose en
Asturias unos vaqueiros de igual origen, traje,
carácter y ocupaciones, que viven fraternalmente
con los aldeanos sus vecinos, es claro que sólo una
preocupación irracional y digna de ser despreciada, combatida y desterrada por las gentes de talento, pudo producir la nota que se achaca a los
aldeanos, y que como he dicho, hace más agravio
a los pueblos que la imponen que a los que la
sufren.

Basta por hoy de vaqueiros: otro día hablaremos de artes. Salude usted entre tanto a los amigos comunes, y crea que lo soy suyo muy de veras.

A ALEJANDRO HARDINS

My dear friend: Llegó por fin Hermida y entregó las dos de usted de 3 y 26 de abril para mí; entregó también la inclusa para don F. Cornide. He leído bien y completamente todas tres, y la última fué dirigida a Madrid por el conducto prevenido. Dirá usted que por qué no la traduje antes. Respondo con lo dicho en mi última. El tiempo es precioso; yo necesito economizar el mío, y me parece que lo ocuparé mejor en responder a usted que en traducirle; fuera de que los principios y reflexiones dirigidos a Cornide están mantenidos en mis cartas, y éstas serán conservadas no sólo para mi provecho, sino para el de mis alumnos. Aun esto último necesita precaución. Pienso aspirar a una licencia para que mi librería pública posea toda especie de libros prohibi-

---

2 *Hermida.* Don José Hermida, profesor de Náutica del Instituto Asturiano.
4 *Cornide.* Don José Cornide de Saavedra, escritor gallego y amigo común de Hardins y de Jovellanos.

dos, aunque con separación y con facultad de que
sean leídos por los maestros. Basta: tiempo vendrá en que los lea todo el mundo. Si se consigue,
allí quedarán las cartas de usted; si no, quedarán
5 en el archivo, y para el fin tanto vale. Esto quiere
decir que no puedo dejar de hacer una prevención:
que escriba con alguna precaución. No es necesaria para conmigo (siempre que las cartas vengan
por medio seguro); pero lo es para otros cuyos
10 ánimos no estén maduros para las grandes verdades. Usted se explica muy abiertamente en cuanto a la Inquisición: yo estoy en este punto del
mismo sentir, y creo que en él sean muchos, mu-
chísimos los que acuerden con nosotros. Pero
15 ¡cuánto falta para que la opinión sea general!
Mientras no lo sea no se puede atacar este abuso
de frente; todo se perdería; sucedería lo que en
otras tentativas: afirmar más y más sus cimientos, y hacer más cruel e insidioso su sistema. ¿Qué
20 remedio? No hallo más que uno. Empezar arran-
cándole la facultad de prohibir libros; darla sólo
al Consejo en lo general, y en materias dogmáti-
cas a los obispos; destruir una autoridad con otra.
No puede usted figurarse cuánto se ganaría en ello.
25 Es verdad que los consejeros son tan supersticiosos como los inquisidores; pero entre ellos se in-
troducirá la luz más prontamente: sus jueces penden de los censores, éstos se buscan en nuestras
academias, y éstas reúnen lo poco que hay de ilus-
30 tración entre nosotros. Aun en los obispos hay

mejores ideas. Los estudios eclesiásticos se han
mejorado mucho. Salamanca dentro de pocos años
valdrá mucho más que ahora, y aunque poco, vale
ahora mucho más que hace veinte años. Dirá usted
que estos remedios son lentos. Así es, pero no hay 5
otros; y si alguno, no estaré yo por él. Lo he dicho
ya; jamás concurriré a sacrificar la generación
presente por mejorar las futuras. Usted aprueba
el espíritu de rebelión; yo no: le desapruebo abiertamente, y estoy muy lejos de creer que lleve con- 10
sigo el sello del mérito. Entendámonos. Alabo a los
que tienen valor para decir la verdad, a los que
se sacrifican por ella; pero no a los que sacrifican
otros entes inocentes a sus opiniones, que por lo
común no son más que sus deseos personales, bue- 15
nos o malos. Creo que una nación que se ilustra
puede hacer grandes reformas sin sangre, y creo
que para ilustrarse tampoco sea necesaria la rebelión. Prescindo de la opinión de Mably que autoriza la guerra civil, sea la que fuere; yo la detesto, 20
y los franceses la harán detestar a todo hombre
sensible. Éste es su estado. El Vandée, Lyon, To-

---

19 Gabriel Bonnot de Mably (1709-1785), historiador
y escritor político francés, hermano de Condillac, ataca el
derecho de propiedad y propugna la distribución de la
riqueza y la organización de una sociedad comunista en
varias de sus obras, especialmente en *Doutes proposés aux
philosophes économistes sur l'ordre naturel et essenciel des
sociétés*, 1768. En la titulada *Du gouvernement et des lois
de la Pologne*, 1781, establece la necesidad de una revolución violenta para llegar a la realización de los nuevos
ideales sociales.

18

lón, Marsella, etc., lo prueban, cuando París no
fuera un teatro de ella de dos años acá. Comparo
sus proscripciones desde septiembre de 92 al 5 de
abril último con las de Roma, y las hallo más fe-
5 roces, más prolongadas y durables y más innobles.
En alguna otra cosa no convenimos; pero ¿quiere
usted que le diga una verdad? Es imposible con-
testar a sus cartas como me encarga. Son tantos y
tan varios los puntos que toca, tan rápido su es-
10 tilo, que es imposible que con mi paso lento pueda
yo seguirle. Entre tanto, pues, que reducimos
nuestra contestación a puntos determinados y pre-
cisos, que consagremos a cada uno una o más cartas, diré a usted algunas de mis ideas.

15 1.ª Proponiéndose por objeto del presente trabajo el término más perfecto, esto es, el sistema
de Godwin, creo que nos alejaremos más de él. Si

3-4 Época de la Convención y del Terror. El 5 de abril
de 1794 es la fecha en que fué guillotinado Danton. Poco
después de escrita esta carta, en julio del mismo año, caía
Robespierre.

11-14 No sabemos que se conserven ni que hayan sido
publicadas las cartas de Hardins ni otras de Jovellanos,
pero sin duda mantuvieron durante esta época una correspondencia frecuente sobre estos puntos.

17 La obra de William Godwin *An Enquiry concerning
Political Justice and its Influence on General Virtue and
Happiness*, Londres, 1793, causó sensación en toda Europa.
En ella se defendía el sistema de un comunismo anarquis-
ta, cuyas ideas básicas eran la creencia en el progreso,
en la igualdad humana y en la maldad esencial de todo
gobierno y de las intituciones sociales existentes. Es interesante hacer notar, como indicio de la rápida propagación

el espíritu humano es progresivo, como yo creo
(aunque ésta sola verdad merece una discusión
separada), es constante que no podrá pasar de la
primera a la última idea. El progreso supone una
cadena graduada, y el paso será señalado por el 5
orden de sus eslabones. Lo demás no se llamará
progreso, sino otra cosa. No sería mejorar, sino
andar alrededor; no caminar por una línea, sino
moverse dentro de un círculo. La Francia nos lo
prueba. Libertad, igualdad, república, federalismo, 10
anarquía... y qué sé yo lo que seguirá, pero seguramente no caminarán a nuestro fin, o mi vista es
muy corta. Es, pues, necesario llevar el progreso
por sus grados.

2.ª El estado moral de las naciones no es uno, 15
sino tan diverso como sus gobiernos. Luego no
todas se pueden proponer un mismo término en
sus mejoras. Siguiendo el progreso natural de las
ideas, cada una debe buscar la que esté más cerca
de su estado, para pasar de ella a otra mejor. 20
Inglaterra, por ejemplo, tiene menos que hacer
que nosotros (no hablemos de Francia hasta ver en
qué se fija, si es que se ha de fijar: *motos praestat
componere fluctus*). ¿Parécele a usted que sería
poca dicha nuestra pasar al estado de Inglaterra, 25

---

de las nuevas ideas entre algunos grupos intelectuales de
la España de entonces, que esta carta se escribía al año
escaso de aparecer la obra de Godwin.
    23-24   "pero mejor será calmar las agitadas olas". *Enei-
da*, I, 135.

conocer la representación, la libertad política y
civil, y supuesta la división de la propiedad, una
legislación más protectora de ella? Cierto que sería grande, por más que estando en ella tuviésemos derecho de aspirar, no al sistema de Godwin,
sino por ejemplo a una constitución cual la que
juró Luis XVI en 1791. Ve usted el inmenso espacio que hay entre una y otra, entre la última
y la del 93. Y ¿acaso ésta toca en el eslabón labrado por Godwin? ¿No habrá otros muchos in-
termedios? Creo que sí.

3.ª Para acercar las naciones unas a otras, es
necesaria aquella venturosa comunicación de ideas
que usted desea y yo también: pero esta comunicación necesita una paz general. Si ésta no es
posible, sólo lo será por medio de la unidad de
ideas, y esta unidad debe ser el efecto, como es el
fin de aquella comunicación. Vea usted otro círculo: ¿cómo saldremos de él? Usted confesará que
cada nación tiene un medio, que es el de perfeccionar su educación: para perfeccionarla es preciso remover los estorbos que se oponen al progreso de las luces; pero sólo la educación puede

---

7-9 La Constitución jurada por Luis XVI el 14 de septiembre de 1791 fué la primera Constitución de Francia.
Votada por la Asamblea Constituyente, contenía la Decla-
ración de los Derechos del hombre y la abolición de todos
los privilegios de clase. La del 93 fué la redactada por el
Comité de Salvación Pública y votada por la Convención
el 24 de junio. Era mucho más radical que la primera,
extendiendo la soberanía nacional hasta la ratificación
plebiscitaria de todas las leyes.

darlos a conocer, y puede determinar a removerlos. He aquí otro círculo. Es, pues, imposible acometer esta empresa sino lenta, y por decirlo así oblicuamente, mejorando los institutos de enseñanza, dirigiéndolos a conocimientos que se acerquen al fin, desviándolos de las ideas que se les oponen, y enhorabuena que ellos no sean tales como debieran ser, si son lo que ser puedan.

4.ª Entre tanto conviene que cada nación trabaje por mejorar su sistema, aunque erróneo, para acercarse más a otro mejor, o menos malo. Por ejemplo, si trabajando sobre nuestra policía agraria se quisiese establecer la comunión de propiedad, se haría un gran desatino. El mismo Godwin, si en lugar de formar una teoría, tratase de una mejora real, debería dejar su sistema a la meditación de los sabios y proponer otro realizable; disminuir las leyes al mínimo posible, dar a la propiedad individual de la tierra y del trabajo el máximum posible, dejar que el interés personal siga en acción, y buscar en él el estímulo que neciamente se espera de leyes y reglamentos; difundir los conocimientos de que pende la perfección de todas las artes útiles, y particularmente de la agricultura, la primera y más importante de todas; y en vez de gracias y franquicias y sistetemas de protección parcial, animarla por medio de caminos, canales de riego, franquicias de ríos, desecación de lagos, repartimientos de tierras públicas incultas. Éste en suma es mi sistema; aunque confieso que le hubiera acercado mucho más al buen término si hablase a mi nombre. Pero escribía a nombre de un cuerpo, que entonces no hubiera adoptado mis ideas, que ahora no las aprobará sin dificultad, y cuya aprobación sin embargo es importante, no sólo para darles un peso de autoridad, sino porque sólo así podrán esperar la luz pública y alguna aceptación.

A CABARRÚS

Jadraque, 1808.

Mi querido amigo: Yo no sé por qué Vm. admira tanto la fuga del rey intruso y sus partidarios. Ella pudo muy bien ser precipitada, pero no imprevista. ¿Quién es el que no veía el inminente peligro que los amenazaba? Los frecuentes descalabros del ejército de Lefebvre, la retirada del de Moncey con mengua y sin gloria, la completa rota del de Dupont, tenido por invencible; tanta gente perdida por la deserción, las enfermedades y en los choques parciales, habían reducido a la mitad el ejército invasor, habían desalentado la mitad

---

1-9 Lefebvre había abandonado el sitio de Zaragoza el 13 de agosto, después de dos meses de lucha. De Moncey, se había retirado de Valencia el 29 de junio. Dupont, general del ejército de Andalucía, había capitulado en Andújar el 22 de julio, después de la derrota de Bailén el día 19. Como consecuencia de todos estos descalabros, José I decidió a fines de julio abandonar a Madrid y retirarse con sus ejércitos al norte del Ebro, siguiendo órdenes de su hermano y el consejo del general Savary.

restante y habían exaltado hasta el último punto
aquel disgusto y repugnancia con que todos entraron en esta guerra, no sólo injusta, sino igno-
miniosa para la nación a cuyo nombre se lidiaba.

5   Por otra parte, ¿qué haría en Madrid un rey
recibido sin una sola demostración de aprecio, pro-
clamado sin un solo viva, sin más obsequio que el
de la baja adulación, sin otro séquito que el del
sórdido interés?; ¿qué haría, desobedecido por los

10 tribunales, desdeñado por la nobleza y desprecia-
do por el pueblo aun en medio de las amenazas y
las bayonetas? ¿Qué haría sino temer, avergon-
zarse y huir precipitadamente del teatro de su peligro y de su ignominia?

15 Vm. alaba la tranquilidad del pueblo de Madrid y yo también le alabo. Pero la nobleza de
este buen pueblo estaba bien conocida. En medio
de su mayor efervescencia, ¿quién le vió airarse
sino contra los escandalosos objetos del odio na-

20 cional? Este pueblo no quiere ser esclavo, pero
tampoco aspira a una libertad perniciosa, y si tal
vez se irrita contra la dureza del freno, nunca
resiste la blandura del cabeza. Reconózcase bien
gobernado, y él vivirá tranquilo.

25 Pero Vm. me dice que con esta fuga vive todo
el mundo contento; pero yo no lo estoy. El enemigo no la hizo para dejarnos en paz, sino para
hacernos una guerra más cruel y más bien meditada. Él vela y nosotros nos dormimos. ¿Y querrá

30 Vm. que estemos contentos?

¡Ojalá que Vm... y iluso; ojalá no me hubiese escrito la última carta que recibí suya y que, aunque sin fecha, supongo ser del 29 ó 30 del pasado. Hubiérame Vm. ahorrado mucha confusión y mucha pena, y hubiérame dado de sus sentimientos idea menos triste y más favorable a su opinión y a mis deseos. Que Vm. haya abrazado el partido menos justo puede hallar disculpa en la fuerza de las circunstancias, siendo llamado a él, sin solicitarle, y peligrando su familia en Bayona, si pagase aquella distinción con una repulsa. Que vuestra merced le siguiese después y mientras creyó que la flaqueza de la Nación y los artificios de su opresor podían hacerla doblar la cerviz y sufrir el nuevo yugo, era ya una consecuencia del primer paso; y en él, la compañía de algunos hombres de mérito pudo también cohonestar su conducta. Pero que en medio de la ruina de este partido, cuando ve que, disipados aquellos artificios, deshecha la fuerza que los sostenía, desengañada y vigorosamente pronunciada la Nación, y repelido con el silencio más profundo y con las demostraciones más claras el nuevo jefe por su pueblo, por su nobleza, por sus magistrados, Vm. no sólo le siga, sino que pretenda justificarle con todos sus horribles designios, y a pesar de las tristes consecuencias que nos anuncian; que Vm. le siga cuando ya no queda al opresor otro recurso que conquistarnos, cuando reconoce la necesidad de esta conquista; cuando prevé y afecta llorar los horrendos males

que serán consecuencia de ella..., esto es lo que
ni el honor ni la razón podrán disculpar jamás.
¿Por ventura no tiene Vm. una patria? ¿Y cuál
será ésta, sino la que le acogió en el desamparo
de sus primeros años, la que le dió una familia, un
estado, una fortuna, unos amigos y una reputación
distinguidos? ¿Y no reconocerá Vm. ninguna
obligación hacia esta patria tan generosa, ningún vínculo que le una a su suerte, ninguna prenda que le haga interesarse en su libertad y en
su gloria?

Vm. pretende hacerse, o más bien hacernos,
ilusión cuando dice que en el partido que sigue
ve la única tabla en que esta patria puede sal-
varse. Pero ¿qué es lo que Vm. entiende por
Nación en esta horrible frase? ¿Puede entender
otra que los españoles, que son sus conciudadanos?
¿Y puede Vm. dudar de sus sentimientos? ¿No
ve que quieren morir antes de ser esclavos de
un tirano que los ha engañado y escarnecido?
¿Y no tendrán otra salvación que sufrir sus
cadenas? Lo que diría Grecia al ateniense que
con igual razón se disculpase de seguir a Xer-
xes, esto es lo que España, y lo que el más débil
de los españoles, responderá eternamente a Cabarrús.

Vm. para cohonestar su ilusión y su partido
supone que España sólo trata de defender los derechos de su rey cautivo. Pase que fuera así. ¿Sería su causa menos honrada, menos justa? ¿Val-

drá tanto para ella el usurpador de Nápoles como
el heredero del trono de Castilla? ¿Valdrá tanto
un hermano de Napoleón como el descendiente de
Recaredo, de Pelayo y de Fernando III? Y cuando España sólo lidiase por la dinastía de Borbón,
¿valdrán menos para ella los Borbones que los Bo-
napartes?

Pero no: España no lidia por los Borbones ni
por Fernando; lidia por sus propios derechos, derechos originales, sagrados, imprescriptibles, superiores e independientes de toda familia y dinastía. España lidia por su religión, por su Constitución, por sus leyes, sus costumbres, sus usos, en
una palabra, por su libertad, que es la hipoteca
de tantos y tan sagrados derechos. España juró
reconocer a Fernando de Borbón; España le reconoce y reconocerá por su rey mientras res-
pire; pero si la fuerza le detiene, o si la priva de
su príncipe, ¿no sabrá buscar otro que la gobierne? Y cuando tema que la ambición o la flaqueza de un Rey la exponga a males tamaños como
los que ahora sufre, ¿no sabrá vivir sin rey y
gobernarse por sí misma?

Dirá Vm., pues, que ésta es la cantinela de su
partido, que Napoleón no quiere esclavizarla, sino
regenerarla, mejorando esta Constitución, y levan-

---

1 *usurpador de Nápoles*, José I, que ocupó el trono de
Nápoles, arrebatado por su hermano a la reina Carolina,
desde el 30 de marzo de 1806 hasta su proclamación como
rey de España.

tarla al grado de esplendor que merece por su
situación y su fuerza entre las naciones. Seamos
sinceros. ¿Cree Vm. que es esto lo que quiere
Napoleón, o quiere sólo levantar en ella un trono
5 para su familia? Su intención no es equívoca, y
los pretextos mismos, tan ridículamente inventados para disfrazarla, la ponen más en claro. Y
bien: si sólo trata de hacer feliz a España, ¿quién
es el que le llama a tan sagrada y benéfica fun-
10 ción? ¿Quién le ha dado derecho para injerirse
en ella? Y cuando pudiera desempeñarla como neciamente creímos, en calidad de buen aliado,
¿quién le autoriza para tomarla en la de usurpador y enemigo? Pues qué, ¿España no sabrá me-
15 jorar su Constitución sin auxilio extranjero? Pues
qué, ¿no hay en España cabezas prudentes, espíritus ilustrados capaces de restablecer su excelente y propia constitución, de mejorar y acomo-
dar sus leyes al estado presente de la nación, de
20 extirpar sus abusos y oponer un dique a los males que la han casi entregado en las garras del
usurpador y puesto en la orilla de su ruina?

Por último, Vm. anuncia la necesidad en que
está José de conquistarnos a pesar de la humanidad
25 de su corazón. ¡Bella humanidad! ¿Pero quién le
fuerza a derramar nuestra sangre? Él se nos ha
presentado como redentor, pidiéndonos que le ad-
mitamos como rey. Hémosle rehusado ambos títulos. Vuélvase, pues, a su trono, y habrá hecho lo
30 que exige la justicia y persuade la humanidad.

Pero que esté forzado a conquistarnos, sólo porque no pudo iludirnos, es una consecuencia tan atroz como absurda.

Pero demos que el bárbaro pundonor napoleónico le fuerce a conquistar la España. ¿Qué? También Vm. será forzado por la necesidad a ayudarle en la conquista. ¡Insensato! ¿Adónde está aquella razón penetrante que veía a la mayor distancia la luz de la justicia? ¿Dónde aquella tierna sensibilidad que le hacía suspirar a los más ligeros males de la nación? Pues qué, ¿cuando vuelva José a talar nuestros campos, a incendiar nuestras villas y ciudades, y cuando con la espada en una mano y las cadenas en otra venga a hacer esclavos a los que no han querido ser sus súbditos, Vm. precederá al ejército conquistador, que vendrá robando a nuestros infelices labradores sus granos, sus bueyes, el fruto todo de su sudor para alimentar a los feroces vándalos que le compongan? Y mientras ellos hundan sus alfanges en el corazón de los que Vm. llamó amigos, ¿Vm. estará al lado de estos monstruos calculando el valor de sus fortunas dilapidadas? Y entonces, ¿tendrá aún la osadía de llamarse español?... Y entonces, ¿dirá Vm. que viene a presentarnos la única tabla de nuestra salvación? Y entonces, ¿se atreverá todavía a invocar el nombre de la amistad?

No, no; entonces será Vm. un hombre execrable, y execrado de su patria, de sus conciudadanos, y más que de nadie, de sus amigos. Sí lo será;

¡yo lo juro! Yo, que jamás veré la amistad donde
no vea la virtud, y que aborreciendo con todo el
rencor de que es capaz el corazón humano la injusticia y la iniquidad, no podré mirar a vuestra
⁵ merced sino como un vil y odioso enemigo.

Pero ¡ay de Vm. si los atroces proyectos del
conquistador son frustrados por el valor de nuestros bizarros defensores! ¿Dónde volverá Vm.
entonces sus ojos? ¿A Napoleón, a José? ¡Oh!
¹⁰ Ellos desecharán a Vm. desde que no le hayan
menester. ¿A España? Pero España no querrá ni
deberá recibir al hijo espurio e ingrato que pretendió devorar sus entrañas. Sus amigos mismos le
vomitarán y llorarán, avergonzados de haber te-
¹⁵ nido este nombre. Desconocido de la nación que
vendió y abandonó, y de la que ya no le querrá
recibir, Vm. vagará errante, sin familia, sin patria, sin amigos, y en el fuego de su imaginación,
y en la claridad misma de su razón, hallará todos
²⁰ los estímulos que le arrastren a toda la rabia y
furor del despecho.

¿Y acaso mira Vm. esta desgracia como imposible? ¡Qué poco conoce Vm. a los españoles del
día! La iniquidad de sus enemigos ha inflamado
²⁵ sus almas y exaltado su carácter hasta el punto
de hacerlos invencibles. ¿No han dado ya buena
muestra de ello? Moncey, ¿no huyó avergonzado
de ante los muros de Valencia? Lefebvre, ¿no ago-
ta en vano su furor en continuos ataques siempre

quebrantados en los pechos de acero de los zara-
gozanos? Y Dupont, ¿no cayó ante la constancia
de Castaños con 17... combatientes, la flor de los
ejércitos del tirano, rindiendo 150 cañones, 60.000
fusiles, y todos los carros y trenes y bagajes de
su ejército? Y ¿no ve Vm. formarse por todas
partes nuevos ejércitos de invencibles? Desde
Gijón a Cádiz, desde Lisboa a Tarragona, no sue-
na otro clamor que el de la guerra. La justicia de
la causa da tanto valor a nuestras tropas, como
desaliento a los mercenarios que vendrán a batir-
las. El dolor de la injuria, tan punzante para el
honor castellano, aguijará continuamente el valor
y la constancia de los nuestros; y crea Vm. que
cuando el triunfo sea posible, el conquistador verá
a su trono sobre ruinas y cadáveres, y ya no reina-
rá sino en un desierto. Y entonces, Vm., que
habrá contribuído con sus cálculos a esta desolación, gritará: ¡Oh!, yo presentaba una tabla a
mi nación y ella perece por no haberse asido
de ella.

Pero no: yo quiero pensar todavía que en el
corazón de Vm. se abrigan más nobles sentimientos. Hasta hoy su conducta puede ser disculpable.
Tiene, sin embargo, dos graves cargos que le hace
la opinión pública y de que debe justificarse: uno,
de haber querido quitar los sueldos y reducir a
mendigar las familias de los antiguos servidores
del Estado, sólo por no haber querido ser perju-

ros; esto es, por haber sido virtuosos. Otro, de haber dictado a los ladrones de nuestra fortuna el robo de los últimos restos de ella que había en Madrid. Si Vm. en uno y otro fué un simple ejecutor, y si después de haber representado la injusticia y la inutilidad... (Falta el final.)

A LORD HOLLAND

Sevilla, 22 de mayo de 1809.

Mi muy querido amigo:

Signor, vinciemo i geli di trioni...

Le grand affaire concluído. Decretadas para el [5] año próximo, o antes, si las circunstancias lo permitieren. No nos riña Vm.; si la necesidad instare, la convocación será pronta; si no, se pensará

---

1 Seguimos el texto de Somoza en su ed. *Cartas de Jovellanos y Lord Vassall Holland sobre la guerra de la Independencia (1808-1811).* Madrid, Hijos de Gómez Fuentenebro, 1911, 2 vols. Muchos de los datos que damos en las notas están tomados de las extensas con que Somoza ha comentado estas cartas.

4 No corregimos la cita aunque es incorrecta y no tiene sentido claro. Literalmente podría traducirse "señor, vencimos a los hielos del norte". Es imitación o cita incorrecta de las palabras de Ezio al emperador Valentiniano al darle cuenta de la derrota de Atila, en el acto 1, escena 2, del drama *Ezio*, de Metastasio: "Signor, vincemmo; ai gelidi Trioni II | ¡Il terror de' mortali [Atila] | Fugitivo ritorna..."

5 Alude a la convocatoria de Cortes para el año 1810, cuyo decreto fué promulgado el mismo día que escribía Jovellanos.

todo con el detenimiento que conviene. El decreto,
sencillo, sin previo manifiesto, ni gran preámbulo.
La convocatoria a los sabios se extiende a informes de cuerpos públicos. ¿Quiere Vm. más?
Basta por hoy.

Gracias, mil finas gracias por las novelas de la
Radcliffe. Sean para cuando pueda decir: *Deus
nobis haec otia fecit.* Lo que sí leeré es el libro
de que Vm. me habla y el *Registro*, en lo que
toca a Constitución, porque aunque huímos de
esta palabra, estamos todos en su sentido. En este
punto, acaso yo soy más escrupuloso que otros
muchos. Nadie más inclinado a restaurar, y afirmar, y mejorar; nadie más tímido en alterar y
renovar. Acaso éste es ya un achaque de mi vejez.
Desconfío mucho de las teorías políticas, y más
de las abstractas. Creo que cada nación tiene su
carácter; que éste es el resultado de sus antiguas
instituciones; que si con ellas se altera, con ellas

---

7 Dos novelas de Ann Ward Radcliffe, *The Romance
of the Forest* (1791) y *The Italian* (1797), que Holland le
enviaba desde Cádiz por conducto de don Bernabé Cabezas, según se ve en una carta del día 24, donde acusa
recibo: "Llegó Cabezas y entregó el *bosque, el confeso-
nario...*" E. Somoza, t. I, pág. 195. El título de *The Italian*
en la traducción castellana era *El italiano, o la confesión
de un negro penitente.*

7-8 Dios nos ha dado este descanso. Virgilio: *Églogas,* I, 6.

9 *Registro.* El libro *Annual Register for the year 1806*,
escrito probablemente por el doctor John Allen, secretario
de Lord Holland y enviado también por conducto de Cabezas. Acusa recibo en la carta citada.

se repara; que otros tiempos no piden precisamente otras instituciones, sino una modificación de las antiguas; *que lo que importa es perfeccionar la educación y mejorar la instrucción pública; con ella, no habrá preocupación que no caiga, error que no desaparezca, mejora que no se facilite.* En conclusión, una nación nada necesita, sino el derecho de juntarse y hablar. Si es instruída, su libertad puede ganar siempre; perder, nunca. ¡Cuánto hablaremos de esto! Porque yo supongo que para el tiempo oportuno hará usted su cuarto viaje. ¿No es verdad? Y nuestra amable My Lady, ¿no vendrá también?

Yo no temo revoluciones. En Madrid nada hubo, sino habladurías de Morla, hombre inquieto, de carácter revoltoso, sobre muy cobarde, descontento con las juntas que le salvaron del furor del pueblo; humillado a ellas cuando las necesitaba; rebelde a la Central desde que la vió en peligro. Por lo demás, nuestro pueblo es ardiente y fácil de conmover, con motivo o sin él, por cualquier malvado. Pero esto requiere una vigilante, firme y prudente política; y tanto; basta.

3-6 Subrayado en el original.
15 Tomás de Morla y Pacheco (1748-1820), teniente general del Ejército. Al retirarse la Central de Aranjuez, le dejó encomendada la defensa de Madrid; al día siguiente, 3 de diciembre de 1808, negociaba con Napoleón en Chamartín la rendición de la plaza. Después se hizo afrancesado. En la ed. de Somoza puede verse una larga nota donde se recogen diversos juicios sobre su conducta.

Basta también de política; y deme Vm. permiso para ofrecerme a los pies de nuestra amable Milady y renovarla mi reconocimiento por tantas bondades como le debo. Le deseo en Cádiz, salud,
5 buena sociedad y buen humor. ¿Le gusta la *Virgencita* de Murillo? Deseo que tenga su aprobación. Quisiera que el cuadro fuese de otro asunto para los melindrosos de Londres, pero no tenía otro. Basta, otra vez. Saludo a nuestro Mr. Allen,
10 a nuestro lord Russell y al precioso Carlitos, y quedo de Vm. afmo.,

JOVELLANOS.

*

Muros de Noya (sobre Finisterre), 8 de marzo de 1810.

Como yo supongo, mi muy amado My Lord, que
15 Vm. y nuestra amable My Lady estarán con alguna inquietud acerca de mi suerte, no quiero

---

5-6 Alude a un cuadro original de Murillo que Jovellanos había regalado a su amigo. Éste da las gracias en carta anterior de 21 de mayo (H. XXVI): "Don Bernabé de Cabezas que me entregó la buenita *(sic)* pintura que estoy mirando desde la mañana a la noche..."
9-10 *Míster Allen,* el secretario de Lord Holland; tradujo al inglés el *Informe sobre ley agraria.—Carlitos,* Carlos Richard Fox, hijo de Holland.—*Lord Russell,* un sobrino suyo, que le acompañó durante su estancia en España.

perder la ocasión de enterarlos de ella; y menos
ahora, que parece haber tocado al extremo de la
adversidad. Sin duda que yo había nacido para
pasar en ella el último trozo de mi vida; pues tal
se han combinado los acontecimientos, que no han 5
podido ser para mí ni más repetidos ni más des-
graciados que en esta época. Supongo a Vm. en-
terado de los que se refieren de la disolución de
nuestra Junta, por mi última carta escrita en la
isla de León, y dirigida por medio del señor Duff. 10
A pocos días, nos embarcamos el amable Pachín
y yo con nuestras familias, en la fragata de Su
Majestad *Cornelia*, que debía traer los pliegos al
señor Obispo de Orense, y llevarle a su destino.
Entre tanto que se le daban estos pliegos, pasamos 15
allí tres semanas de grande amargura, no sólo por
la impaciencia de llegar a nuestro amado país,
sino también porque sabíamos de una parte, que
en Cádiz corrían impunemente las groseras calumnias que los enemigos de la Junta Central di- 20
fundían indistintamente contra sus individuos; y
de otra, que la nueva Regencia, o por debilidad,
o por temporizar con la nueva Junta de Cádiz,
o si no por ingratitud, a lo menos por una es-
túpida indiferencia sobre nuestra suerte, nada ha- 25
cía ni decía en favor de los que tan acreedores

---

1 Primera carta que Jovellanos le escribe desde Muros, a los dos días de haber desembarcado.
10 Diego Duff, cónsul inglés en Cádiz.
11 *Pachín.* El marqués de Campo Sagrado.

eran al desagravio. Faltaba en esto no sólo a su deber, sino también a sus promesas, como vuestra merced verá por las copias adjuntas. Cansados, pues, de tanto sufrir, determinamos Pachín y yo dar la cara y defender nuestra opinión, y dirigimos al diarista de Cádiz el cartel de desafío de que también envío copia, y de la respuesta que se nos dió: respuesta tan justa y decorosa de parte del Gobernador, como injusta y grosera de la de la Junta. Hubiéramos replicado a ésta, si cansados de la tardanza, y sabiendo que iba a dar la vela para el puerto de Gijón el bergantín *Covadonga*, no hubiésemos resuelto trasbordarnos a él y recibido las contestaciones al punto mismo de zarpar. Era esto el 26 del pasado, al ponerse el sol. Navegamos con viento favorable y calmas alternadas hasta montar el cabo de San Vicente; pero allí, entrada ya la luna equinoccial, y soplando con furor los vientos del tercer cuadrante, hicieron nuestra navegación no sólo molesta, sino en extremo peligrosa para un buque de 150 toneladas, con sólo ocho hombres de tripulación. Fueron, sobre todo, terribles las noches del 3, 4 y 5 del corriente; pero en esta última, después de no poder aguantar ningún trapo, y cuando por nuestro rumbo nos creíamos diez leguas a la mar de Fi-

---

3 Según Somoza, las copias que enviaba Jovellanos eran los documentos que forman los apéndices XXI y XXII de la *Memoria en defensa de la Junta Central*, que pueden verse en Rivad., XLVI, págs. 608-10.

nisterre, oímos la terrible voz: *tierra, tierra; nos
perdemos; estamos sobre las islas del Oms*. Todos
nos creíamos náufragos, y esta desgracia era inevitable, si ya entonces, rayando el día, no nos
hubiese advertido el peligro. Duró sin embargo ⁵
mucho tiempo la zozobra, antes que pudiésemos
desembarazarnos de él; porque el viento, que so-
plaba con furor, dejaba poco lugar a la floja ma-
niobra de un buque pesado y pequeño. Pero, al fin,
pudimos orzar, librarnos y tomar felizmente la ¹⁰
segura vía de este pequeño puerto, donde ancla-
mos a cosa de las ocho de la mañana del día 6. Mas
no crea Vm. que acabaron aquí nuestras desgracias. Mal apenas habíamos llegado, cuando conocido el buque por unos amigos del Capitán, vinieron ¹⁵
a bordo, y la primera noticia que nos dieron fué
la de estar Asturias ocupada por los franceses.
Un rayo del cielo no hubiera herido más fuertemente mi corazón. No ciertamente por el entero
naufragio de mi pobre fortuna, sino porque siem- ²⁰
pre me había consolado en tantas desgracias como
llovían sobre mí, la idea de que si España pere-
cía, Asturias sería la última a recibir el yugo.
Todo, pues, pereció para mí; ya no tengo ni bienes, ni libros, ni hogar, y ni siquiera tengo patria, ²⁵
que tal nombre no quiero dar a una pequeña porción del país donde ni se defiende con rabia ni
furor la libertad, ni con justicia y gratitud el
honor y el decoro de los que tanto han trabajado
por ella. ¡Ojalá pudiera yo abandonarla en el día! ³⁰

Mas ni para esto tengo medios, ni los podré tener sino volviendo al lado de un Gobierno, a quien no quisiera servir, ni serviré por mucho tiempo, pues que tan poco se cura del buen nombre de los que tan bien y desinteresadamente sirvieron a la Patria. Hemos, pues, dado cuenta de nuestra situación a la Regencia, y esperaremos su resolución. Si nos mandan pagar las dos mesadas ya devengadas de nuestros sueldos, con este auxilio me embarcaré para Canarias o Mallorca, y si para esto no hubiere ocasión, me embarcaré a Londres para pedir a Vm. de rodillas que me haga transportar a Canarias, que allí, por ser tierra de España y libre de franceses, es donde quiero depositar mis huesos. No mire Vm. esto como una injuria hecha a la amistad. Yo viviría al lado de Vm. y me agregaría gustoso a su familia con cualquier destino que quisiera darme en ella, si uno de mis firmes propósitos no fuese no abandonar la España, mientras conservase un palmo de tierra libre de franceses en que pudiese existir; y si estando en los sesenta y siete años de edad, no sintiese que ya no es tiempo de pensar en vivir con gusto, sino de morir con tranquilidad.

Debiera aquí soltar la pluma; pero añadiré que la ocupación de Asturias no es absoluta; pero el enemigo no sólo está apoderado de Oviedo, Gijón y Avilés, sino también de las dos orillas del Nalón. Dicen que se defendió bien la izquierda en el puente de Peñaflor; pero que habiendo pasado un cuer-

po de franceses el barco de Udrión, para envolver
a los nuestros, se hizo forzosa su retirada; que
nuestro ejército estaba reunido hacia el poniente,
con el cuartel general en Luarca, y preparándose
a expeler al enemigo. Esto nos dicen aquí. Mas yo, 5
que conozco el desamparo y pobreza en que está
aquel país, y la debilidad en que cayó su gobierno
desde que el héroe Romana, suprimiendo su Junta
General, le sepultó en la anarquía, nada espero
que no sea desgraciado y funesto. A decir verdad, 10
aun temo por Galicia. Sin duda que este reino
hace grandes esfuerzos y toma muy activas providencias; pero se halla sin ejército y sin armas
para formarle; y aunque se hallan tan cerca para
socorrerle ingleses y portugueses, ¡qué sé yo!... 15
Basta, mi buen amigo. Vm. tendrá bastante que
hacer en su Parlamento para no distraerse a las
cosas de extraños. Yo celebro en el alma que el
triste accidente acaecido a Carlitos en su primera
cacería no tenga otra consecuencia que la de ha- 20
cerle más cauto, para que en otra ocasión no se
abandone tanto al placer de correr a caballo. Saludo muy tiernamente a nuestra amable My Lady,
y a Mr. Allen, y a los preciosos jóvenes Russell

5 Los hechos a que alude tuvieron lugar en febrero
y en los primeros días de marzo de 1810.
8 El marqués de la Romana, nombrado general en jefe
del ejército del Norte a raíz de su regreso de Dinamarca,
disolvió la Junta de Asturias en mayo de 1809. Jovellanos le censuró duramente por ello en su *Memoria* y siempre que tuvo ocasión.

y Fox, y otro tanto hace mi amado Pachín, y
ambos somos de Vm. muy fieles y firmes amigos,

J. LL.

P. D. — No he leído la última *Revista de Edim-*
burgo, ni lo de Laborde, de que Vm. me habla, y a
fe que tendría mucho gusto en tenerlos, porque
ahora es cuando sobrándome tiempo me faltan
libros para leer. Pero yo no sé dónde podría recibir este papel, ni aun las noticias de Vm. ¿Podrían
venir al Cónsul de La Coruña? En cuanto a mí,
yo las daré de doquiera que me llevase la suerte.
Undique totis, usque adeo turbatur agris.

*

Muros, 5 de diciembre de 1810.

Mi muy estimado señor y querido amigo:
En pocos días he recibido dos favorecidas de
Vm. enviadas de La Coruña por el Brigadier Ge-

4-5   Se refiere al número XXVII de *The Edinburgh Re-*
view, or Critical Journal, correspondiente a abril de 1809,
donde se publica un juicio crítico sobre una traducción
francesa del *Informe de ley agraria,* impresa en San Pe-
tersburgo en 1806, y al libro *Itinéraire descritif de l'Es-*
pagne, de Alexandre Laborde, en cuya segunda edición
se inserta íntegra una traducción de la misma obra. Véase *ob. cit.* París, H. Nicolle, 1809, vol. IV, págs. 103-294.
12   "Cuando por todas partes tan turbados están los
campos." VIRGILIO: *Églogas,* I, 12.

neral Waltham; la primera, escrita en Portsmouth
en 25 de septiembre, y en ella venía un ejemplar
de nuestro desgraciado decreto de Cortes; y la
segunda era un duplicado de otra de 31 de agosto,
cuyo original no he recibido. Éste había sido re- 5
mitido a Waltham por el señor Stuart, de Lisboa.
Debo, pues, dar a Vm. las más finas gracias por
el cuidado de comunicarme noticias de su salud y
la de la amable My Lady y familia, y es para mí
de la más pura satisfacción este testimonio de la 10
continuación de su buen afecto. Pero temo que mi
silencio pueda hacer en él alguna alteración, porque digo con vergüenza que desde el 30 de agosto
no he escrito a Vm. carta alguna. Es verdad que
la uniforme e insulsa obscuridad en que aquí vi- 15
vimos, y la tardanza de las noticias de Cádiz, que
no recibimos sino accidentalmente y siempre con
treinta o cuarenta días de atraso, sobre no prestar
materia, quita de todo punto la gana de escribir.
Veo que Vm. me enviaba en su carta de agosto 20
(no recibida) la lista de las que me había escrito;
y hubiera querido tenerla para conocer las extra-
viadas. Las que yo recibí aquí, además de las dichas, fueron: 1.ª, Pall-Mall, 26 de enero; 2.ª,
Holland-House, 15 de febrero; 3.ª, Idem, 4 de ju- 25
lio (por mano del Sr. White, de La Coruña), y

---

1 *Walthan.* General inglés de guarnición en La Coruña.
6 *Stuart.* Sir Charles Stuart, ministro inglés primero
en Aranjuez y más tarde en Lisboa.
1 *White.* George White, agente inglés en La Coruña.

4.ª, el duplicado de la anterior. Veremos, pues, si en adelante logramos más regularidad en esta correspondencia para mí tan estimable y honrosa.

Quisiera yo hablar a Vm. de Cortes, pero, ¿cómo, tan lejos de ellas y con noticias tan retardadas de sus sesiones? Desde luego me da mucha pena su organización, no porque no haya adoptado la Regencia la que nosotros acordamos (de que le habrá pesado mucho), sino por la forma libre y confusa en que se constituyeron. Han confirmado interinamente la Regencia (que han renovado muy luego), pero dejando un poder ejecutivo puramente nominal, pues que no le han dado ninguna intervención en la confirmación de las leyes, ni veto, ni sanción, ni revisión, ni nada. Quedó, pues, aquel poder, no sólo débil, sino refundido sustancialmente en el legislativo. Se han constituído en una sola Cámara sin establecer ninguna especie de doble deliberación; y como las más de sus resoluciones se han tomado al golpe, y a consecuencia de una discusión momentánea, y no preparada ni meditada de antemano, es de temer que si siguen así, puedan resultar algunas de grave inconveniente. Hayle ya, en cuanto al juramento, compuesto de seis artículos, y sin embargo, acordados al golpe. En el primero, que declara la soberanía de la nación, sin explicación alguna, destruye nuestra antigua Constitución, y aunque envuelve un dogma generalmente reconocido por los políticos en la teórica, era cosa muy grave para pre-

sentarle desde luego a una nación que no lo conocía, ni penetraba su extensión en la práctica. Pedir
de antemano el reconocimiento de la Constitución
que se hiciere, de una Constitución no conocida, y
que los mismos que la han de hacer no han ideado 5
ni discutido todavía, parece cosa poco cuerda,
sobre no necesaria; porque aun hecha y presentada esta Constitución, todo ciudadano tendrá el
derecho de jurarla o no, y de pasar a vivir bajo
de otra, si aquélla no le conviniere. Hase, sin em- 10
bargo, jurado a paso llano, por todo el mundo, y
sólo el Marqués del Palacio propuso algunas dudas
mal digeridas, y sostenidas por él, y con demasiada severidad tratadas por la asamblea. Pero vuestra merced me dirá: las Cortes han declarado la 15
libertad de la imprenta, y esto vale por todo. Pero
permítame que diga que tampoco en esto estoy contento; no porque repruebe esta libertad (que tenía-
mos ya acordada en la Comisión de Cortes, como
Vm. vería en la *Memoria* impresa de Morales, que 20

12 El marqués del Palacio, antiguo capitán general de
Cataluña y luego suplente de la segunda Regencia.
16 El decreto autorizando la libertad de imprenta fué
aprobado por las Cortes en 5 de noviembre de 1810, a pro-
puesta de Argüelles, y publicado el 10 del mismo mes.
20 El canónigo sevillano José Isidoro Morales, vocal de
la Junta Central, fué en ella uno de los más ardientes defensores de la libertad de imprenta. A este efecto presentó ante la Comisión correspondiente una *Memoria* que fué
aprobada, acordándose que se imprimiese y sirviera de respuesta a la consulta pedida por la Comisión de Cortes
sobre el asunto. Véase *Memoria en defensa de la Junta
Central*, Rivad., XLVI, pág. 555.

le envié de Sevilla), sino porque la resolución me parece muy anticipada. Esta libertad será buena, como parte de una Constitución ya hecha y que sea buena también; pero antes temo que no lo será. Me dirá Vm. que para que lo sea la nuestra, debe *empezar* por aquí; pero, con su licencia, yo diré que sólo debe *acabar*. Vm. sabe que la política no es todavía una ciencia, y que sea lo que fuere, *somos muy novicios en ella*. Vm. sabe que las teorías políticas, que sólo conocen algunos, no bastan para hacer una buena Constitución, obra de la prudencia y la sabiduría ilustrada por la experiencia. Las ideas de Juan Jacobo y de Mably, y aun las de Locke, Harrington y Sidney, etc., de que están imbuídos los pocos jóvenes que leen entre nosotros, son poco a propósito para formar la Constitución que necesitamos. No tenemos, por tanto, que esperar las luces que nos faltan de la libertad de la imprenta, y tenemos más bien mucho que temer si nos vienen de afuera; que no se descuidarán nuestros enemigos de aprovecharse de este medio para difundir las que nos dañen, ni de comprar instrumentos que las apoyen. Todo esto,

---

14 James Harrington (1611-1677), político inglés de la época de la revolución y uno de los primeros expositores modernos de las teorías democráticas y republicanas en su obra *Oceano*, Londres, 1656.—Algernon Sidney (1622-1683), político inglés, defensor del sistema parlamentario en varias de sus obras y especialmente en *Discourse Concerning Government*, Londres, 1698; considerado como precursor de Locke.

¡oh mi buen amigo!, me llena de aflicción y me tiene en sobresalto. Mi deseo era preparar, por medio de nuestro plan, una Constitución modelada por la inglesa y mejorada en cuanto se pudiese; y a esto se dirigía la forma que ideábamos para la organización de la asamblea. ¿Podrá Vm. esperar ya este bien para la España?

¿Y sabe Vm. que nuestro Agustín Argüelles es el oráculo de las Cortes? No conozco bien sus principios, aunque le tengo por muy instruído, y también por hombre de juicio; y esto me consuela mucho.

Pero, hablando de mí, debo decir a Vm. que, aunque muy inclinado antes a volver a Cádiz, y casi forzado a ello por el hambre (porque ni me pagan mi sueldo ni acaban de salir de Asturias los franceses), estoy resuelto a esperar aquí hasta que vea más claro. Desde aquí, cuidaré entre tanto de mi salud y de mi reputación, no haciendo reclamaciones al Gobierno, que ya nada puede, ni a las Cortes, a quienes no debo distraer, sino exponiendo a la Nación cuáles han sido mi conducta y mis opiniones en el pasado Gobierno, y confundiendo al mismo tiempo las calumnias de mis enemigos. En este trabajo me he ocupado y entretenido antes de ahora, y si a pesar de la libertad de la imprenta no pudiera publicarle aquí, veré si vuestra

25 Alude a la *Memoria en defensa de la Junta Central;* terminó la primera parte el 22 de julio de 1810 y la segunda el 2 de septiembre del mismo año.

merced aprueba que se publique en Londres. *Omnis in hoc sunt.*

Puesto de rodillas, pido a Vm. perdón de mis temerarias sospechas acerca de la conducta del
5 ejército aliado. ¡Gloria a Lord Wellington, que tan briosamente ha sabido refrenar y escarmentar al enemigo! Se cuenta ya de seguro que Massena se retira con su ejército muy menguado. Si es así, no podrá dejar de tener mayor pérdida y
10 mengua en la retirada; y este golpe, dado al brazo derecho de Bonaparte, puede ser de mucha consecuencia. La guerra, no por eso se acabará; pero se hará más duradera y costosa al enemigo, y esto es algo en el cálculo de las contingencias
15 políticas.

Acabo preguntando a Mr. Allen (pues que no sé si hablamos de ello en Sevilla) : (conoce vuestra merced el *Memorial ajustado del Expediente de la ley Agraria,* formado de orden del Consejo? Es un
20 extracto del gran proceso que contiene todos los expedientes particulares, informes de Intendentes y Audiencias, documentos y noticias recogidas para este grande objeto. El Consejo le hizo imprimir, y con su vista escribí yo el *Informe* de la

---

1-2 "Todo depende de esto", paráfrasis de la frase de Cicerón "In eo mihi sunt omnia", *Epístolas familiares,* libro II, ep. 8.

7 Se refiere al triunfo del general inglés sobre Massena en la batalla de Bussaco, cerca de Coimbra, el 29 de septiembre de 1810.

18-19 Publicado en Madrid en 1784, un vol. in fol.

Sociedad. No sé dónde se podrá hallar hoy fuera
de Madrid, pero debo esta noticia a mi estimable
favorecedor. Me ofrezco muy rendidamente a
nuestra amable My Lady; celebro en el alma las
noticias de Carlitos y quisiera estar en el Castillo
de Bellver para tener esperanza más próxima de
verle. Si la suerte le trajese a la Coruña, saldré
de este mi rincón para darle un abrazo. Mi Pachín saluda a Vms. con igual cariño, y yo soy
siempre de Vm. tierno y reconocido amigo,

J. Ll.

*

Gijón, 17 de agosto de 1811.

My Lord y mi muy respetable amigo:
    Después de once años de ausencia, persecucio-
nes y trabajos, estoy otra vez en mi escondrijo de
Gijón tan ansioso de hallar en él el descanso que
mis cansados años y mi degradada constitución
física necesitan, como incierto de conseguirle. Lle-
gué a besar esta cuna el 7 de este mes y no pasaron ocho días sin que nos hiciesen temer una nueva invasión. Más que el peligro, que por ahora no
es inminente, son de temer las falsas alarmas, no
ya del pueblo solo, mas aun del Gobierno, que, por
avisos poco seguros de reuniones y movimientos
del enemigo, toma precauciones que asustan tan-

to por su aparato como por su precipitación; defecto nacido del mismo cuidado de evitar el descuido absoluto, que es su contrario. *In vitium ducit culpae fuga.* En medio de esto, no envidio otra
5 situación, y sólo me falta, para gozarla de lleno, que ni los amigos ni los enemigos se empeñen en inquietarla.

Al llegar a ella, recibí la estimable de Vm. del 12 del pasado, escrita en Bedford, y en medio del
10 gusto de rever a mis antiguos amigos, tuve el de saber que mis amados Lord y Lady estaban buenos y alegres. Yo no tengo de qué quejarme del Gobierno, a quien siempre he debido muchas muestras de particular aprecio, aun cuando me
15 envolvía en la injusticia general con que trató al cuerpo de que fuí parte. ¡Ojalá que viera en él y en sus agentes todo el tino y vigor que nuestras estrechas circunstancias requieren! Temo que se da al deseo de hacer nuevas reformas políticas,
20 mucha parte de la atención que reclaman poderosamente otros objetos. La situación, a la verdad, es crítica, los medios pocos, las necesidades inmensas, *qui paupere censu stringitur, officio par nequit esse suo.*
25 Tengo sobre mi corazón la insurrección de América de que Vm. me habla, y no puedo dejar de detestar y odiar con todo él a los que la fomentan.

3-4 "La aversión a una falta nos lleva a caer en otra." HORACIO: *Arte Poética.* 31.

Dícenme que Blanco es uno de sus más ardientes sopladores; yo no he visto siquiera un número de su periódico; pero si es cierto lo que oigo contar de sus discursos, no hallo dictado bastante negro con que caracterizar su conducta. Fomentar este fuego, en un extraño, fuera imprudencia; en un nacional, es una cruel indignidad. No basta para disculparla suponer una cabeza llena de la manía y cavilaciones democráticas, porque deben callar los estímulos de la opinión donde hablan los sentimientos de la probidad. Prescindiendo de los principios de esta defección de nuestros hermanos, basta poner los ojos en sus autores para calificarla. No son los pobres indios los que la promueven; son los españoles criollos, que no pelean por sacudir un yugo que desde el principio se trató de hacer ligero, sino por arrebatar un mando que envidian a la metrópoli. ¿Qué pueden pedir que no les hayan dado o estén prontas a dar las Cortes? Dice Vm. que los derechos que no les den, los tomarán; pero ¿no los han tomado sin pedirlos? Ni es justicia todo lo que parece; hay razones de conveniencia pública que alteran sus reglas. Los principios son siempre ciertos; pero la política no es una ciencia, ni por consiguiente

---

1 José María Blanco White se instaló en Londres a principios de este año [1810] y allí publicó hasta 1814 su periódico *El Español*, en el cual hacía campaña en favor de la independencia de América. Menéndez y Pelayo le ataca duramente por ello en su *Hist. de los Heterodoxos*, 1881, t. III, pág. 559.

tiene principios; sus máximas pueden ser siempre
ciertas en la teórica, pero no siempre en su aplicación. ¿Aprobaría Vm. que se diese a países tan
distantes y poblados, y que cada día lo serán más,
5 que se les diese una representación numéricamen-
te superior a la del Continente, con indistinta in-
clusión de todas las castas? ¿La absoluta exclu-
sión de los continentales para todos los empleos?
¿No pedirían, después, la traslación del Gobierno
10 a aquella parte del mundo? No, amigo mío, no; no
son éstas las cuestiones del día, por más que lo
parezcan. Se trata de una escisión, de *una absoluta independencia*, y sobre esto es la lucha. Yo
no sé quién la fomenta; sé que sin ajeno auxilio
15 no pueden vencer en ella los insurgentes. Estoy
muy lejos de atribuir este ruin designio al Gobierno inglés; no sólo le creo ajeno de su generosidad, sino también de su sabiduría. Sé muy
bien que Pitt fomentó la insurrección de la Amé-
20 rica Meridional; sé que hubo, y acaso hay, miras,
si no de dominio, de preponderancia comercial ex-
clusiva con ella. Pero cualquiera que en la actual
situación del viejo mundo piense en la independencia general del nuevo será un hombre vacío de
25 todo principio de prudencia y virtud; dividiría en
dos partes la especie humana, armaría para siempre la una contra la otra, y si las guerras de nación a nación son hoy tan horrendas y funestas,
¿qué sería entonces la de media humanidad con-
30 tra otra media? *Tarde o temprano, ésta fuera su*

suerte. La ambición dividiría allí el mando y los imperios; pero la misma levantaría un Bonaparte que, después de devastar sus porciones, las reuniese bajo un yugo de fierro. Tengo, por tanto, gran consuelo en saber de Vm. las miras benéficas de su Gobierno hacia la España; pero *quisiera que los comerciantes ingleses no la frustrasen por su codicia.* En este punto, como en el principal de nuestra lucha, la suerte de España está en manos de Vms.; pero Vms. tienen también grande interés en protegerla. ¿Qué sería de la Europa, qué de la Inglaterra, si Bonaparte uniese a su Imperio esta preciosa tierra? ¿Qué le resistiría en Africa ni Asia? Dueño de Constantinopla y el Egipto... *Deus avertat.*

¿Conque el joven Carlitos ha visitado ya las costas que ilustraron a Gama? ¡A cuán dura carrera le ha destinado Vm.! Pero es la de la gloria, y pues su vocación le llevaba a ella, en ninguna podrá esperarla mayor.

Yo he hallado mis pinturas y mi pequeña librería casi destruídas; lo que se salvó fué por una especie de milagro, pues que estuvo ya en Santoña. Pero estoy en Gijón, vivo la casa en que nací, y recuerdo aquella...

Gloria, felicis olim viridisque juventae.

---

15 "No lo permita Dios".
26 "La gloria de la dichosa y fuerte juventud de otro tiempo."

Estoy, además, más cerca de Vm. Irán y vendrán de aquí buques ingleses, y podré saber de Vm. con más frecuencia. Tendré más tiempo para leer. Espero que Vm. me envíe algunos papeles interesantes, y especialmente los de Blanco; pero a la mano, porque nuestros correos son insufribles, y más cuando va para trece meses que no cobro sueldo alguno. *Si no me hubiese vuelto a mi pequeño y dilapidado patrimonio, ya sería un mendigo. Pequeño mal, si mi patria fuese libre. No me muera yo hasta verla tal.*

Escribo hoy 17 de agosto; la carta irá por buque que va a partir a ésa. Allá están tres comerciantes de aquí, Rendueles, Zuláivar y Plá; los conocerá Méndez Flórez, y por ellos podré saber de Vm.

J. Ll.

14-15 Don Antonio García Rendueles, don Pedro Zuláibar y don Diego Antonio Plá.—Don Manuel María Flórez de Méndez era el comisionado de la Junta de Asturias en Londres.

JUICIO CRÍTICO
DE UN NUEVO «QUIJOTE»

Muy señor mío y mi estimado paisano: Después de haber leído primera y segunda vez la *Historia del distinguido y noble caballero asturiano Don Pelayo Infanzón de la Vega*, que usted ha remitido a mis manos, voy a decirle sencillamente el juicio que he formado acerca de su mérito, exponiendo, con el orden que puede permitir una carta, mi dictamen sobre cada una de sus partes, y deduciendo de aquí la utilidad o perjuicio que puede traer su publicación, tanto a usted como al público.

Así como en el examen de esta obra he proce-

4-6 *Historia fabulosa del distinguido y noble caballero D. Pelayo Infanzón de la Vega, Quijote de la Cantabria.* Publicóse esta obra en Mdrid, en 1792 (dos tomos en 8.°), y fué parto del ingenio de don Bernardo Alonso, que, según conjeturamos, no es otro que don Bernardo Alonso Ablanedo, cura de San Cucao y autor también por aquellas fechas de la *Descripción del Concejo de Llanera,* existente en la Academia de la Historia. (Véase *Bibliogr. astur.*, por Fuertes Acevedo.) *(Nota de Somoza.)*

dido con aquella buena fe que debían inspirarme
la amistad y el aprecio que profeso a su autor, diré
con la misma mi parecer, bien seguro de que cuando usted le ha solicitado, no tanto habrá confia-
5 do en mis luces cuanto en mi sinceridad.

Usted dice y repite que ha procurado imitar a
Cervantes, y da también a entender que ha leído
y conoce el análisis que formó de su *Don Quijote*
el sabio D. Vicente de los Ríos; de donde infiero
10 que juzgando a su *Don Pelayo* sobre el modelo del
Don Quijote de Cervantes, y analizándole con arreglo a los principios del Sr. Ríos, sólo tendrá derecho a quejarse de mi dictamen en cuanto no haya
tenido a la vista aquel modelo o me haya separa-
15 do de aquellos principios.

Y vea usted aquí dónde encuentro yo el origen
de todos los defectos en que ha incurrido en su
poema.

En lugar de emprender una obra original en
20 que, dejando correr libremente sus propias ideas,
hubiera acreditado la mayor o menor proporción
de su talento para la invención, usted se ha pro-
puesto un modelo, y constituyéndose en la necesidad de seguirle, ha esclavizado su imaginación;
25 con lo que no sólo ha sacrificado la gloria que pudiera tener en ser medianamente original, sino

---

9 El *análisis del Quijote* de don Vicente de los Ríos se
publicó en 1780 como introducción a la edición académica.
Según M. Pelayo (*Id. est.*, vol. V, págs. 41-43), es obra de
mérito y originalidad, aunque mal recibida en su época.

que se ha expuesto al riesgo que resulta de no pasar de mediano imitador.

Este riesgo era para usted tanto mayor cuanto era menos fácil de igualar el modelo que se propuso. Sea lo que fuere del mérito de Cervantes, es preciso reconocer que su modelo es inimitable. La acción del *Quijote* reúne en sí circunstancias tan precisas, tan oportunas, tan convenientes a la nueva especie de poemas con que él enriqueció la literatura, que no es fácil, ni acaso posible, hallar otra tan acomodada. Así, Avellaneda, con talento muy inferior a Cervantes, escribió una parte del *Quijote* con un aplauso que duraría todavía si el sublime talento de Cervantes, desenvuelto asombrosamente en la continuación de su obra, no la hubiera ofuscado y deslucido; y así también el mismo Cervantes, a pesar de la superioridad de sus luces, no hubiera podido alcanzar con sus novelas, aunque excelentes, la mitad de la reputación y gloria que debió a su *Don Quijote*. Fué, pues, poco acertado en usted la elección de modelo, y arduo y peligroso el empeño de imitar lo que no es imitable.

Acercándonos, pues, al juicio de su obra, vea usted desde luego uno de los primeros inconvenientes de este empeño. Cervantes supuso a Don Quijote como existente en la misma época en que escribió su acción, y éste, que ciertamente es un gravísimo defecto de su poema, y que le hizo caer a Cervantes en otros muchos, fué puntualmente imitado por usted hasta en sus consecuencias. Dejemos a un lado las resultas de este defecto en Cervantes, y vamos a Don Pelayo.

Usted supone que este caballero salió de su casa uno de los días de mayo de 1785, y con esto sólo destruye enteramente la ilusión de su poema. Los que vivimos, sabemos que no había entonces en Asturias tal D. Pelayo, tal D. Arias Infanzón de la Vega, tal D. Gaspar Bahamonde, nombrado canónigo de Oviedo, muerto en el camino y llevado a enterrar a la Catedral; y sobre todo, que unos hechos tan públicos, tan notorios, tan dignos de ocupar la curiosidad y la conversación del público, ni pasaron ni pudieron pasar en 85. Falta, pues, la verosimilitud, y con la verosimilitud, la ilusión. Los hechos pueden ser creíbles en sí, pero ciertamente no lo son por el tiempo en que se suponen, y esto basta para que sean inverosímiles. Acaso los contemporáneos de Cervantes extrañarían igualmente que yo que se colocase a Don Quijote en su época; pero como nosotros no somos de ella, ya no lo advertimos. Mas no así en Don Pelayo, cuyos contemporáneos somos. Cervantes, para dar algún aire de antigüedad a la historia de su héroe, supuso que la había extractado de los escritos de Cide Ahmet, y usted, con la misma idea, supone que se valió de varios documentos originales que recogió y compiló.

Pero ¿quién no ve el error en que ambos han incurrido? Un árabe no podía haber escrito los sucesos acaecidos en los principios del siglo XVI, ni Cervantes había menester recurrir a ellos cuando se escribía en el mismo tiempo en que pasaron, así como usted ni podía ni necesitaba recopilar en 1785 hechos y noticias que pasaban al mismo tiempo que se escribían. Otro inconveniente de este error son las aplicaciones a que da lugar. Dice usted, por ejemplo, en boca del venerable Quiñones, que el cura de Campomanes apenas sabía deletrear, que confesaba a la ligera, y de ahí una zurribanda terrible sobre los curas de Asturias.

Desde luego, el cura actual de Campomanes, que acaso será algún sujeto de carrera, colocado por concurso y poco digno de tan grave censura, el cura, digo, podría querellarse de la enorme injuria que se le hace en ella, pues si, como es creíble, es el mismo que estaba de cura en Campomanes en mayo de 1785, ciertamente que a él solo se le puede aplicar el anatema.

Ni más, ni menos, cuanto se dice de los caballeros de Asturias y de Alcarria, de los beneficiados y visitadores, y de las demás clases censuradas en la obra. De lo cual se deduce que para tales poemas es preciso buscar una época remota, ya sea determinada o incierta. Así lo hicieron Homero, Virgilio y el Tasso; y si no los imitaron Ercilla y Camoëns, tienen la disculpa de que cantaron acciones acaecidas en otro mundo y más allá de los mares, donde la distancia de lugar suple por la de tiempo y queda siempre salva la verosimilitud,

facilitada la ilusión y observado aquel sabio precepto del poeta: *Aut famam sequere, aut sibi con-
venientia finge.*

En otro error indujo a usted el deseo de imitar
5 a Cervantes. Vió usted que a Don Quijote se le
había vuelto el juicio a fuerza de leer libros de
caballerías, y quiso por lo mismo ensandecer a
Don Pelayo a fuerza de leer historias, particularmente de su patria, y reconocer papeles. Paso
10 de gracia que no es lo mismo uno que otro para
esto de volver el juicio; paso, y también de gracia, que usted no se atreve a volver loco a Don Pelayo, ni sabría qué hacer de él si se hubiese atrevido; paso, en fin, con el mismo indulto, que en
15 lugar de las historias patrias y papeles antiguos,
hubiera sido mejor hacerle leer libros heráldicos e
historias genealógicas, y voy a lo que no puedo
pasar ni de gracia.

Cervantes quería presentar al mundo un caba-
20 llero andante, y que, amén de su manía, tuviese
una instrucción bastante para hacerle brillar en
las escenas que le preparaba. Debió ciertamente
Cervantes haberle dado otra educación, porque un
hidalgo de la Mancha, sin otra lectura que los li-
25 bros de caballerías, mal podía tener las ideas que
desenvuelve en sus discursos. Pero sea como fuere, la instrucción de Don Quijote no desdecía de

---

2-3 "Ajústate a la fama o inventa lo que con ella con-
cuerde." HORACIO: *Arte Poética,* 119.

un caballero, y ora fuese adquirida, ora infusa y *gratis data,* no hay duda que era conveniente a su persona.

Por el contrario, nada más extraño, nada menos conveniente a un noble encasquetado de la alteza y preeminencias de su clase, que la instrucción con que usted ha adornado a su Don Pelayo. Prescindiendo ahora del valor de esta instrucción, de que acaso hablaré después, hablo sólo de su conveniencia con el sujeto. Filosofía, escritura, dogma, disciplina, derecho canónico, astronomía... ¿a qué tanto fárrago de conocimientos y noticias para formar el carácter de un noble extravagante? Dirá usted que para hacerle tratar materias útiles y brillar en las conversaciones. Pase por ahora la respuesta. Luego verá usted el error en que le ha inducido esta idea; pero para que le vea más de lleno, voy a poner en claro otro descuido.

Usted se propuso, sin duda, corregir los vicios de la nobleza; debió, pues, elegir un personaje que los tuviese todos, o al menos los que suelen reunirse en un sujeto.

El más común es el de aquellos nobles que, creyendo que el serlo los dispensa de toda obligación, ni se aplican, ni se instruyen, ni se hacen en manera alguna útiles a la sociedad; que creen que todos han nacido para servirlos y adorarlos; que las leyes no se han formado para ellos; que los ministros de la religión y la justicia no tienen derecho a castigarlos o reprenderlos; que sus ca-

sas deben ser un asilo de cuantos se acogen a su sombra; que el lujo y la ociosidad deben vivir con ellos; que la frugalidad y el trabajo son virtudes de la plebe; que son orgullosos, opresores, des-
5 corteses, tramposos, etc., y, en fin, que el lustre de su familia y de su nombre los autoriza para ser orgullosos, insolentes, opresores, tramposos y desarreglados. Vea usted los vicios aquí de la nobleza y los que usted quería zaherir en Don Pe-
10 layo.

De dos modos se podía hacer la guerra a estos vicios. Uno, pintando un noble libre de ellos y dotado de todas las virtudes más dignas de su clase, instruído, humano, popular, compasivo, modes-
15 to y que, sin faltar al decoro de su clase, reconociese aquella igualdad original que establecen la naturaleza y la religión entre los hombres, y hace que se mire a todos los demás como a sus hermanos. Entonces este poema, o sea esta historia, de-
20 bía ser de otro género. Nada admitiría ridículo, chocarrero, burlesco; nada que no fuese grave, decoroso y conveniente a la seriedad del héroe y sus acciones. De esta clase se puede reputar el poema de *El hombre feliz,* aunque escrito con otro objeto.

---

24 *El hombre feliz, independiente del mundo y de la fortuna, o arte de vivir contento en todos los trabajos de la vida.* Obra del religioso portugués Teodoro de Almeida, hecha a imitación del *Telémaco,* que tuvo gran éxito y difusión en España por esta época. La primera traducción por José Francisco Monterde fué publicada en tres volú-

No es éste el camino que usted siguió; vamos al otro.

Pudo usted hacer la guerra a los vicios de los nobles, pintando un noble revestido de ellos, sacándolos a plaza en los varios incidentes de su 5 acción y haciendo siempre que el éxito desgraciado o contrario a sus designios volviese en ridículo sus máximas, entretuviese a los lectores y, sobre todo, corrigiese con la burla a los que se le pareciesen.   10

Éste, sin duda, fué el camino que usted quiso seguir; pero ¿es éste el carácter de su Don Pelayo? No, por cierto. Don Pelayo no tiene ni las virtudes ni los vicios de su clase. Aparece virtuoso casi siempre, pero no con una virtud caracte- 15 rística ni proporcionada a su esfera, pues aunque cada virtud sea una misma en todos los estados, como derivada de un mismo principio, sin embargo se presenta bajo diferente aspecto; con todo, hay virtudes propias de cada estado. La humil- 20 dad, por ejemplo, tiene muy diversa apariencia en un monje que en un magistrado; la castidad, en un sacerdote que en un caballero; y aunque no hay estado que no sea capaz de todas las virtudes, los actos que las califican aparecen en cada uno 25 como diferentes.

---

menes en Madrid en 1785. Apareció luego otra de Francisco Vázquez y la obra continuó reimprimiéndose hasta mediados del siglo pasado.

No es fuera del caso lo que se dice a este propósito en las célebres coplas de Jorge Manrique,
hechas a la muerte del maestro de Santiago D. ...
Háblase allí de los varios caminos por donde los
hombres colocados en diferentes estados y carreras ganan la vida eterna, y dice:

> El vivir que es perdurable
> no se gana con estados
>   mundanales,
> ni con vida deleitable
> en que moran los pecados
>   eternales;
> mas los buenos religiosos
> gánanlo con oraciones
>   y con lloros;
> los caballeros famosos,
> con trabajos y aflicciones
>   contra moros.

Usted, sin embargo, pintó en Don Pelayo más
bien el celo de un misionero o de un catequista
que de un caballero virtuoso. Siempre predicando,
siempre moralizando, parece que no es él el que
habla, sino algún maestro de la región, o algún
doctor de la Iglesia. Censura los excesos de las
fiestas de iglesia en los abusos de las visitas en
Tordesillas, la ambición de las familias episcopa-
les en Guadarrama, reprende a un desertor en ...,
a unos guardas en Labajas, y ... aquí convierte a

---

3 Rodrigo. El original está en blanco. *(Nota de Somoza.)*
27-28 Blancos en el original. según Somoza.